## *ACCESO GRATIS a la Lectura en la Nube*

Para visualizar el libro electrónico en la nube de lectura envíe junto a su nombre y apellidos una fotografía del código de barras situado en la contraportada del libro y otra del ticket de compra a la dirección:

**ebooktirant@tirant.com**

En un máximo de 72 horas laborables le enviaremos el código de acceso con sus instrucciones.

# *Compliance*, *whistleblowing* y garantías procesales de la persona jurídica

# *Compliance, whistleblowing* y garantías procesales de la persona jurídica

ANA MARÍA VICARIO PÉREZ

**tirant lo blanch**
Valencia, 2026

En caso de erratas y actualizaciones, la Editorial Tirant lo Blanch publicará la pertinente corrección en la página web www.tirant.com.



La presente obra ha sido sometida a la revisión de pares ciegos según el protocolo de publicación de la editorial a efectos de ofrecer el rigor y calidad correspondiente tanto en su contenido como en su forma, aplicándose los criterios específicos aprobados por la Comisión Nacional E 016 (BOE num. 286, de 26 de noviembre de 2016).

Colección:
*"Corrupción, crimen organizado y delincuencia económica"*

Dirigida por:
**NICOLÁS RODRÍGUEZ-GARCÍA**
*Catedrático de Derecho Procesal - Universidad de Salamanca*
*(ORCID ID: 0000-0003-0045-796X)*


EDITA: TIRANT LO BLANCH
C/ Artes Gráficas, 14 - 46010 - Valencia
TELFS.: 96/361 00 48 - 50
FAX: 96/369 41 51
Email:tlb@tirant.com
www.tirant.com
Librería virtual: www.tirant.es
DEPÓSITO LEGAL: V-1008-2026
ISBN: 979-13-7040-220-4
MAQUETA: Tink Factoría de Color

Si tiene alguna queja o sugerencia, envíenos un mail a: *atencioncliente@tirant.com*. En caso de no ser atendida su sugerencia, por favor, lea en *www.tirant.net/index.php/empresa/politicas-de-empresa* nuestro procedimiento de quejas.

Responsabilidad Social Corporativa: http://www.tirant.net/Docs/RSCTirant.pdf

*A mis padres.*

*A mis abuelos.*

El trabajo ha sido realizado en el marco del Proyecto de investigación del plan estatal "Estado de Derecho, justicia sostenible y digitalización en el espacio judicial europeo: preguntas y respuestas" (PID2024-156567NB-I00, Agencia Estatal de Investigación) IP: Mar Jimeno Bulnes. También en el marco del Proyecto de investigación del plan estatal "Ganancias ilícitas y sistema de justicia penal: una perspectiva global" (Ref. PID2022-138796NA-I00, Agencia Estatal de Investigación) IP: José León Alapont.

El trabajo ha sido financiado con cargo al Módulo Jean Monnet "Proceso judicial en la Unión Europea: entre garantías y eficiencia (JPUEGE)" (ERASMUS-JMO-2025-HEI-TCH-RSCH. Ref.: 101239307), perteneciente al Programa Erasmus+ Jean Monnet.

Funded by
the European Union

Financiado por la Unión Europea. Las opiniones y puntos de vista expresados solo comprometen a su(s) autor(es) y no reflejan necesariamente los de la Unión Europea o los de la Agencia Ejecutiva Europea de Educación y Cultura (EACEA). Ni la Unión Europea ni la EACEA pueden ser considerados responsables de ellos.

# ÍNDICE

# ABREVIATURAS

| | |
|---|---|
| AAN | Auto Audiencia Nacional |
| ALECrim | Anteproyecto de Ley de Enjuiciamiento Criminal de 2020 |
| AN | Audiencia Nacional |
| BOCG | Boletín Oficial de las Cortes Generales |
| BOE | Boletín Oficial del Estado |
| c | Contra |
| CE | Constitución Española de 1978 |
| CEDH | Convenio Europeo de Derechos Humanos y Libertades Fundamentales de 1950 |
| Coord./s | Coordinador/es |
| CP | Ley Orgánica 10/1995, de 23 de noviembre, del Código Penal |
| D. Leg. 231/2001 | *Decreto Legislativo 8 giugno 2001, n. 231. "Disciplina della responsabilita' amministrativa delle persone giuridiche, delle societa' e delle associazioni anche prive di personalita' giuridica, a norma dell'articolo 11 della legge 29 settembre 2000, n. 300"* |
| DOCE | Diario Oficial de las Comunidades Europeas |
| DOUE | Diario Oficial de la Unión Europea |
| Dr./Dres. | Director/es |
| EGAE | Estatuto General de la Abogacía Española |
| esp. | Especialmente |
| ET | Estatuto de los Trabajadores |
| FGE | Fiscalía General del Estado |
| FJ/FFJJ | Fundamento/s Jurídico/s |
| *Ibidem* | Misma obra |
| ISO | *International Organization for Standardization* |
| LEC | Ley 1/2000, de 7 de enero, de Enjuiciamiento Civil |

| | |
|---|---|
| LECrim | Real Decreto de 14 de septiembre de 1882 por el que se aprueba la Ley de Enjuiciamiento Criminal |
| LMAP | Ley 37/2011, de 10 de octubre, de medidas de agilización procesal |
| LO | Ley Orgánica |
| LOPJ | Ley Orgánica 6/1985, de 1 de julio, del Poder Judicial |
| LOTC | Ley Orgánica 2/1979, de 3 de octubre, del Tribunal Constitucional |
| LSC | Real Decreto Legislativo 1/2010, de 2 de julio, por el que se aprueba el texto refundido de la Ley de Sociedades de Capital |
| n. | Número |
| OCDE | Organización para la Cooperación y el Desarrollo Económicos |
| op. cit. | Opinión citada |
| p./pp. | Página/páginas |
| para/s. | Párrafo/s |
| RSC | Responsabilidad Social Corporativa |
| SAP | Sentencia de la Audiencia Provincial |
| ss. | Siguientes |
| STC | Sentencia del Tribunal Constitucional |
| STEDH | Sentencia del Tribunal Europeo de Derechos Humanos |
| STJUE | Sentencia del Tribunal de Justicia de la Unión Europea |
| STS | Sentencia del Tribunal Supremo |
| STSJ | Sentencia del Tribunal Superior de Justicia |
| TC | Tribunal Constitucional |
| TEDH | Tribunal Europeo de Derechos Humanos |
| TJCE | Tribunal de Justicia de las Comunidades Europeas |
| TJUE | Tribunal de Justicia de la Unión Europea |
| TS | Tribunal Supremo |
| UE | Unión Europea |

| | |
|---|---|
| Vid. | Véase |
| Vol. | Volumen |
| Vs. | Versus |

# PRÓLOGO

*Societas delinquere (si) potest sed puniri potest.*

*"Corporate crime kills far more people and costs taxpayers far more money than street crime."*

(Anita Roddick, fundadora de *The Body Shop* en 1976)

Definía Bern Schünemann a la empresa como "*una unidad organizada que está determinada por el fin económico al que sirven uno o varios establecimientos coordinados entre sí*"[1]. Si bien esta realidad se encuentra superada por el propio concepto de persona jurídica en particular en cuanto entendida esta última como aglutinadora, no sólo de empresas, sino también de asociaciones, fundaciones y sociedades en general, sirva, sin embargo, aquí la referencia empresarial para reconocer la existencia de una nueva (o ya no tan nueva) forma de criminalidad colectiva vinculada al ámbito económico; así la criminalidad económica o criminalidad de empresa (*Unternehmenskriminalität*) que predicaba el propio Schünemann en su obra del mismo título[2]. Ello a diferencia de la que él decía otro tipo de criminalidad empresarial y así la criminalidad "en la empresa" (*Betriebskriminalität*) producida en todo caso por personas físicas.

De este modo el creciente auge del llamado Derecho Penal de la empresa o *Corporate Criminal Law* como parte del Derecho Penal económico dentro del cual se enmarca la presente obra y aquí excelente monografía.

En efecto España se suma al grupo de países dentro de aquellos Estados Miembros parte de la Unión Europea que han optado por

---

1 SCHÜNEMANN, B. "Cuestiones básicas de dogmática jurídico-penal y de política criminal acerca de la criminalidad de empresa", Anuario de Derecho Penal y Ciencias Penales 1988, nº 2, pp. 529-558, p. 530.

2 SCHÜNEMANN, B. *Unternehmenskriminalität und Strafrecht: eine Untersuchung der Verantwortlichkeit der Unternehmen und ihrer Füruhngskrafte nach geltendem und geplantem Straf- und Ordnungswiedrigkeitenrecht*, Heymann, Köln, 1979.

participar de un modelo de responsabilidad penal de las personas jurídicas. Es bien sabido y objeto en su día de enconado debate que la reforma del Código Penal operada por la Ley Orgánica 5/2010, de 22 de junio, supuso una "cuasirrevolución" si no un cataclismo en el panorama del Derecho Penal sustantivo derivando el clásico principio penal *societas delinquere non potest* en el nuevo arriba descrito y el que anticipa estas líneas: societas delinquere (si) potest sed puniri potest. Como avanza la autora en su obra y expone ya en su introducción, dicha reforma legislativa no vino por sí sola, sino que fue acompañada de otras posteriores, tanto en el ámbito penal sustantivo como procesal; no en vano el proceso penal hubo de adecuarse a las características del nuevo modelo de imputación y hacer frente a las dificultades que el mismo importa en un proceso penal todavía anclado en el siglo XIX.

Precisamente es ahora este ámbito nacional penal y procesal el que aborda la monografía que ahora se prologa, suponiendo además la incursión de este último espacio un decidido *input* de la misma, por cuanto el tratamiento del fenómeno de la criminalidad empresarial en la mayor parte de las ocasiones se realiza desde la perspectiva penal sustantiva pero no estrictamente procesal. Sirva también de paso la presente obra para revisar el modelo de responsabilidad penal de personas jurídicas acogido por nuestro país.

La obra se detiene especialmente en los problemas procesales que plantea el nuevo (o no tan nuevo) modelo de responsabilidad penal empresarial y/o de personas jurídicas, con especial hincapié en la actividad probatoria, sin duda actividad esencial en el proceso... Y aún más allá pues, como advertía Jeremías Bentham, "*las cuestiones de prueba tienen mucha más extensión que la que parece, presentándose en las circunstancias de la vida donde menos se piensa en seguir un procedimiento lógico, y por decirlo así, judicial*"[3].

Así la obra se estructura en cinco capítulos relativos al panorama de esta responsabilidad empresarial y/o de personas jurídicas en el contexto español ocupándose la autora de desgranar la problemática existente en cada una de las materias abordadas. De esta forma

---

[3] BENTHAM, J. *Tratado de las pruebas judiciales*, t. I, Imprenta de don Tomás Jordan, Madrid, 1835, p. 23.

el capítulo primero se ocupa precisamente de revisar el modelo de responsabilidad penal de las personas jurídicas tras 15 años de experiencia; así, a modo de recordatorio, se anticipa distinto articulado y adiciones/modificaciones legislativas emprendidas hasta la fecha. Se conjuga esta revisión legislativa con la jurisprudencial procedente en lo esencial del Tribunal Supremo, así como la bibliográfica de la literatura penalista pues ciertamente es este capítulo el que procura atención especial a los aspectos sustantivos clásicos de dicha responsabilidad penal de las personas jurídicas. No falta, sino que abunda la opinión personal de la autora, quien no duda en pronunciarse sobre las cuestiones más polémicas sin miedo a la dificultad y complejidad que el propio estudio del tema entraña.

Por su parte, el capítulo segundo se ocupa precisamente de analizar los aspectos procesales del vigente modelo de responsabilidad empresarial y/o de personas jurídicas intentando dar respuesta a las preguntas que la propia autora plantea en su Presentación y así examen de los conceptos e instituciones procesales clásicas: competencia, capacidad para ser parte y procesal, etc. No obstante, en una visión moderna y actual del Derecho Procesal la autora aborda una problemática esencial, cual es la titularidad de la persona jurídica del derecho al debido proceso con la consecuencia de la aplicación de idénticas garantías procesales de las que disfrutan las personas físicas en el seno del proceso penal al albur de las reformas introducidas en virtud de la Ley 37/2011, de 10 de octubre, de medidas de agilización procesal, procurando modificación de Ley de Enjuiciamiento Criminal y otra normativa procesal. Precisamente, no siendo inicialmente reconocido para tales personas jurídicas el mismo estatuto procesal que para las personas físicas dadas las propias carencias de la legislación inmediatamente mencionada, ha de recordarse que la autora siempre ha mostrado interés en proceder a su equiparación como ya ha tenido ocasión de pronunciarse con anterioridad a esta monografía[4].

---

[4] A modo simplemente de ejemplo, VICARIO PÉREZ, A.M., "Reconocimiento del derecho de justicia gratuita a las personas jurídicas sujetas a responsabilidad penal. Estado actual y propuestas de reforma", *Revista General de Derecho Procesal* 2022, nº 57, https://www.iustel.com

Dicho sea de paso, se aborda aquí también en este capítulo segundo una cuestión problemática esencial en materia probatoria, eje del proceso en el sentido anunciado y así la atribución de carga probatoria respecto del defecto organizacional en consonancia con la exigencia establecida en los artículos 31 bis.1 y 2 del Código Penal, ora acusación, ora defensa, ora ambas. La autora igualmente, en sintonía con anterior y restantes capítulos, no duda en adoptar postura desde su visión procesal, no siempre compatible con los postulados clásicos penales; ello, por cuanto, como aquí se advierte, ha de compatibilizarse la solución penal sustantiva con los principios básicos del proceso penal y, en suma, siempre "proceso debido" (*due process of law*) con las garantías que le acompañan expuestas en este mismo capítulo.

En cuanto al capítulo tercero examina una de las mayores innovaciones que produce la posterior reforma penal operada mediante la Ley Orgánica 1/2015, de 30 de marzo; así la introducción en el vigente artículo 31 bis.5 del Código Penal de "modelos de organización y gestión" que no son sino los famosos programas de cumplimiento normativo (*compliance programs*). Con ello la incorporación también del nuevo concepto de *compliance* en el diccionario jurídico, en cuanto tales programas van a operar como "eximentes" de la responsabilidad penal empresarial y/o de la persona jurídica. Si bien el legislador no provee de definición al respecto, la literatura y aquí la autora se ocupa al respecto, así como de estudiar sus características, elementos, efectos... junto a modelos y protocolos a la luz todo ello de la jurisprudencia y experiencia hasta la fecha existente. No hay que olvidar que, como ya exponía algún autor en el seno del país del que parece traer origen tal fenómeno del *compliance*, son tres los elementos básicos de dichos programas de cumplimiento: "*a formal code of conduct, a compliance officer and officer, and a telephone hotline for employees*"[5].

Es justo el estudio de parte de tales elementos objeto del contenido del capítulo cuarto, por cuanto se ocupa del examen de los llamados "canales de denuncia" (*whistleblowing channels*) así como de la figu-

---

5 WELLNER, P.A. "Effective compliance programs and corporate criminal prosecutions", *Cardozo Law Review* 2005, vol. 27, nº 1, pp. 497-528, p. 501.

ra del CO o *compliance officer*. Los primeros o, en suma, tales denuncias proceden precisamente de este "*telephone hotline for employees*" ocupándose la autora de analizar su valor así como el estatuto jurídico del denunciante; del mismo modo, la protección a la que puede acogerse este último, aun admitiendo la posibilidad de la existencia de denuncias anónimas. El segundo, figura y elemento clave en los programas de cumplimiento, será quien asuma la tarea de "controlar el correcto funcionamiento y observancia de tal modelo de cumplimiento penal en la entidad" como la propia autora aquí refiere; por tanto, deberá también asumir el control y gestión de las llamadas "investigaciones internas" que tengan lugar en el seno de la empresa y/o persona jurídica. Para ello se hace necesario y así es consciente la autora, el examen, no sólo de la legislación estatal como la Ley 2/2023, de 20 de febrero, reguladora de la protección de las personas que informen sobre infracciones normativas y de lucha contra la corrupción, sino también de la Directiva europea de la que trae origen.

Finalmente, el capítulo quinto se detiene de nuevo y de forma específica en los aspectos procesales de las vigentes exigencias normativas o, en suma, elementos derivados de tales programas de cumplimiento. Así, por una parte y en relación con el elemento del *whistleblowing* o *telephone hotline for employees*, habrá de determinarse el concreto estatuto procesal de los "denunciantes" o "informantes" en terminología del legislador español; por otra, en cuanto al segundo elemento del CO o *compliance officer*, el valor probatorio que pueden adquirir tales investigaciones internas en el seno del proceso (penal). En suma, una vez más se incide en la que constituye, a mi juicio y según ya he relatado, problemática esencial en el seno del proceso penal y cualesquiera procesos de naturaleza distinta, cuál es la actividad probatoria con las propias particularidades que la misma reúne en materia de responsabilidad penal empresarial y/o de personas jurídicas como en algún momento yo misma he tenido ocasión de advertir[6].

---

6 JIMENO BULNES, M. "La responsabilidad penal de las personas jurídicas y los modelos de *compliance*: un supuesto de anticipación probatoria", *Revista General de Derecho* Penal 2019, nº 32, https://www.iustel.com, también pp. 51 y ss, respecto de la posibilidad de inversión de la carga probatoria y ya no sólo anticipación.

Desde luego no es el primer trabajo en la materia de la autora como ha sido anticipado, lo cual se trasluce a lo largo de toda su obra. A pesar de su juventud, puede ya afirmarse que Ana Vicario pertenece al grupo de autores especialistas en materia de responsabilidad penal de las personas jurídicas pues, no en vano, posee distintas publicaciones en la materia como atestigua su *curriculum*, algunas de las cuales han sido aquí ya mencionadas. La monografía que ahora se prologa constituye una investigación a todas luces sólida que formará parte del elenco de bibliografía ocupada de la temática en cuestión y obra de referencia de estudiosos/as de este y otros países, tanto en el ámbito penal como fundamentalmente procesal. La autora es en la actualidad Profesora Ayudante de Derecho Procesal de la Universidad de Burgos y a buen seguro disfrutará de una brillante trayectoria académica en el futuro.

Como tuve ocasión de afirmar en anterior obra monográfica en la que igualmente acompañé líneas similares a las que hoy se presentan, se trata aquí también de obra exhaustiva y contrastada con exposición rigurosa de fuentes (legislativas, jurisprudenciales y bibliográficas) y datos siendo destacable la aportación personal de la autora para cada una de ellas en comentario y/o crítica. La autora no sólo expone, sino que con atrevimiento se "pronuncia" apostando por una u otra postura y, si fuera el caso, aportando la propia, dando lugar a discusión en la doctrina e incorporando fuente de conocimiento. En todo caso, las afirmaciones que se encuentran en la presente monografía no son fruto de la casualidad, sino que encuentran sin duda apoyo en exhaustiva fundamentación y argumentación como es característica de todos y cada uno de los trabajos de la autoría de Ana Vicario; así "marca de la casa" de la que yo también, modestamente, me permito participar.

Finalmente, sólo me resta felicitar a la autora y agradecerle la confianza depositada para redactar estas breves líneas; así también al director de la colección la publicación de la obra, de la que a buen seguro no se verá defraudado. Aquí y ahora una vez más agradecimiento a la autora por además permitirme guiarle en su trayectoria académica.

Con todo la presente obra enriquece el panorama científico procesal y procura la "difusión universal del conocimiento" en sintonía con los objetivos perseguidos por la Ley 14/2011, de 1 de junio, de la Ciencia, la Tecnología y la Innovación, legislación que ha de guiar la investigación en cualesquiera ámbitos. A ello sin duda contribuye "*Compliance, whistleblowing* y garantías procesales de la persona jurídica".

En Burgos, a treinta y uno de mayo de dos mil veinticinco.

**Mar Jimeno Bulnes**
*Catedrática de Derecho Procesal*
*Universidad de Burgos*

# PRESENTACIÓN

La incorporación de la responsabilidad penal de las personas jurídicas al Derecho español marcó un punto de inflexión histórico en la configuración de los sujetos criminalmente responsables en nuestro ordenamiento jurídico. Hasta bien entrado el siglo XXI, la tradición penal española, al igual que la de otros sistemas de corte continental, se había mantenido fiel al principio *societas delinquere non potest*, anclado en postulados heredados de la Revolución Francesa, conforme a los cuales solo las personas físicas podían ser consideradas penalmente responsables. Bajo esta perspectiva, las personas jurídicas quedaban al margen del Derecho penal sustantivo, y su intervención en hechos delictivos solo podía dar lugar a la imposición de consecuencias accesorias o a la depuración de responsabilidades individuales de sus representantes o directivos.

Este panorama cambió de forma radical con la entrada en vigor de la Ley Orgánica 5/2010, de 22 de junio, por la que se modifica la Ley Orgánica 10/1995, de 23 de noviembre, del Código Penal[1], que introdujo de manera expresa la posibilidad de exigir responsabilidad penal directa a las personas jurídicas por determinados delitos. Dicha reforma obedecía tanto a exigencias internas como externas. Por un lado, respondía a una demanda social creciente de lucha contra la delincuencia económica organizada y de dotar al sistema penal de herramientas más eficaces frente a estructuras empresariales complejas utilizadas como instrumentos para la comisión de ilícitos. Por otro lado, buscaba dar cumplimiento a compromisos internacionales asumidos por España, especialmente en el marco de la Unión Europea, la OCDE y Naciones Unidas, en materia de prevención de la corrupción, el blanqueo de capitales y otros delitos de carácter económico que, si bien no exigían un modelo de responsabilidad penal, fueron tomados como pretexto por el legislador nacional[2].

1 BOE n. 152, de 23 de junio de 2010, pp. 54811-54883.

2 Para un análisis en profundidad de la influencia supranacional, y más concretamente europea, en la conformación de un modelo de responsabilidad de las personas jurídicas, nos remitimos a nuestro anterior trabajo VICARIO PÉREZ,

La reforma no estuvo exenta de críticas ni de dificultades interpretativas. La introducción de una figura tan ajena a la tradición jurídico-penal generó un amplio debate que, aún a día de hoy, no puede considerarse del todo cerrado. La Ley 37/2011, de 10 de octubre, de Medidas de Agilización Procesal (LMAP)[3] no colmó ni mucho menos las dudas interpretativas tocantes a cuestiones tan trascendentales como la intervención y comparecencia de la persona jurídica en el proceso penal, temática sobre la que ni tan siquiera puede hablarse de consenso doctrinal o jurisprudencial.

La posterior reforma del artículo 31 bis del Código Penal por la Ley Orgánica 1/2015, de 30 de marzo, por la que se modifica la Ley Orgánica 10/1995, de 23 de noviembre, del Código Penal[4], supuso una reconfiguración importante del modelo, incorporando expresamente los denominados programas de cumplimiento normativo (*compliance programs*) como posibles eximentes de la responsabilidad penal de la persona jurídica. La norma penal pasa así a incorporar un sistema de "doble vía" en el que el defecto organizacional se erige en elemento determinante de la capacidad de acción y la culpabilidad empresarial. Empero, la insuficiente previsión legislativa en torno al posicionamiento de la persona jurídica en el proceso penal, ha marcado el sistema español, encontrándonos ante un escenario de exigüidad normativa nacional y surgiendo nuevos desafíos para la práctica jurídica, como la necesidad de valorar la eficacia real de dichos programas y su incidencia sobre la imputación penal de la entidad.

Por añadidura, la aprobación de la Ley 2/2023, de 20 de febrero, reguladora de la protección de las personas que informen sobre infracciones normativas y de lucha contra la corrupción[5], lejos de fijar criterios unánimes con respecto a uno de los elementos de eficacia de los programas de cumplimiento, como son los canales de denuncia y las subsiguientes investigaciones internas corporativas, creará en los años venideros no pocos conflictos en su aplicación. El estudio de esta norma se antoja verdaderamente imprescindible, toda vez que exige

---

A. M., *Cooperación judicial en la Unión Europea frente a la criminalidad de personas jurídicas*, Aranzadi, Cizur Menor, 2024, pp. 35-65.

[3] BOE n. 245, de 11 de octubre de 2011, pp. 106726-106744.

[4] BOE n. 77, de 31 de marzo de 2015, pp. 27061-27176.

[5] BOE n. 44, de 21 de febrero de 2023, pp. 26140-26189.

abordar las consecuencias que su contenido tendrá sobre los procesos penales seguidos contra personas jurídicas.

Transcurridos ya unos años de toda esta producción normativa, y siendo desde luego prolija la bibliografía que se ocupa de su análisis, se impone una revisión crítica de esta evolución legislativa, de los efectos prácticos de su aplicación, así como de los múltiples interrogantes que aún hoy plantea.

En efecto, contamos en la actualidad con un régimen de responsabilidad penal de las personas jurídicas que bebe del modelo de responsabilidad administrativa importado de países de nuestro entorno. Este modelo, sin embargo, no ha venido acompañado de un sistema procesal penal propio, que atienda a las particularidades de esta nueva tipología de sujetos pasivos. Es así que debe hacerse desde la doctrina y la jurisprudencia un ejercicio de traslación de las reglas básicas aplicables a las personas físicas. Sin embargo, la naturaleza incorpórea de estas, unida al hecho de que los principios y garantías procesales fueron y siguen siendo concebidos para su aplicación a sujetos naturales, respecto de los cuales es inherente el respeto a la dignidad humana, hace que una aplicación automática provoque lagunas o dudas.

Y es que, a pesar del número creciente de resoluciones judiciales, no todos los aspectos del modelo español de responsabilidad penal de las personas jurídicas han logrado consolidarse en un cuerpo doctrinal uniforme, ni la jurisprudencia ha zanjado todas las cuestiones problemáticas, especialmente aquellas relacionadas con el proceso penal, como la carga probatoria que recae sobre la persona jurídica imputada, las garantías que habrán de resultarle aplicables, la afectación al derecho a la no autoincriminación de la entidad por el vertido de información derivada de investigaciones internas al proceso penal, o el valor probatorio de tal información.

Este estudio debe ser particularmente cuidadoso, ya que no puede apoyarse en precedentes consolidados y requiere de una evaluación crítica, tanto de las resoluciones existentes como de los posibles efectos prácticos de las interpretaciones alternativas. Partiendo así de una visión genérica del estado actual del modelo español de responsabilidad penal de las personas jurídicas, desde sus aspectos sustantivos así como desde las más elementales cuestiones de índole procesal, llegaremos a plantear los principales puntos de conflicto en este *sui generis* proceso penal dirigido contra las entidades. A estos efectos, el trabajo se estructura en cinco capítulos.

El Capítulo I examina el proceso de configuración de este modelo español, partiendo de su evolución legislativa y doctrinal. Se analizan los antecedentes históricos que impidieron durante décadas la imputación penal de personas jurídicas, así como las sucesivas reformas normativas que, primero, introdujeron consecuencias accesorias y, posteriormente, dieron paso al reconocimiento explícito de la responsabilidad penal de las entidades colectivas. En este contexto, se presta especial atención a la incorporación de la máxima *societas delinquere potest* en la reforma de 2010 y a los cambios introducidos en 2015, que configuraron el marco vigente. También se explican las diferencias entre el régimen general del artículo 31 bis CP y el régimen especial del artículo 129 CP, lo cual permite una comprensión más precisa de las distintas modalidades de intervención penal sobre las personas jurídicas.

El Capítulo II se adentra en las principales implicaciones procesales del modelo. Una vez reconocida la posibilidad de atribuir responsabilidad penal a una persona jurídica, surgen nuevas preguntas que afectan directamente al proceso penal. ¿Cómo se representa una persona jurídica? ¿Qué derechos le asisten como sujeto pasivo de la acción penal? ¿Qué régimen de competencia y procedimiento se le aplica? Pero, sobre todo, se plantea un interrogante fundamental: ¿quién debe probar el defecto organizativo que permite atribuir responsabilidad a la entidad? Esta cuestión ha sido objeto de posiciones doctrinales divergentes y resoluciones judiciales no siempre coherentes. El Capítulo aborda con detalle las distintas posturas sobre a la atribución de la carga probatoria, analizando las ventajas y riesgos de cada una, además de la compatibilidad de estas soluciones con los principios básicos del proceso penal, como la presunción de inocencia y el derecho a no declarar contra uno mismo.

El Capítulo III aborda el concepto y los elementos de eficacia de los programas de cumplimiento normativo. Estas estructuras, cuyo desarrollo ha sido impulsado en gran parte por la reforma de 2015, tienen como objetivo prevenir la comisión de delitos en el seno de la organización. Su correcta implementación y eficacia pueden suponer una causa de exoneración o atenuación de la responsabilidad penal de la persona jurídica, siendo así que la determinación de criterios para estimar esta eficacia se torna en elemento de seguridad jurídica. Con ello, nuestro análisis se centra en los aspectos clave, poniendo el foco en sus características y en su valoración por los órganos judiciales: el mapa de riesgos, los protocolos internos de toma de decisiones, los sistemas de gestión financiera, los mecanismos disciplinarios y los procedimientos de revisión periódica.

Dejamos para el Capítulo IV el estudio del que se ha convertido en el instrumento más relevante del *compliance program*: el canal de denuncias o *whistleblowing*. Esta herramienta, obligatoria tras la entrada en vigor de la Ley 2/2023, permite detectar irregularidades desde dentro de la propia organización, iniciando así investigaciones internas. El Capítulo analiza la naturaleza jurídica de la denuncia interna, el estatuto del denunciante (incluyendo la posibilidad de denuncias anónimas) y el régimen legal de protección que le ampara. Asimismo, se estudia el papel del *compliance officer* como responsable de gestionar estas investigaciones y los distintos tipos de investigaciones que pueden llevarse a cabo, con especial énfasis en aquellas de carácter reactivo-defensivo, esto es, orientadas a preparar la defensa de la entidad ante una posible imputación penal.

Por último, el Capítulo V profundiza en los problemas procesales que pueden derivarse de la utilización del canal de denuncias y las investigaciones internas en el proceso penal. Se analiza el posible impacto de estos mecanismos sobre los derechos fundamentales de las personas jurídicas, en especial el derecho a no autoincriminarse y el secreto profesional del abogado defensor. En adición, se estudia el valor probatorio de los resultados obtenidos en investigaciones internas: qué requisitos deben cumplirse para que estas pruebas sean lícitas, cómo pueden ser introducidas en el proceso penal y qué límites deben respetarse para salvaguardar las garantías procesales de la entidad investigada.

En suma, este estudio pretende contribuir al análisis crítico de un modelo todavía en consolidación, identificando sus logros, sus limitaciones y los retos pendientes que deberán abordarse para garantizar su eficacia, coherencia y compatibilidad con los principios rectores del Derecho penal y procesal penal.

# Capítulo I
# MODELO ESPAÑOL DE RESPONSABILIDAD PENAL DE LAS PERSONAS JURÍDICAS. EVOLUCIÓN Y ANÁLISIS TRAS QUINCE AÑOS DE EXPERIENCIA

Dedicamos el primer apartado del presente Capítulo a esbozar los principales rasgos del modelo español de responsabilidad penal de las personas jurídicas. Nos detendremos para ello en el análisis de los antecedentes legislativos a este reconocimiento, que permitían ya en nuestro país la sanción de las entidades por conductas delictivas constatadas en su actividad. Se hará así un recorrido desde las primeras previsiones de perseguibilidad hasta la efectiva implementación de la máxima *societas delinquere potest* por la Ley Orgánica 5/2010, de 22 de junio, por la que se modifica la Ley Orgánica 10/1995, de 23 de noviembre, del Código Penal; y la introducción del defecto organizacional como circunstancia exoneradora por la Ley Orgánica 1/2015, de 30 de marzo, por la que se modifica la Ley Orgánica 10/1995, de 23 de noviembre, del Código Penal.

Ello nos permitirá examinar el sistema de atribución de responsabilidad regulado por el actual artículo 31 bis CP, si bien aludiremos igualmente al mantenimiento de las consecuencias accesorias, que perviven en lo que puede considerarse un modelo complementario de responsabilidad previsto en el artículo 129 CP.

## 1. EVOLUCIÓN LEGISLATIVA

Sería incierto sostener que hasta la modificación del Código Penal por medio de la Ley Orgánica 5/2010, de 22 de junio, el legislador español no mostraba preocupación alguna por la delincuencia cometida mediante el uso de sociedades. En las líneas que siguen, analizaremos la evolución habida en la regulación nacional atinente a la responsabilidad de las entidades, pudiendo constatarse que su sancionabilidad no es ni mucho menos novedosa.

## 1.1. *Los rescoldos de la Revolución Francesa: solo las personas físicas pueden delinquir*

La aprobación el 26 de agosto de 1789 de la Declaración de los Derechos del Hombre y del Ciudadano por la Asamblea Nacional Constituyente francesa[6], supuso un destacado hito en la ordenación del Derecho Penal moderno en los países europeos. Partiendo de la concepción del Derecho Penal en torno a la persona física, se dejó de lado la posible perseguibilidad criminal de las entidades que, curiosamente y como señala ECHEVARRIA BERECIARTUA, se había contemplado durante los siglos XIV y XVIII[7]. De esta suerte, siguiendo la tendencia europea marcada por Alemania[8], la legislación española de la época consideraba contraria a los principios del Derecho Penal la posibilidad de que las personas jurídicas pudieran ser sujetos responsables de delitos.

Siendo esta la línea de pensamiento legislativo predominante en España hasta bien entrado el siglo XXI, el Derecho Administrativo-sancionador se presentó como la vía utilizada para la represión de las infracciones cometidas por las entidades[9]. Este modelo de responsa-

---

6 Disponible en https://www.conseil-constitutionnel.fr/sites/default/files/as/root/bank_mm/espagnol/es_ddhc.pdf (última consulta: 27 de febrero de 2025).

7 ECHEVERRIA BERECIARTUA, E., *Las modalidades de responsabilidad penal de las personas jurídicas en el marco del proceso penal*, Tirant lo Blanch, Valencia, 2021, p. 63.

8 Donde de acuerdo con el principio de culpabilidad, cualquier forma de responsabilidad penal presupone la responsabilidad individual del sujeto infractor, lo cual está intrínsicamente relacionado con el principio de dignidad humana en el sentido del artículo 1 de la Ley Fundamental de la República Federal de Alemania, de 8 de mayo de 1949 (Grundgesetz). Versión en español vista en https://www.btg-bestellservice.de/pdf/80206000.pdf (Última consulta: 30 de enero de 2025).

9 No pudiendo olvidarnos, en adición, de la responsabilidad civil que se hace recaer sobre las personas jurídicas por los daños ocasionados en su comportamiento ilícito. Una de las primeras resoluciones sobre el particular fue la STS 1196/1984, de 28 de mayo, ECLI:ES:TS:1984:1196. Con la misma se asienta una doctrina de "levantamiento del velo", esto es, de descubrimiento del uso fraudulento de las entidades para la comisión delictiva, de forma tal que se per-

bilidad ha sido de configuración eminentemente jurisprudencial. Así, resulta especialmente significativa la Sentencia del Tribunal Constitucional 76/1990, de 26 de abril, en cuya virtud, no solo se reconoce la capacidad de acción de las personas jurídicas pese a faltar en ellas el elemento volitivo propio de los sujetos físicos, sino que, en adición, se considera que las infracciones pueden ser cometidas por las corporaciones[10] "de forma culpable"[11]. En idéntico sentido, señala la Sentencia del Tribunal Constitucional 246/1991, de 19 de diciembre, que el principio de culpabilidad "*rige también en materia de infracciones administrativas, pues en la medida en que la sanción de dicha infracción es una de las manifestaciones del* ius puniendi *del Estado resulta inadmisible en nuestro ordenamiento un régimen de responsabilidad objetiva o sin culpa*"[12]. Se trata por lo demás de una responsabilidad directa, por hechos propios[13], "*que deriva del bien jurídico protegido por la norma que se infringe y la necesidad de que dicha protección sea realmente eficaz y por el riesgo que, en consecuencia, debe asumir la persona jurídica que está sujeta al cumplimiento de*

---

mite al órgano jurisdiccional "*penetrar en el "substratum" personal de las entidades o sociedades, a las que la ley confiere personalidad jurídica propia, con el fin de evitar que al socaire de esa ficción o forma legal (de respeto obligado, por supuesto) se puedan perjudicar ya intereses privados o públicos o bien ser utilizada como camino del fraude*" (Considerando Cuarto).

10 STC 76/1990, de 26 de abril, ECLI:ES:TC:1990:76 (*Tol 80368*), FJ 4º.

11 Coincidente con tal criterio, puntualiza a este respecto ZUGALDÍA ESPINAR que las personas jurídicas son capaces de cometer ilícitos administrativos sin que ello suponga una conculcación de los principios que rigen esta rama del ordenamiento jurídico, habida cuenta de que las mismas tienen capacidad para realizar "*cualquier tipo de acción: para abrir centros sanitarios (y para hacerlo clandestinamente), para ejecutar obras (y para hacerlo en zonas no urbanizables), para recoger datos personales (y para hacerlo de manera engañosa), etc.*", ZUGALDÍA ESPINAR, J.M., *La responsabilidad criminal de las personas jurídicas, de los entes sin personalidad y de sus directivos. Análisis de los arts. 31 bis y 129 del Código Penal*, Tirant lo Blanch, Valencia, 2012, p. 16.

12 STC 246/1991, de 19 de diciembre, ECLI:ES:TC:1991:246 (*Tol 81922*), FJ 2º; en el mismo sentido, la STS 2207/1996, de 15 de abril, ECLI:ES:TS:1996:2207 (*Tol 5135974*), FJ 4º: "*en el ámbito de la responsabilidad administrativa no basta con que la conducta sea antijurídica y típica, sino que también es necesario que sea culpable, esto es, consecuencia de una acción u omisión imputable a su autor por malicia o imprudencia, negligencia o ignorancia inexcusable*".

13 STC 2019/1988, de 22 de noviembre, ECLI:ES:TC:1988:219 (*Tol 80066*), FJ 3º.

*dicha norma*"[14]. En fin y de modo similar a como luego se regulará la responsabilidad penal de las personas jurídicas, en un primer momento su responsabilidad administrativa deriva igualmente de la comisión de infracciones por parte de sus miembros, señalándose que con ello "*no se conculca el principio de tipicidad de la infracción ni tampoco el de personalidad de la sanción, ya que en el campo del Derecho administrativo las personas jurídicas pueden incurrir en responsabilidad por la actuación de sus dependientes, sin que puedan excusarse, como regla, en la conducta observada por estos*"[15]. Consecuencia de todo ello, afirma ZUGALDÍA ESPINAR, es que para el Derecho Administrativo-sancionador las personas jurídicas son igualmente capaces de soportar una sanción[16].

A partir de lo anterior, podemos afirmar que ya en el modelo anterior al de 2010 regían en la responsabilidad administrativa de las entidades los principios básicos del Derecho Penal[17]. Y ello no podía ser de otra forma por cuanto que el Derecho Administrativo-sancionador no deja de ser, como lo es el Derecho Penal, una manifestación de la potestad punitiva del Estado a la luz del artículo 25 CE, siendo así que ambos sistemas deben obedecer a similares criterios de imputación[18]. Con todo, el clásico argumento esgrimido para negar la responsabilidad penal de las entidades, esto es, su contrariedad con las categorías dogmáticas de acción y culpabilidad, consideramos que carece de fundamento. Efectivamente, como matiza BACIGALUPO SAGGESE,

---

14 STS 2207/1996, de 15 de abril, op. cit.

15 STS 1421/1996, de 5 de marzo, ECLI:ES:TS:1996:1421 (*Tol 5146376*), FJ 2º.

16 ZUGALDÍA ESPINAR, J.M., *La responsabilidad criminal de las personas jurídicas, de los entes sin personalidad y de sus directivos. Análisis de los arts. 31 bis y 129 del Código Penal*, op. cit. p. 16.

17 ECHARRI CASI, F.J., *Sanciones a Personas Jurídicas en el Proceso Judicial: Las Consecuencias Accesorias*, Aranzadi, Cizur Menor, 2003, p. 52.

18 Nos remitimos a estos efectos a la Exposición de Motivos de la entonces vigente Ley 30/1992, de 26 de noviembre, de Régimen Jurídico de las Administraciones Públicas y del Procedimiento Administrativo Común, BOE n. 285, de 27 de noviembre de 1992, pp. 40300-40319, por la cual, "*la Constitución, en su artículo 25, trata conjuntamente los ilícitos penales y administrativos, poniendo de manifiesto la voluntad de que ambos se sujeten a principios de básica identidad, especialmente cuando el campo de actuación del derecho administrativo sancionador ha ido recogiendo tipos de injusto procedentes del campo penal no subsistentes en el mismo en aras al principio de mínima intervención*".

la opción por la responsabilidad administrativa solo permitiría salvar las dificultades desprendidas de los principios de culpabilidad y responsabilidad de las penas si se demostrara que el ilícito administrativo tiene naturaleza distinta al penal o, al menos, que los requisitos del proceso penal no rigen en el administrativo[19], lo cual no es acorde con la realidad doctrinal ni legislativa. En efecto, la jurisprudencia extiende la aplicación de las garantías procesales al procedimiento administrativo-sancionador cuando este tenga carácter penal. Ha de seguirse así el criterio asentado desde la STEDH de 8 de junio de 1976, *Engel and others*[20], por la cual, se concretan los en adelante conocidos como "criterios Engel" para la determinación del "carácter penal" de un asunto: la clasificación legal de la medida en cuestión en el Derecho nacional (esto es, si el ordenamiento interno califica la infracción de penal o administrativa); la naturaleza de la medida (esto es, si tiene una finalidad preventiva y represiva, no meramente reparadora); y el grado de severidad de la sanción[21].

Nos mostramos coincidentes con la postura de ZUGALDÍA ESPINAR, para quien, sea cual sea el modelo de imputación de las personas jurídicas, los problemas dogmáticos derivados de la culpabilidad

---

19 BACIGALUPO SAGGESE, S., *La responsabilidad penal de las personas jurídicas*, Bosch, Barcelona, 1998, p. 232.

20 STEDH de 8 de junio de 1976, *Engel and others*, ECLI:CE:ECHR:1976:0608JUD000510071, para. 82.

21 Tales criterios han sido objeto de empleo y matización por posterior jurisprudencia, habiéndose concluido la alternatividad y no acumulabilidad de los mismos. Así la STEDH de 4 de marzo de 2014, *Grande Stevens c. Italy*, ECLI:CE:ECHR:2014:0304JUD001864010, para. 94: "*basta con que la infracción en cuestión sea, por su naturaleza, "delictiva"* (...) *o que haya hecho recaer sobre el interesado una sanción que, por su naturaleza y su grado de severidad, pertenezca en general al ámbito "penal"*". Ello no obstante, consideramos que no debe impedirse la adopción de un punto de vista acumulativo de los criterios si el análisis por separado de cada uno de ellos no permite concluir de manera clara la existencia de un asunto en "materia penal", como ha sido reflejado en la STEDH de 31 de mayo de 2011, asunto *Kurdov e Ivanov c. Bulgaria*, ECLI:CE:ECHR:2011:0531JUD001613704 (*Tol 9066855*), paras. 36-39; o en la STEDH de 18 de octubre de 2011, asunto *Tomasovic c. Croacia*, ECLI:CE:ECHR:2011:1018JUD005378509 (*Tol 9065775*), para. 20. Para un análisis en profundidad de la cuestión, nos remitimos a nuestro anterior trabajo VICARIO PÉREZ, A.M., *Cooperación judicial en la Unión Europea frente a la criminalidad de personas jurídicas*, op. cit. 2024, pp. 167-170.

de esta tipología de sujetos no pueden obviarse por el simple hecho de reconducir su sancionabilidad al ámbito administrativo, sorprendiendo que, "*con independencia de la gravedad de los hechos y de las sanciones que se impongan, la responsabilidad de las personas jurídicas se haya venido exigiendo tradicionalmente ante autoridades administrativas y absolutamente al margen del Derecho Penal y de los Tribunales Penales*"[22]. Cuatro críticas se aducen por el autor al preponderante principio *societas delinquere non potest*: primero, que el criterio para atribuir responsabilidad penal a las personas físicas y responsabilidad administrativa a las jurídicas, no obedece a razones de gravedad de la sanción, sino estrictamente a criterios personalistas, esto es, en función de la naturaleza corpórea o no del sujeto infractor; segundo, que el modelo administrativo-sancionador ha pasado a ocupar parcelas propias del Derecho Penal, propiciando un ejercicio desmesurado del *ius puniendi* de la Administración; tercero, que la sancionabilidad administrativa no redunda en mayores garantías para la entidades; y cuarto, que con el recurso al Derecho Administrativo-sancionador, las infracciones de las personas jurídicas quedan sustraídas de la función simbólica frente a la sociedad atribuida al Derecho Penal, tratándose así de una opción de política criminal errónea[23].

En idéntico orden de ideas se pronuncia BAJO FERNÁNDEZ, quien sostiene que las sanciones administrativas impuestas a las entidades con anterioridad a la reforma del Código Penal en 2010, estaban irrigadas de las características de las penas: son graduables en atención a la participación del autor en los hechos; no son asegurables; y no son transmisibles por medio de herencia[24]. Por su parte, BACIGALUPO SAGGESE sostiene que la distinción entre ilícitos penales y administrativos radica en su calificación jurídica y en la atribución de competencia (al juez o a la autoridad administrativa) para el establecimiento de la sanción, siendo por lo tanto una distinción cuan-

---

22 ZUGALDÍA ESPINAR, J.M., *La responsabilidad criminal de las personas jurídicas, de los entes sin personalidad y de sus directivos. Análisis de los arts. 31 bis y 129 del Código Penal*, op. cit. p. 17.

23 *Ibidem* p. 18.

24 BAJO FERNÁNDEZ, M., "Vigencia de la RPPJ en el Derecho sancionador español", con B.J. Feijoo Sánchez y C. Gómez-Jara Díez, en *Tratado de responsabilidad penal de las personas jurídicas*, Aranzadi, Cizur Menor, 2012, pp. 25-54, esp. p. 31.

titativa y no cualitativa en tanto que ambos suponen la afectación a bienes jurídicos protegidos. Esto es, sostiene el autor, una sanción será una pena si la impone una autoridad judicial, mientras que será una sanción administrativa si la establece una Administración, sin mayores distinciones[25].

En suma, desde el punto de vista sustancial, la introducción de la sancionabilidad penal de las personas jurídicas no fue ni mucho menos una revolución, habida cuenta de que en el ordenamiento jurídico español ya existía una responsabilidad de carácter punitivo y preventivo, auspiciada por un Derecho Administrativo-sancionador en el que resultan de aplicación los principios elementales del Derecho Penal, cuales son la legalidad, la tipicidad, la antijuricidad y la culpabilidad[26]. Así pues, tal y como indica RODRÍGUEZ GARCÍA, "*a pesar de que se ha vendido esta reforma* (la del CP en 2010) *como un cambio radical de posicionamiento en el legislador español, no lo es tal: estamos ante la culminación de una política de pequeños y continuos pasos* (...)"[27].

---

25 BACIGALUPO SAGGESE, S., *La responsabilidad penal de las personas jurídicas*, op. cit. p. 237; también GARCÍA DE ENTERRÍA, A. y FERNÁNDEZ RODRÍGUEZ, T.R., *Curso de Derecho Administrativo*, Civitas, Madrid, 1993, p. 147.

26 Así la STS 18/1981, de 8 de junio, ECLI:ES:TC:1981:18 (*Tol 110823*), FJ 2º, conforme a la cual, "*ha de recordarse que los principios inspiradores del orden penal son de aplicación, con ciertos matices, al derecho administrativo sancionador, dado que ambos son manifestaciones del ordenamiento punitivo del Estado.* (...) *Las consideraciones expuestas en relación al ordenamiento punitivo, y la interpretación finalista de la Norma Fundamental, nos lleva a la idea de que los principios esenciales reflejados en el art. 24 de la Constitución en materia de procedimiento han de ser aplicables a la actividad sancionadora de la Administración, en la medida necesaria para preservar los valores esenciales que se encuentran en la base del precepto, y la seguridad jurídica que garantiza el art. 9 de la Constitución*".

27 RODRÍGUEZ GARCÍA, N., "Hacia la definición en España del estatuto procesal de la persona jurídica como sujeto pasivo de un proceso penal por blanqueo de capitales y otros delitos", en C. Veríssimo De Carli, E. Fabián Caparrós y N. Rodríguez García (coords.), *Lavagem de capitais e sistema penal: contribuções hispano-brasileiras a questões controvertidas, Verbo Jurídico*, Brasil, 2014, pp. 95-149, esp. p. 99.

### 1.2. *Las sucesivas previsiones del Código Penal: las consecuencias accesorias aplicables a las personas jurídicas*

Junto con la responsabilidad administrativa de las entidades, la normativa penal anterior a 2010 contempla la imposición de consecuencias accesorias a las personas jurídicas, derivadas de los delitos cometidos por sujetos físicos sobre los que se hace recaer la culpabilidad. Volviendo a BACIGALUPO SAGGESE, la distinción entre pena y consecuencia accesoria entronca con la capacidad de culpabilidad: las personas físicas pueden ser culpables, por lo que serán penadas; en cambio, respecto de las personas jurídicas no predica la culpabilidad, pudiendo imponerse sin embargo a estas consecuencias accesorias sobre la base de la peligrosidad de su actuación frente a los intereses generales, que no se ven suficientemente protegidos con la pena al autor físico[28]. El carácter de las consecuencias accesorias es, en consecuencia, eminentemente preventivo. A estos efectos define ECHARRI CASI las medidas accesorias como "*aquellas medidas, que mediante resolución motivada y con carácter discrecional, puede adoptar el órgano jurisdiccional de manera temporal y provisional, dirigidas a prevenir la continuidad delictiva o los efectos de la misma en el seno de una persona jurídica*"[29].

Un primer ejemplo lo encontramos en la Constitución Española de 6 de junio 1869[30], cuyo artículo 19 disponía que "*A toda asociación cuyos individuos delinquieren por los medios que la misma les proporcione, podrá imponérsele la pena de disolución*". Pese a la confusa redacción del precepto, que hace alusión a la palabra "pena" al referirse a la disolución de la entidad, el mismo ha sido interpretado por la doctrina en el sentido de que son los individuos que delinquen los culpables penalmente y, por tanto, los susceptibles de ser sancionados por esta vía; en cambio, sobre la entidad se podrá imponer una me-

---

28 BACIGALUPO SAGGESE, S., *La responsabilidad penal de las personas jurídicas*, op. cit. p. 254.

29 ECHARRI CASI, F.J., *Sanciones a Personas Jurídicas en el Proceso Judicial: Las Consecuencias Accesorias*, op. cit. p. 71.

30 Disponible en https://www.congreso.es/docu/constituciones/1869/1869_cd.pdf (última consulta: 27 de febrero de 2025).

dida accesoria, no reconociendo en modo alguno la Constitución su responsabilidad penal[31].

Mayor claridad se desprende del artículo 44 del Código Penal de 8 de septiembre de 1928[32], según el cual, "*La responsabilidad criminal por los delitos o faltas es individual. Pero, cuando los individuos que constituyan una entidad o persona jurídica, o formen parte de una sociedad, corporación o empresa de cualquier clase, cometieren algún delito con los medios que las mismas les proporcionaren, en términos que resulte cometido a nombre y bajo el amparo de la representación social o en beneficio de la misma entidad, los Tribunales, sin perjuicio de las facultades gubernativas que correspondan a la Administración, podrán decretar en la sentencia la suspensión de las funciones de la entidad o persona jurídica, sociedad, corporación o empresa, o su disolución o supresión según proceda*". Mismo esquema fue el seguido con posterioridad por el Código Penal de 23 de diciembre de 1944[33], en el que se preveía la medida de disolución de entidades en caso de delitos tales como el depósito de armas[34].

También el artículo 15 bis introducido por la Ley Orgánica 8/1983, de 25 de junio, de Reforma Urgente y Parcial del Código Pe-

---

31 Como representante de la doctrina de la época aludimos a SILVELA, para quien "*el delito es la violación o quebrantamiento del Derecho por actos de la libre voluntad o conciencia, no solo del acto, sino, además, de que es opuesto al Derecho*". Continúa el autor señalando que "*en la persona colectiva no existe la conciencia de sí y de la ley distinta de la de los individuos, pues son propiedades del espíritu humano, que no pueden enajenarse, dividirse ni ponerse en común.* (...) *Así, cuando el derecho positivo ha querido que las Corporaciones respondan de los delitos de los asociados, ha tenido que acudir a la disolución que no es pena* (...)", SILVELA, L., *El Derecho Penal*, Fé, Madrid, 1903, p. 99 y p. 163.

32 Disponible en https://www.boe.es/biblioteca_juridica/abrir_pdf.php?id=PUB-DP-2022-270_2 (pp. 757-1054) (última consulta: 28 de febrero de 2025).

33 Decreto de 23 de diciembre de 1944 por el que se prueba y promulga el Código Penal, texto refundido de 1944, según la autorización otorgada por la Ley de 19 de julio de 1944, BOE n. 13, de 13 de enero de 1945, pp. 427-472.

34 Reproducimos de manera literal el art. 265 CP 1944: "*Cuando un depósito de armas, municiones o explosivos, fuere habido en el domicilio de una Asociación, serán responsables tanto los empleados de la entidad que tengan su domicilio en el local social como los miembros de la Junta Directiva de la Asociación, salvo que por unos u otros se justifique plenamente que no tenían conocimiento del depósito. Estas Asociaciones serán disueltas para todos sus fines, tanto si se encontraren dichas armas o explosivos en su domicilio, como fuera de él*".

nal, se refería a la responsabilidad penal de la persona física, en tanto que sobre la jurídica tan solo se hacían recaer sanciones accesorias. Así, señalaba que "*El que actuare como directivo u órgano de una persona jurídica o en representación legal o voluntaria de la misma, responderá personalmente, aunque no concurran en él y sí en la entidad en cuyo nombre obrare, las condiciones, cualidades o relaciones que la correspondiente figura de delito requiera para poder ser sujeto activo del mismo*", promoviendo medidas de disolución de la persona jurídica o de suspensión de actividades para delitos como el tráfico de drogas (artículo 344 CP 1983). Se trata así de un modelo en el que la persona física directiva o responsable de la entidad asume la culpabilidad de los delitos cometidas en el seno de esta última, cuando los elementos del hecho típico concurrieran en la propia persona jurídica. Empero, en su interpretación del artículo 15 bis CP 1983, señala el Tribunal Constitucional que el mismo "*no vino en modo alguno a introducir una regla de responsabilidad objetiva que hubiera de actuar indiscriminada y automáticamente, siempre que, probada la existencia de una conducta delictiva cometida al amparo de una persona jurídica, no resulte posible averiguar quiénes, de entre sus miembros, han sido los auténticos responsables de la misma, pues ello sería contrario al derecho a la presunción de inocencia y al propio tenor del precepto*"[35]. De este modo, se requería de una acción u omisión del directivo que hubiese permitido la comisión delictiva en la empresa.

Con carácter genérico y no referidos a concretas categorías delictivas, es digno de mención el artículo 138 de la Propuesta de Anteproyecto de Código Penal de 1983, en el que se recoge ya expresamente la noción de "consecuencias accesorias": "*El Tribunal, si el hecho fuere cometido en el ejercicio de la actividad de asociaciones, fundaciones, sociedades o empresas, o utilizando su organización para favorecerlo o encubrirlo, cuando pueda deducirse fundada y objetivamente que seguirán siendo utilizadas para la comisión de delitos, podrá aplicar todas o alguna de las consecuencias siguientes:* (...)"[36]; así como el artículo 132 del Proyecto de Código Penal de 1980: "*Podrán ser sometidas a las medidas de seguridad especialmente previstas para ellas*

---

35 STC 253/1993, de 20 de julio, ECLI:ES:TC:1993:253 (*Tol 82274*), FJ 3º.

36 Disponible en https://personasjuridicas.es/anteproyecto-de-codigo-penal-de-1983/ (última consulta: 3 de marzo de 2025).

*las asociaciones, empresas o sociedades a causa de los delitos que sus directivos, mandatarios o miembros cometieren en el ejercicio de sus actividades sociales o aprovechando la organización de tales entes"* [37].

La terminología "consecuencias accesorias" introducida por la Propuesta de Anteproyecto de Código Penal de 1983, fue mantenida con posterioridad en el artículo 129 de la Ley Orgánica 10/1995, de 23 de noviembre, del Código Penal[38]. Mientras que para algunos autores este precepto supuso un acercamiento, siquiera de soslayo, a la responsabilidad penal de las entidades[39], para otros el artículo 129 CP no fue más que la confirmación en España de la pervivencia del principio *societas delinquere non potest*[40]. En efecto, la con-

---

37 Disponible en https://www.boe.es/biblioteca_juridica/anuarios_derecho/abrir_pdf.php?id=ANU-P-1980-10010100249 (última consulta: 3 de marzo de 2025).

38 En su redacción original, rezaba que: "*El Juez o Tribunal, en los supuestos previstos en este Código, y previa audiencia de los titulares o de sus representantes legales, podrá imponer, motivadamente, las siguientes consecuencias: a) Clausura de la empresa, sus locales o establecimientos, con carácter temporal o definitivo. La clausura temporal no podrá exceder de cinco años; b) Disolución de la sociedad, asociación o fundación; c) Suspensión de las actividades de la sociedad, empresa, fundación o asociación por un plazo que no podrá exceder de cinco años; d) Prohibición de realizar en el futuro actividades, operaciones mercantiles o negocios de la clase de aquellos en cuyo ejercicio se haya cometido, favorecido o encubierto el delito. Esta prohibición podrá tener carácter temporal o definitivo. Si tuviere carácter temporal, el plazo de prohibición no podrá exceder de cinco años; e) La intervención de la empresa*".

39 Habla en este sentido RODRÍGUEZ GARCÍA de un "juego de etiquetas", RODRÍGUEZ GARCÍA, N., "Hacia la definición en España del estatuto procesal de la persona jurídica como sujeto pasivo de un proceso penal por blanqueo de capitales y otros delitos", op. cit. pp. 99; también TAMARIT SUMALLA, J.M., "Las consecuencias accesorias del artículo 129 CP. Un primer paso hacia un sistema de responsabilidad penal de las personas jurídicas", en J.L. Díez Ripollés (coord.), *La ciencia del Derecho Penal ante el nuevo siglo. Libro homenaje al profesor doctor don José Cerezo Mir*, Tecnos, Madrid, 2002, pp. 1153-1172, esp. p. 1153.

40 FERNÁNDEZ TERUELO, J. G., "Las consecuencias accesorias del artículo 129 CP", en J. Morales Prats y G. Quintero Olivares (coords.), *El nuevo Derecho Penal español: estudios penales en memoria del profesor José Manuel Valle Muñiz*, Aranzadi, Cizur Menor, 2001, pp. 273-294, esp. p. 278; ZUGALDÍA ESPINAR, J.M., "Delitos contra el medio ambiente y responsabilidad criminal de las personas jurídicas", *Cuadernos de Derecho Judicial* 1997, n. 2, pp. 211-239, esp. p. 221.

fusión terminológica imperante a lo largo del articulado[41], unido a los escasos pronunciamientos jurisprudenciales en torno al artículo 129 CP 1995[42], justifica las críticas de cierto sector doctrinal acerca de la no aclaración por el legislador de la verdadera naturaleza de las consecuencias accesorias[43]. Tres grandes bloques de pensamiento pueden señalarse a este respecto: primero, quienes sostienen que las consecuencias accesorias contra las personas jurídicas deben ser comprendidas como reacciones frente al delito atribuido a la persona física, con una finalidad preventiva para despojar al sujeto natural del instrumento del delito, que es la propia entidad; segundo, quienes defienden que en realidad se trata de sanciones de naturaleza penal aplicables a las entidades; tercero, quienes, en una posición intermedia, configuran una nueva categoría penal en la que incluir a las consecuencias accesorias.

De entre los primeros, CEREZO MIR califica las consecuencias accesorias de sanciones administrativas, fundamentándose de nuevo en la incapacidad de acción y culpabilidad de las personas jurídicas[44], argumento este que no compartimos en atención a las ideas expresadas en el apartado anterior del presente Capítulo, recuérdese, referentes a que la similar naturaleza de las sanciones administrativas y penales determina la exigencia de culpabilidad también para la imposición de las primeras, con lo que el recurso a la responsabilidad administrativa de las entidades no excluye los problemas dogmáticos atinentes a su capacidad de acción y, en consecuencia, de culpabilidad. Más todavía, en nuestro ordenamiento el órgano judicial penal no puede imponer sanciones administrativas. Por su parte, sostiene

---

41 Mientras que el art. 129 CP 1995 habla de "consecuencias accesorias", ello solo se reproduce en el art. 520 CP 1995, siendo que los arts. 288, 294, 302, 327, 370 o 371 CP 1995, se refieren a "medidas". Incluso el art. 262 CP 1995 habla de "pena" de inhabilitación para contratar con Administraciones Públicas.

42 Sobre los escasos pronunciamientos de los órganos jurisdiccionales, véase SILVA SÁNCHEZ, J.M., "La aplicación judicial de las consecuencias accesorias para las empresas", *Indret. Revista para el análisis del Derecho* 2006, n. 2, pp. 1-15, esp. pp. 4-8.

43 GUARDIOLA LAGO, M.J., *Responsabilidad penal de las personas jurídicas y alcance del art. 129 del Código Penal*, Tirant lo Blanch, Valencia, 2004, p. 77.

44 CEREZO MIR, J. *Curso de Derecho Penal español. II. Teoría jurídica del delito*, Tecnos, Madrid, 1998, pp. 73-74.

GUARDIOLA LAGO, en opinión que compartimos, que la inclusión de las consecuencias accesorias en el Código Penal no puede derivar en una presunción de la imputabilidad de las entidades, sino en la confirmación de una voluntad legislativa tendente al establecimiento de sanciones aplicables a las personas jurídicas, las cuales no reúnen las condiciones para ser consideradas como penas[45].

En similar lógica, puntualiza GARCÍA ARÁN que la denominación "consecuencias accesorias" implica que se requiere "*la existencia de un responsable penal individual y físico y, por tanto, no existe de manera independiente ni supone una imputación directa a la persona jurídica puesto que es necesario que la responsabilidad individual se encuentre conectada con la existencia de la organización o empresa. En otras palabras, lo que se aplica a la persona jurídica es accesorio o derivado de la existencia de un responsable penal individual*" [46]. Análogo es el parecer de MIR PUIG, para quien las consecuencias accesorias no suponen la imposición de una sanción penal, sino la privación a una persona física de un instrumento peligroso empleado en la comisión delictiva[47]. Por su parte, GRACIA MARTÍN desprovee a las medidas del artículo 129 CP 1995 del carácter de sanciones, sosteniendo que las mismas encuentran su legitimación y fundamento en un supuesto de hecho al que le son por entero ajenas tanto la culpabilidad como la peligrosidad criminal de un sujeto determinado. Las consecuencias accesorias son, según este autor, independientes de la pena y de las medidas de seguridad que pueden imponerse al sujeto físico, dado que las mismas tienen por objeto no la represión del hecho

---

45 GUARDIOLA LAGO, M.J., *Responsabilidad penal de las personas jurídicas y alcance del art. 129 del Código Penal*, op. cit. pp. 75-76.

46 GARCÍA ARÁN, M., "Algunas consideraciones sobre la responsabilidad penal de las personas jurídicas", en P. Faraldo Cabana y I. Valeije Álvarez (coords.), *I Congreso hispano-italiano de Derecho Penal económico*, Universidade da Coruña, A Coruña, 1998, pp. 45-56, esp. p. 48; añade la autora que las consecuencias accesorias "*son medidas de seguridad* sui generis, *en el sentido de que pretenden evitar las condiciones materiales que propician, permiten o encubren el delito individualmente cometido*".

47 MIR PUIG, S., *Derecho Penal. Parte general*, Aranzadi, Barcelona, 1996, p. 789.

tipificado, sino la evitación de consecuencias peligrosas e indeseables derivadas del mismo[48].

Entre los partidarios de la naturaleza penal de las consecuencias accesorias, ZUGALDÍA ESPINAR se presenta como el autor más contundente al considerar que nos encontramos ante auténticas sanciones penales. Para el autor, la imposición de las consecuencias previstas en el artículo 129 CP 1995 presupone la existencia de culpabilidad del ente, así como que la persona jurídica haya sido parte en el proceso penal con todas las garantías inherentes al mismo. De igual forma, argumenta que las consecuencias accesorias han de imponerse en el fallo condenatorio de la sentencia y no en fase de ejecución, estando el órgano jurisdiccional penal en cualquier caso compelido por el principio acusatorio. Junto con ello, aduce que la aplicación de las consecuencias accesorias tiene una finalidad preventiva en atención al artículo 129.3 CP 1995, correspondiente con los fines del Derecho Penal y de lo que se desprende que habrán de estar sometidas a las garantías constitucionales propias de todo proceso sancionador. De igual modo, estima que no pueden ser consideradas como una mera privación a la persona física de un instrumento peligroso, en tanto en cuanto las personas jurídicas no son "objetos", sino que tienen su propia personalidad[49].

Así, no existen dudas para el autor acerca del carácter penal de las consecuencias accesorias. Ahora bien, ¿han de ser consideradas como penas o como medidas de seguridad? A su juicio y en base a los argumentos anteriores, unido al hecho de que las personas jurídicas son susceptibles de culpabilidad, las consecuencias accesorias reúnen las características elementales de las penas, debiendo así ser reputadas como tales y no como simples medidas de seguridad. Y es

---

48 GRACIA MARTÍN, L., "Las consecuencias accesorias", en L. Gracia Martín (coord.), *Las consecuencias jurídicas del delito en el nuevo Código Penal español*, Tirant lo Blanch, Valencia, 1996, pp. 437-463, esp. p. 439; en relación con la peligrosidad, señala además el autor que las personas jurídicas no son por sí mismas peligrosas, pues no pueden cometer delitos. Ahora bien, "*por el modo concreto en que está organizada la propia persona jurídica, esta se presta a ser instrumentalizada para la realización de actividades delictivas, y de ahí radica esa peligrosidad de la persona jurídica*" (p. 457).

49 ZUGALDÍA ESPINAR, J.M., *La responsabilidad penal de empresas, fundaciones y asociaciones*, Tirant lo Blanch, Valencia, 2008, pp. 190-194.

que, señala el autor, "*si llamamos penas a las sanciones penales que tienen como presupuesto y límite el principio de culpabilidad (sancionan a los autores culpables) y llamamos medidas de seguridad a las sanciones penales limitadas por el principio de proporcionalidad (ya que operan en ausencia o disminución de la culpabilidad), las consecuencias accesorias del artículo 129 CP constituyen auténticas penas ya que la sanción a una persona jurídica exige su propia acción (ya que las personas jurídicas tiene capacidad infractora de las normas) y su propia imputabilidad, reprochabilidad o culpabilidad*"[50]. Esta es igualmente la postura defendida por BACIGALUPO SAGGESE, para quien la naturaleza penal de las consecuencias accesorias es la única vía para garantizar en su aplicación el debido respeto a las garantías de la persona jurídica en cuanto que sujeto de Derecho[51].

A caballo entre las dos posturas expuestas, FERNÁNDEZ TERUELO aboga por una nueva categoría penal con características propias. Para este autor, las medidas del artículo 129 CP 1995 han de tener necesariamente naturaleza penal, toda vez que se prevén en el Código Penal (y no en otro ordenamiento como acontece en Alemania) y han de ser impuestas por un órgano jurisdiccional penal. Junto con ello, sostiene que las medidas del aludido precepto son en ocasiones idénticas a las sanciones previstas en la normativa administrativa para supuestos de hecho similares, siendo que esta duplicidad normativa solo puede ser explicada si se atiende a la distinta naturaleza de las medidas previstas en el artículo 129 CP 1995, cual es la naturaleza penal. Pese a estas afirmaciones, la imposibilidad de atribuir culpabilidad a las personas jurídicas tiene, para el autor, la consecuencia de que, pese a tratarse de medidas de carácter penal, las mismas no pueden ser consideradas como "penas"[52]. Sin embargo, no termina de especificar ante qué consecuencia del delito nos encontramos.

Tratando de ofrecer una toma de postura, hemos de reconocer que nos encontramos cercanos al planteamiento de ZUGALDÍA ESPINAR en cuanto que las personas jurídicas son capaces de acción y culpabi-

---

50 *Ibidem* p. 192.

51 BACIGALUPO SAGGESE, S., *La responsabilidad penal de las personas jurídicas*, op. cit. p. 284-286.

52 FERNÁNDEZ TERUELO, J. G., "Las consecuencias accesorias del artículo 129 CP", op. cit. pp. 280-284.

lidad y, consecuentemente, susceptibles de responsabilidad penal. Sin embargo, no creemos que el legislador penal de 1995 se decantara por el absoluto reconocimiento de este extremo fáctico. Considerar las consecuencias accesorias del artículo 129 CP 1995 como sanciones penales, supondría una violentación del principio de legalidad, dado que el legislador no quiso dotarles expresamente de la concepción de "pena", como lo demuestra el hecho de su regulación en un Título distinto a los correspondientes tanto a las penas como a las medidas de seguridad. Por añadidura, si atendemos a la redacción del artículo 31 CP 1995, vemos que no hay cabida a la responsabilidad penal de las entidades, haciéndose recaer sobre el administrador de hecho o de derecho las consecuencias penales del crimen cometido en la entidad, en la medida en que en la misma concurran las condiciones del tipo. Únicamente se prevé con respecto a los entes una responsabilidad solidaria para el pago de la multa impuesta al administrador[53].

Es por ello que, en nuestra opinión, el Código Penal de 1995 trató de hacer frente a la imperiosa necesidad de regular un sistema sancionatorio para las personas jurídicas, ante su cada vez mayor instrumentalización en la comisión delictiva. Sin embargo, con la redacción y ubicación otorgada al artículo 129 CP 1995, dejó vigente el principio *societas delinquere non potest*[54]. Implantó así un sistema en el que el reproche penal se hace todavía recaer sobre el sujeto físico, circuns-

---

53 Extremo no contemplado sin embargo en la primera versión del art. 31 CP 1995, sino introducido con ocasión de su reforma por la Ley Orgánica 15/2003, de 25 de noviembre, por la que se modifica la Ley Orgánica 10/1995, de 23 de noviembre, del Código Penal, BOE n. 283, de 26 de noviembre de 2003, pp. 41842-41875.

54 De hecho, señala BACIGALUPO SAGGESE que la asunción del término "consecuencias accesorias" por el CP 1995, ya planteado en la Propuesta de Anteproyecto de 1983, se debió en buena parte a las críticas que suscitó la referencia a "medidas de seguridad" prevista en el Proyecto de Código Penal de 1980, puesto que, si no pueden cometer delitos, no se dará en ellas el requisito de la peligrosidad propio de las medidas de seguridad. Como señala la autora "*el legislador parece querer manifestar que al tratar estas consecuencias independientemente de las penas y de las medidas de seguridad se le pretende dar una naturaleza diversa de estas últimas. Las consecuencias accesorias no serían, aparentemente para el legislador, ni penas ni medidas de seguridad* (...)", BACIGALUPO SAGGESE, S., *La responsabilidad penal de las personas jurídicas*, op. cit. pp. 278-279; en el mismo sentido, ECHARRI CASI, F.J., *Sanciones a Personas Jurídicas en el Proceso Judicial: Las Consecuencias Accesorias*, op. cit. p. 101.

cribiendo para las personas jurídicas la imposición de consecuencias parejas a la pena aplicada a la persona natural, cuando el miembro de la organización se ha servido de la entidad para la práctica criminal.

### *1.3. La incorporación del principio* societas delinquere potest *en el ordenamiento jurídico penal español: la reforma del Código Penal en 2010 y sucesivas modificaciones*

La polémica doctrinal anterior se vio apaciguada por la Ley Orgánica 5/2010, de 22 de junio, por la que se modifica la Ley Orgánica 10/1995, de 23 de noviembre, del Código Penal. Por medio de la misma, se puso fin en España al hasta entonces reinante modelo antropocéntrico de responsabilidad penal, dando cabida a las entidades como sujetos penalmente responsables[55] en una predicada atención a las presiones derivadas de la normativa europea de cara a la consideración de las personas jurídicas como posibles sujetos responsables de comisión de ilícitos. Ciertamente, a nivel europeo, es el Segundo Protocolo del Convenio relativo a la protección de los intereses financieros de las Comunidades Europeas, de 19 de junio de 1997[56], el que instituye por vez primera[57] la responsabilidad (sin precisar si

---

55 Si bien para autores como DEL MORAL GARCÍA, la reforma de 2010 no supuso el abandono del principio *societas delinquere non potest*, sino a lo sumo la asunción de la nueva máxima *societas delinquere non potest, sed puniri potest.* El autor sigue sosteniendo la incapacidad punitiva de las entidades, determinada por su incapacidad de acción y culpabilidad, de forma tal que son los sujetos físicos los que delinquen y los que son culpables, pero haciéndose recaer las penas sobre las personas jurídicas, en cuanto que la capacidad de ser sancionadas es la única que puede atribuírseles, DEL MORAL GARCÍA, A., "Regulación de la responsabilidad penal de las personas jurídicas en el código penal español", en A.J. Pérez-Cruz Martín (dr.) y A.M. Neira Pena (coord.), *Proceso penal y responsabilidad penal de las personas jurídicas*, Aranzadi, Cizur Menor, 2017, pp. 47-75, esp. pp. 49-51.

56 DOCE n. C 221, de 19 de julio de 1997, pp. 11-22.

57 FOFFANI, L., "Genesi e sviluppo (e prospettive future) di un modello di responsabilità degli enti nell'Unione Europea", en D. Piva (dr.), *La responsabilità degli enti ex. d. legs. n. 231/2001 tra diritto e processo*, Giappichelli, Turín, 2021, pp. 26-36, esp. pp. 26-27; NIETO MARTÍN, A., "La lucha contra el fraude a la Hacienda Pública Comunitaria: de la asimilación a la unificación", en P. Faraldo Cabana e I. Valeije Álvarez (coords.), *I Congreso hispano-italiano de Derecho Penal económico*, Universidade da Coruña, A Coruña, 1998, pp. 183-250, esp.

esta ha de ser penal o administrativa) de la propia persona jurídica. A partir del mismo, son destacables algunos intentos normativos que incorporan idénticas previsiones en cuanto a la responsabilidad de las entidades, como es el caso del proyecto *Corpus Juris 1997* y *Corpus Juris 2000* de los profesores Vervaele y Delmas-Marty, en el que se contempla la responsabilidad penal de las asociaciones, acumulable a la de las personas físicas, para la protección de los intereses financieros comunitarios[58]. De igual forma, las normas europeas dictadas en aras de la aproximación legislativa de los ordenamientos penales de los Estados miembros incluyen a las personas jurídicas como sujetos infractores. Ahora bien, en ningún caso la normativa de la Unión impone a las legislaciones nacionales la inclusión de un régimen "penal" de responsabilidad de las entidades, recurriendo a la vaga expresión de que las sanciones habrán de ser "*eficaces, proporcionadas y disuasorias*". Se dota por tanto a los Estados miembros de amplia discrecionalidad tanto en lo referente a los límites máximos y mínimos de la cuantía económica de las sanciones, como en lo concerniente a la índole penal o administrativa de estas[59].

Es por ello que la "excusa" introducida en el apartado VII del Preámbulo de la referida Ley Orgánica 5/2010, según la cual, "*son numerosos los instrumentos jurídicos internacionales que demandan una respuesta penal clara para las personas jurídicas*", no deja de ser un mero pretexto. Así lo pone de manifiesto, con ocasión de la posterior modificación del Código Penal en el año 2015, la Fiscalía General del Estado por medio de la Circular 1/2016, de 22 de enero, sobre la responsabilidad penal de las personas jurídicas conforme a la reforma del Código Penal efectuada por Ley Orgánica 1/2015[60]. En la misma,

---

p. 222; ENGELHART, M., "Corporate Criminal Liability from a Comparative Perspective", en D. Brodowski, M. Espinoza de los Monteros de la Parra, K. Tiedemann y J. Vogel (eds.), *Regulating Corporate Criminal Liability*, op. cit. pp. 53-76, esp. p. 54.

58 Sobre los mismos, VERVAELE, J., "La Unión Europea y su espacio judicial europeo: los desafíos del modelo Corpus Juris 2000 y de la Fiscalía Europea", *Revista Penal* 2002, n. 9, pp. 134-148.

59 VICARIO PÉREZ, A.M., *Cooperación judicial en la Unión Europea frente a la criminalidad de personas jurídicas*, op. cit. pp. 53-55.

60 Disponible en https://www.fiscal.es/memorias/estudio2016/PDF/CIR/CIR_01_2011.pdf (última consulta: 27 de febrero de 2025).

en lo que se presenta como una palpable crítica al legislador español, se viene a señalar que "*ninguna exigencia normativa internacional avala la necesidad de la reforma, como tampoco el inicial reconocimiento de la responsabilidad de las personas jurídicas realizado en 2010 podía justificarse en obligaciones derivadas de los tratados internacionales o de la normativa de la Unión Europea, pese a la similar invocación que contenía el Preámbulo de la LO 5/2010. Entonces y ahora eran factibles otras opciones, como la imposición de sanciones administrativas, medidas de seguridad u otras consecuencias jurídico penales de naturaleza diferente a las penas*".

Sea como fuere, con la reforma de 2010 se introduce en el Código Penal el artículo 31 bis, cuyo apartado primero supone la implantación definitiva en España de la máxima *societas delinquere potest*. Según dicha disposición, "*las personas jurídicas serán penalmente responsables de los delitos cometidos en nombre o por cuenta de las mismas, y en su provecho, por sus representantes legales y administradores de hecho o de derecho*", así como "*de los delitos cometidos, en el ejercicio de actividades sociales y por cuenta y en provecho de las mismas, por quienes, estando sometidos a la autoridad de las personas físicas mencionadas en el párrafo anterior, han podido realizar los hechos por no haberse ejercido sobre ellos el debido control atendidas las concretas circunstancias del caso*". Con ello, las consecuencias accesorias del artículo 129 CP quedan delimitadas a entidades sin personalidad jurídica, excluidas, por tanto, de la aplicación del artículo 31 bis CP. En su lugar, las personas jurídicas son ya susceptibles de imposición de penas, las cuales se enumeran en el artículo 33.7 CP[61], en un proceso penal en el que tendrán la consideración de sujeto pasivo de forma diferenciada y autónoma al seguido contra las personas físicas[62].

---

61 Para MAPELLI CAFFARENA, sin embargo, aunque el legislador las reconozca como "penas", las sanciones aplicables a las personas jurídicas han de ser consideradas como una figura a caballo entre las penas y las medidas de seguridad. Ello porque dichas sanciones no pueden tener una finalidad preventiva especial, al no poderse apreciar en las entidades el ánimo rehabilitador o de reinserción propio de las penas, MAPELLI CAFFARENA, B., *Las consecuencias jurídicas del delito*, Aranzadi, Cizur Menor, 2011, p. 49.

62 ECHEVERRIA BERECIARTUA, E., *Las modalidades de responsabilidad penal de las personas jurídicas en el marco del proceso penal*, op. cit. p. 74; sobre las

En cuanto al ámbito subjetivo de aplicación del artículo 31 bis CP, además de la exclusión de las entidades sin personalidad jurídica, quedan igualmente fuera las entidades de Derecho Público, como es el caso del Estado, las Administraciones Públicas territoriales e institucionales, los Organismos Reguladores, las Agencias y Entidades Públicas Empresariales, los partidos políticos y sindicatos, las organizaciones internacionales de derecho público, o cualesquiera otras que ejerzan potestades públicas de soberanía, administrativas o de prestación de servicios de interés económico general (artículo 31 bis 5 CP).

Precisamente en relación con este punto tuvo lugar la primera modificación del nuevo régimen de responsabilidad penal. En efecto, la Ley Orgánica 7/2012, de 27 de diciembre, por la que se modifica la Ley Orgánica 10/1995, de 23 de noviembre, del Código Penal en materia de transparencia y lucha contra el fraude fiscal y en la Seguridad Social[63], elimina del listado del artículo 31 bis 5 CP a los partidos políticos y sindicatos, de forma tal que, en adelante, los mismos pasan a ser penalmente responsables como cualquier otra persona jurídica. Como ya tuvimos ocasión de comentar, la inicial exención de los partidos políticos de la aplicación del artículo 31 bis 1 CP, obedeció a una interpretación estricta del artículo 6 Constitución española, por el cual, los mismos son garantes del pluralismo político al concurrir a la "*formación y manifestación de la voluntad popular*" y ser "*instrumento fundamental para la participación política*" (artículo 6 CE). La inimputabilidad derivada de tal función, sin embargo, solo puede predicar en la medida en que el partido político "actúe hacia el exterior", esto es, como órgano de manifestación de la voluntad de la ciudadanía. Pero dado que los partidos son en todo caso personas jurídicas con funcionamiento propio y organización, sí debe derivarse responsabilidad penal por los hechos criminales acontecidos en su seno y en su beneficio[64].

---

penas a imponer a las personas jurídicas y las especialidades de su ejecución, NEIRA PENA, A. M., "Ejecución penal frente a la persona jurídica condenada", en J. Barja de Quiroga (coord.), *La imputación y la defensa de la persona jurídica*, Aranzadi, Cizur Menor, 2025, pp. 757-809, esp. pp. 761-782.

63 BOE n. 312, de 28 de diciembre de 2012, pp. 88050-88063.

64 VICARIO PÉREZ, A.M., "*Compliance* penal en los partidos políticos. El valor probatorio de las investigaciones internas", *Revista Aranzadi de Derecho y Proceso Penal* 2022, n. 67, pp. 19-50, esp. pp. 22-23.

Sin lugar a dudas, la reforma de mayor calado fue propiciada por la Ley Orgánica 1/2015, de 30 de marzo, por la que se modifica la Ley Orgánica 10/1995, de 23 de noviembre, del Código Penal. Si bien el Código Penal en su versión de 2010 ya contemplaba en el artículo 31 bis 4 supuestos de atenuación de responsabilidad[65], con la reforma de 2015 se incorpora la exención en virtud de los programas de cumplimiento. A este respecto, se indica en el artículo 31 bis 2 de la vigente redacción del CP, que la entidad no será penalmente sancionada en la medida en que contase, con carácter previo a la comisión delictiva, con programas de cumplimiento eficaces tendentes a la prevención criminal, de forma tal que la actuación del sujeto físico tuviera lugar violentando o ignorando los controles. Junto con ello, se recogen en el apartado 5 del mismo precepto las condiciones que han de darse en los programas de cumplimiento para que de los mismos pueda desprenderse la exención de responsabilidad de la entidad.

A partir de 2015, las sucesivas reformas del CP en lo tocante a la responsabilidad penal de las personas jurídicas se han referido a los delitos por los cuales las mismas pueden ser responsables. En efecto, nuestro legislador prevé un sistema de *numerus clausus* que se ha ido ampliando progresivamente.

## 2. REGULACIÓN VIGENTE

Analizando los cambios introducidos en el Código Penal en la reforma de 2010, en sentido estricto, son dos los regímenes de responsabilidad de las entidades contemplados por el legislador: primero, el régimen general del artículo 31 bis CP, aplicable a las personas jurídicas; segundo, el régimen especial de consecuencias accesorias del artículo 129 CP, aplicable a las entidades sin personalidad jurídica, pero también a las personas jurídicas por remisión a dicho artículo por parte de otros concretos preceptos del CP[66]. Si bien nos centra-

---

65 Consistentes en la confesión, la colaboración con la investigación, la reparación del daño y el establecimiento con anterioridad al juicio de medidas para la prevención y descubrimiento de futuros delitos.

66 Si seguimos a ECHEVERRIA BERECIARTUA, vemos cómo el autor distingue un total de cinco regímenes: junto con el general del art. 31 bis, contempla como regímenes separados la aplicación respectiva del art. 129 CP a entidades sin

remos en el primero de ellos, dado que la imputabilidad de las entidades es el objeto de estudio de la presente obra, no pasaremos por alto una sucinta alusión al segundo, prestando especial atención a la incongruencia derivada de la aplicación del artículo 129 CP a delitos cometidos por personas jurídicas.

## *2.1. Régimen general del artículo 31 bis CP*

No entraremos en estas líneas en el clásico debate, que hoy día parece superado, en torno a si el modelo de responsabilidad penal de las personas jurídicas introducido por la reforma de 2010 se corresponde con un sistema de heterorresponsabilidad o autorresponsabilidad. En efecto, pese a las iniciales discrepancias sobre la toma de postura en favor de uno u otro modelo[67], en la actualidad parece prácticamente asumido que nuestro ordenamiento jurídico ha optado por un sistema de autorresponsabilidad o responsabilidad por hecho propio.

Y es que, un modelo de transferencia de la responsabilidad penal de la persona física a la jurídica (heterorresponsabilidad, responsabilidad vicarial o responsabilidad objetiva), no sería consonante con el principio constitucional de imputación por hecho propio, habida cuenta de que supondría la sanción penal a la persona jurídica sin necesidad de constatar que la misma haya incurrido o no en un comportamiento del que pueda derivarse su imputabilidad[68]. Como se-

---

personalidad jurídica y a personas jurídicas. Junto con ello, añade un régimen "híbrido" correspondiente a las características propias de los delitos de asociación ilícita y terrorismo; así como el régimen de las sociedades instrumentales o pantalla, creado por la doctrina jurisprudencial, ECHEVERRIA BERECIARTUA, E., *Las modalidades de responsabilidad penal de las personas jurídicas en el marco del proceso penal*, op. cit. p. 135.

67 En relación a la teoría de la "autorresponsabilidad" puede señalarse ZUGALDÍA ESPINAR, J.M., "Teorías jurídicas del delito de las personas jurídicas (aportaciones doctrinales y jurisprudenciales). Especial consideración de la teoría del hecho de conexión", *Cuadernos de Política Criminal* 2017, n. 121, pp. 9-34, esp. pp. 16-20; por su parte, sobre la teoría de la "heterorresponsabilidad", véase QUINTERO OLIVARES, G., "*Comentario arts. 31 bis, ter, quater y quinquies*", en G. Quintero Olivares (dr.) y F. Morales Prats (coord.), *Comentarios al Código Penal español, Tomo I*, Aranzadi, Cizur Menor, 2016, pp. 375-411, esp. p. 387.

68 NIETO MARTÍN, A., "Cumplimiento normativo, criminología y responsabilidad penal de personas jurídicas" en A. Nieto Martín (dr.), *Manual de cumpli-*

ñala NIETO MARTÍN, este modelo requiere tres condiciones: a) la comisión de un delito por un miembro de la organización; b) que el delito se haya cometido en el ejercicio de las funciones atribuidas a tal miembro de la organización; c) que se haya cometido con el propósito de obtener un rédito o ventaja para la persona jurídica. A su juicio, ello no supone un incentivo a la implantación de mecanismos de prevención delictiva en la entidad. Más bien al contrario, la atribución como propios de hechos cometidos por sus miembros puede suponer un aliento a la ocultación de las conductas criminales acaecidas en la entidad, ergo una obstrucción a la investigación por los órganos jurisdiccionales[69].

Un modelo de autorresponsabilidad, por su parte, precisa de un elemento de culpabilidad propio de la entidad. No basta con la atribución de hechos criminales cometidos por sus integrantes, sino que debe constatarse la existencia de un hecho propio de la persona jurídica. Este hecho propio se corresponde con el dado en llamar "defecto organizacional", consistente en la no implantación, o implantación ineficiente, de programas de cumplimiento penal[70]. De esta suerte,

---

*miento penal en la empresa*, Tirant lo Blanch, Valencia, 2015, pp. 49-109, esp. p. 69; en el mismo sentido, GASCÓN INCHAUSTI, F., *Proceso penal y persona jurídica*, Marcial Pons, Madrid, 2012, pp. 21-22, esp. pp. 21-22; GÓMEZ-JARA DÍEZ, C., "La culpabilidad de la persona jurídica", con M. Bajo Fernández y B.J. Feijoo Sánchez, en *Tratado de responsabilidad penal de las personas jurídicas*, op. cit. pp. 143-219, esp. pp.159-164; ZUGALDÍA ESPINAR, J.M., *La responsabilidad criminal de las personas jurídicas, de los entes sin personalidad y de sus directivos. Análisis de los arts. 31 bis y 129 del Código Penal*, op. cit. p. 69; opinión que sin embargo no es compartida por la Fiscalía General del Estado, quien se muestra en su Circular 1/2016, de 22 de enero, defensora de un modelo de heterorresponsabilidad matizado, en cuanto que, señala, para la imputación de la persona jurídica deben contemplarse los elementos propios del sistema de responsabilidad por hecho propio, pero sin poder atribuirse a la entidad un comportamiento criminal autónomo en tanto que ello exigiría su culpa, lo cual en su opinión, no aparece contemplado por el legislador.

69 NIETO MARTÍN, A., "Cumplimiento normativo, criminología y responsabilidad penal de personas jurídicas", op. cit. p. 70; también se pronuncia así ZUGALDÍA ESPINAR, J.M., *La responsabilidad criminal de las personas jurídicas, de los entes sin personalidad y de sus directivos. Análisis de los arts. 31 bis y 129 del Código Penal*, op. cit. p. 65.

70 ECHEVERRIA BERECIARTUA, E., *Las modalidades de responsabilidad penal de las personas jurídicas en el marco del proceso penal*, op. cit. p. 154; GAS-

junto con los tres requisitos propios del modelo de heterroresponsabilidad, en el modelo de autorresponsabilidad ha de añadirse un cuarto, cual es que el comportamiento delictivo del miembro de la organización se haya visto posibilitado por la ausencia de efectivos controles de prevención criminal[71].

Cualquier atisbo de duda que pudiera existir al respecto de la adopción de este modelo de autorresponsabilidad por el ordenamiento jurídico español, fue despejado definitivamente por el legislador con la reforma del Código Penal en 2015, al prever expresamente como causa de exención de responsabilidad de las entidades la efectiva implementación de programas de cumplimiento penal[72]. Así lo pone de manifiesto el Tribunal Supremo en la STS 154/2016, de 29 de febrero: "*el sistema de responsabilidad penal de la persona jurídica se basa, sobre la previa constatación de la comisión del delito por parte de la persona física integrante de la organización como presupuesto inicial de la referida responsabilidad, en la exigencia del establecimiento y correcta aplicación de medidas de control eficaces que prevengan e intenten evitar, en lo posible, la comisión de infracciones delictivas por quienes integran la organización. (...). La determinación del actuar de la persona jurídica, relevante a efectos de la afirmación de su responsabilidad penal (...) ha de establecerse a partir del análisis acerca de si el delito cometido por la persona física en el seno de aquella ha sido posible,o facilitado, por la ausencia de una cultura de respeto al Derecho, como fuente de inspiración de la actuación de su estructura organizativa e independiente de la de cada una de las personas físicas que la integran, que habría de manifestarse en alguna*

---

CÓN INCHAUSTI, F., *Proceso penal y persona jurídica*, op. cit. p. 22; NIETO MARTÍN, A., "Cumplimiento normativo, criminología y responsabilidad penal de personas jurídicas", op. cit. p. 71.

71 En este sentido, la STS 89/2023, de 10 de febrero, ECLI:ES:TS:2023:441 (*Tol 9416297*), FJ 27º.

72 Vid. la Exposición de Motivos de la LO 1/2015, según la cual, "*la reforma lleva a cabo una mejora técnica en la regulación de la responsabilidad penal de las personas jurídicas, introducida en nuestro ordenamiento jurídico por la Ley Orgánica 5/2010, de 22 de junio, con la finalidad de delimitar adecuadamente el contenido del «debido control», cuyo quebrantamiento permite fundamentar su responsabilidad penal. Con ello se pone fin a las dudas interpretativas que había planteado la anterior regulación, que desde algunos sectores había sido interpretada como un régimen de responsabilidad vicarial* (...)".

*clase de formas concretas de vigilancia y control del comportamiento de sus directivos y subordinados jerárquicos, tendentes a la evitación de la comisión por estos de los delitos enumerados en el Libro II del Código Penal como posibles antecedentes de esa responsabilidad de la persona jurídica*"[73].

Con todo, junto con el "hecho de referencia" en que consiste el comportamiento criminal de la persona física, encajable en alguno de los tipos penales para los cuales el legislador prevé responsabilidad *ex* artículo 31 bis CP, ha de darse un "hecho propio" derivado del defecto organizativo. Como señala GASCÓN INCHAUSTI, es este último el que fundamenta la responsabilidad penal de la persona jurídica, pues es la única conducta con relevancia penal atribuible a las entidades[74]. A ambos conceptos se realiza inmediata alusión.

---

[73] STS 154/2016, de 29 de febrero, ECLI:ES:TS:2016:613 (*Tol 5651211*), FJ 8º; doctrina reiterada y confirmada con posterioridad por la STS 221/2016, de 16 de marzo, ECLI:ES:TS:2016:966 (*Tol 5665961*). En la STS 516/2016, de 13 de junio, ECLI:ES:TS:2016:2616 (*Tol 5748603*), FJ 1º, se señala por el Alto Tribunal que el "*legislador ha optado por un sistema vicarial*". Esta afirmación fue corregida por medio de Auto de 28 de junio de 2016, ECLI:ES:TS:2016:6486, por el cual en la Sentencia "*se indica erróneamente una opción del legislador por un sistema vicarial cuando, conforme se deduce del resto de la fundamentación, la opción es por un sistema de autorresponsabilidad*". Sin embargo, en la STS 506/2018, de 25 de octubre, ECLI:ES:TS:2018:3665 (*Tol 6888442*), FJ Único, se indica nuevamente que "*La responsabilidad penal de la persona jurídica es vicarial*", lo cual nos atrevemos a atribuir a un error, habida cuenta de que la argumentación ofrecida no pone en duda la doctrina instaurada en las resoluciones anteriores. Más aún cuando la STS 234/2019, de 8 de mayo, ECLI:ES:TS:2019:1470 (*Tol 7235654*), FJ 5º, establece que la LO 5/2010 y la LO 1/2015, "*han establecido un sistema de responsabilidad penal de la persona jurídica radicalmente distinto, basado en el principio de autoresponsabilidad*", por el cual, continúa diciendo, "*es exigible un juicio de culpabilidad específico sobre la actuación de la persona jurídica*". En fin, con carácter más reciente, la STS 372/2025, de 11 de abril, ECLI:ES:TS:2025:1922 (*Tol 10527564*), FJ 2º: "*Una abundante jurisprudencia ya consolidada ha proclamado que la fuente de la responsabilidad criminal de los entes colectivos no puede obtenerse a partir de un modelo de heterorresponsabilidad o responsabilidad vicarial. Antes al contrario, esa responsabilidad ha de construirse a partir de un sistema de autorresponsabilidad basado en la constatación de un defecto estructural en los modelos de gestión, vigilancia y supervisión. Es la ausencia de planes de prevención la que puede determinar la comisión de un delito corporativo*".

[74] GASCÓN INCHAUSTI, F., *Proceso penal y persona jurídica*, op. cit. p. 22.

### 2.1.1. Hecho de referencia

Por hecho de referencia (o, si se prefiere, delito base) ha de considerarse la conducta típica y antijurídica realizada por una persona física miembro de la organización[75]. En este sentido, se aprecia claramente la influencia de la normativa europea que, si bien deja en manos del legislador nacional la opción por un modelo penal o administrativo de responsabilidad, sí establece un sistema de "doble vía" por el que son dos las tipologías de sujetos físicos que, actuando en nombre y por cuenta de la persona jurídica y en su beneficio, pueden propiciar la responsabilidad de esta[76].

Siguiendo tal esquema, el artículo 31 bis 1 CP atribuye la posible comisión del hecho de referencia, por un lado, a los representantes legales de la entidad o a quienquiera que esté autorizado para la toma de decisiones en nombre de la misma, así como para el ejercicio de facultados de organización y control (apartado a) artículo 31 bis 1 CP)[77]; por otro lado, a quienes se encuentren sometidos a la autoridad

---

[75] FEIJOO SÁNCHEZ, B. J., "Las características básicas de la responsabilidad penal de las personas jurídicas en el Código Penal español", con M. Bajo Fernández y C. Gómez-Jara Díez, en *Tratado de responsabilidad penal de las personas jurídicas*, op. cit. pp. 67-73, esp. p. 69.

[76] URRUELA MORA, A., "La introducción de la responsabilidad penal de las personas jurídicas en Derecho español en virtud de la LO 5/2010: perspectiva de *lege data*", *Estudios penales y criminológicos* 2012, n. 32, pp. 413-468, esp. p. 425; VICARIO PÉREZ, A.M., *Cooperación judicial en la Unión Europea frente a la criminalidad de personas jurídicas*, op. cit. pp. 52-53.

[77] Al respecto de qué debe entenderse por "representantes legales" o por "personas autorizadas para tomar decisiones en nombre de la persona jurídica o que ostentan facultades de organización y control dentro de la misma", ECHEVERRIA BERECIARTUA, E., *Las modalidades de responsabilidad penal de las personas jurídicas en el marco del proceso penal*, op. cit. pp. 189-191, quien sostiene que el precepto se refiere tanto a los representantes legales como a los voluntarios, siempre y cuando, en relación a estos últimos, así esté previsto en los Estatutos de la persona jurídica; de igual forma, sostiene que las personas autorizadas para la toma de decisiones son aquellas que conforman el órgano de administración de la entidad, ya sea un administrador único, varios administradores solidarios o mancomunados o un Consejo de Administración, incluyendo además a los administradores de hecho; sobre los administradores de hecho, también GÓMEZ-JARA DÍEZ, C., "El sistema de imputación de responsabilidad penal de las personas jurídicas", con J. Banacloche Palao y J. Zarzalejos Nieto, en *Responsabilidad penal de las personas jurídicas. Aspectos sustantivos y procesales*,

de los anteriores, siempre que su comportamiento se haya visto posibilitado por el incumplimiento de los supervisores de sus deberes de vigilancia y control[78] (apartado b) artículo 31 bis 1 CP)[79].

En opinión de ZUGALDÍA ESPINAR, esta diferenciación obedece al ánimo del legislador de sancionar con mayor gravedad los delitos cometidos por quienes ostentan un cargo representativo en la entidad, en lo que viene a denominar "*el núcleo de la verdad de la teoría de la identificación*"[80]. Ciertamente, este propósito queda patente si atendemos a las reglas de imposición de las penas a las personas jurídicas

---

La Ley, Madrid, 2011, pp. 65-86, esp. pp. 69-70; FEIJOO SÁNCHEZ, por su parte, entiende que la alusión a "representante legal" conlleva que el apartado a) del art. 31 bis 1 CP solo comprende a quienes sean apoderados generales o representantes orgánicos, FEIJOO SÁNCHEZ, B.J., "Los requisitos del art. 31 bis 1", con M. Bajo Fernández y C. Gómez-Jara Díez, en *Tratado de responsabilidad penal de las personas jurídicas*, op. cit. pp. 75-88, esp. p. 77.

78 Siguiendo a FEIJOO SÁNCHEZ, "*la vulneración del deber de cuidado (...) implica un comportamiento imprudente de los gestores de la entidad con respecto a sus deberes de control supervisión o vigilancia o a la existencia de una organización defectuosa debida a descuidos o negligencia de los máximos responsables de la entidad. (...) Es suficiente con la infracción del deber de control, sin que sea necesario que alguna de las personas de la letra a) sea entendida también como culpable*", FEIJOO SÁNCHEZ, B.J., "Los requisitos del art. 31 bis 1", op. cit. pp. 87-88.

79 Sobre quiénes se encuadran en tal concepción, para la FGE se refiere a cualquier persona sometida a la autoridad o supervisión de los sujetos del apartado a) art. 31 bis 1 CP, "*no siendo necesario que se establezca una vinculación directa con la empresa, quedando incluidos autónomos, trabajadores subcontratados y empleados de empresas filiales, siempre que se hallen integrados en el perímetro de su dominio social*". La jurisprudencia sin embargo limita el ámbito de aplicación del apartado b), reconduciéndolo a los empleados en la STS 742/2018, de 7 de febrero, op. cit. FJ 3º. Para FEIJOO SÁNCHEZ, lo relevante no es la existencia de una relación laboral o mercantil entre persona física y jurídica, sino la determinación de a qué persona jurídica se encuentra adscrita el sujeto físico como "recurso humano" de aquella, FEIJOO SÁNCHEZ, B.J., "Los requisitos del art. 31 bis 1", op. cit. p. 80; así también en FERNÁNDEZ TERUELO, J.G., *Parámetros interpretativos del modelo español de responsabilidad penal de las personas jurídicas y su prevención a través de un modelo de organización o gestión (compliance)*, Arazandi, Cizur Menor, 2020, pp. 119-120.

80 ZUGALDÍA ESPINAR, J.M., *La responsabilidad criminal de las personas jurídicas, de los entes sin personalidad y de sus directivos. Análisis de los arts. 31 bis y 129 del Código Penal*, op. cit. p. 104; en opinión del autor, sin embargo, la redacción dada al art. 66 bis 1 c) CP no permite al juez graduar facultativamente la pena del subordinado con respecto a la de los superiores, sino que implica que

reguladas por el artículo 66 bis CP, por el cual, habrá de valorarse "*El puesto que en la estructura de la persona jurídica ocupa la persona física u órgano que incumplió el deber de control*" (artículo 66 bis 1 c) CP).

En ambos casos, se exige que el comportamiento ilícito del sujeto físico se haya cometido "por cuenta y en beneficio directo o indirecto de la persona jurídica", cabiendo preguntarse qué debe ser entendido por tal. Como señala FEIJOO SÁNCHEZ, el matiz de la actuación "por cuenta de la persona jurídica" permite establecer una distinción conceptual entre la mera "criminalidad en la persona jurídica", de la que no se derivaría responsabilidad para la entidad, de la "criminalidad de la persona jurídica", que es la que pretende ser abordada por el artículo 31 bis 1 CP[81]. Diferenciación también abordada por la jurisprudencia, de la que es buena muestra la STS 525/2022, de 27 de mayo, al no declararse penalmente responsable a una entidad del delito atribuible a uno de sus trabajadores, por haber este actuado fuera de los cometidos y prácticas habituales de la empresa y sin la utilización de sus medios personales y materiales. La clave se encuentra, por lo tanto, en que "la *conducta delictiva* (del empleado) *pueda incluirse en el marco de la actividad por cuenta del principal* (esto es, de la persona jurídica), *aunque se produzcan extralimitaciones*"[82]. Solo cuando el sujeto físico actúe en connivencia con la entidad cabrá hablar de actuaciones criminales cometidas "por" la empresa y no meramente "en" la empresa.

Con respecto a la actuación "en beneficio directo o indirecto de la persona jurídica", para tratar de desgranar esta idea hemos de aludir, una vez más, a la Sentencia del Tribunal Supremo 154/2016, de 29 de febrero, por la cual, se concibe como beneficio "*cualquier clase de ventaja, incluso de simple expectativa o referida a aspectos tales como la mejora de posición respecto de otros competidores, etc., provechosa para el lucro o para la mera subsistencia de la persona jurídica en cuyo seno el delito de su representante, administrador o subordinado*

---

la pena de los trabajadores siempre ha de ser menos grave que la de los directivos.

81 FEIJOO SÁNCHEZ, B.J., "Los requisitos del art. 31 bis 1", op. cit. pp. 78-79.

82 STS 525/2022, de 27 de mayo, ECLI:ES:TS:2022:2226 (*Tol 9009931*), FJ 7º.

*jerárquico, se comete*"[83]. La expresión "beneficio directo o indirecto" fue introducida por la reforma de 2015, sustituyendo la originaria redacción de 2010 por la cual se aludía a "provecho de la persona jurídica".

Este cambio terminológico, considera la Fiscalía General del Estado, conserva, sin embargo, "*la naturaleza objetiva de la acción, tendente a conseguir un beneficio sin exigencia de que este se produzca, resultando suficiente que la actuación de la persona física se dirija de manera directa o indirecta a beneficiar a la entidad*"[84]. Mismo criterio es el sostenido por el Tribunal Supremo en la STS 89/2023, de 10 de febrero, por la cual, resulta imprescindible "*que la conducta delictiva resulte beneficiosa, contemplada ex ante y enmarcada en el proyecto delictivo de su autor, directa o indirectamente, para la persona jurídica, con independencia de que dicho beneficio llegue o no a materializarse*"[85]. Para FEIJOO SÁNCHEZ, la referencia a que el beneficio sea "directo o indirecto" avala una interpretación extensa de este provecho, pudiendo consistir no solo en la obtención de beneficio económico, sino también en la evitación de perjuicios, la obtención de beneficios frente a los competidores, el ahorro de costes o incluso en ventajas no mensurables como la mejora de la imagen de la empresa[86].

En fin, para PÉREZ MACHÍO, el requisito de actuar "en nombre o por cuenta de la persona jurídica" presupone que esta solo responderá de los delitos cometidos por sus miembros en la medida en que hayan actuado dentro del ámbito de atribuciones y competencias que ostentan en la organización[87]. En cualquier caso, compartimos la

---

83 STS 154/2016, de 29 de febrero, op. cit. FJ 13º.

84 Circular FGE 1/2016, de 22 de enero, op. cit.

85 STS 89/2023, de 10 de febrero, op. cit. FJ 27º.

86 FEIJOO SÁNCHEZ, B.J., "Los requisitos del art. 31 bis 1", op. cit. pp. 82-83, indica además el autor que no es preciso que el beneficio llegue a materializarse, siendo suficiente con que el comportamiento delictivo del sujeto físico pudiese repercutir en la persona jurídica. Tampoco se requiere, señala el autor, de una motivación del sujeto físico tendente al beneficio de la entidad, pudiendo darse el caso de un comportamiento puramente individualista pero del que sin embargo la persona jurídica resulte igualmente lucrada.

87 PÉREZ MACHÍO, A. I., *La responsabilidad penal de las personas jurídicas en el Código Penal español. A propósito de los programas de cumplimiento normativo como instrumentos idóneos para un sistema de justicia penal preventiva*, Comares, Granada, 2017, p. 89.

preocupación de ECHEVERRIA BERECIARTUA acerca de la incitación a la persona jurídica a ocupar en el proceso la doble posición de acusada y acusadora[88]. En efecto, supongamos un proceso seguido contra la persona física comisora del hecho de referencia y contra la persona jurídica por su defecto organizacional. Sería desde luego tentador para la entidad presentarse como acusación particular contra el sujeto natural, en aras de acreditar que su actuación no supuso un beneficio para ella. A modo de ejemplo, esta dualidad de posiciones se dio en el asunto resultante en el Auto de la Audiencia Provincial de Navarra 91/2016, de 22 de marzo. Por medio del mismo, se considera que "*la acción debe ser valorada como provechosa desde una perspectiva objetiva e hipotéticamente razonable con independencia de factores externos que puedan determinar que la utilidad finalmente no se produzca*"[89], siendo lo singular del procedimiento que a la persona jurídica se le permitió presentarse como acusación particular contra la persona física.

Por otro lado, el Código Penal configura un sistema de responsabilidad penal acumulativo y directo[90], esto es, en el que la imputabilidad de las personas jurídicas no excluye la de las personas físicas comisoras del delito base, las cuales habrán de responder por el mismo[91].

---

88 ECHEVERRIA BERECIARTUA, E., *Las modalidades de responsabilidad penal de las personas jurídicas en el marco del proceso penal*, op. cit. p. 186.

89 Auto de la AP Navarra 91/2016, de 22 de marzo, ECLI:ES:APNA:2016:287A (*Tol 6920170*), FJ 1°.

90 Así se desprende del tenor literal del art. 31 ter CP: "*La responsabilidad penal de las personas jurídicas será exigible siempre que se constate la comisión de un delito que haya tenido que cometerse por quien ostente los cargos o funciones aludidas en el artículo anterior, aun cuando la concreta persona física responsable no haya sido individualizada o no haya sido posible dirigir el procedimiento contra ella*".

91 Por todas y a modo de ejemplo, la STS 1084/2024, de 22 de febrero, ECLI:ES:TS:2024:1084 (*Tol 9904163*), FJ 4°: "*La responsabilidad que el Código Penal establece para las personas jurídicas (…) no supone una exclusión de la responsabilidad que pueda corresponder a las personas que materialmente actúen en la perpetración de los hechos delictivos; sin perjuicio de que cuando se depure simultáneamente la responsabilidad de la persona física que ostenta funciones en una entidad también condenada por los mismos hechos, los Tribunales puedan modular las cuantías de las penas de multa que respectivamente se les impongan, de modo que la suma resultante no sea desproporcionada en relación a la gravedad de los hechos*".

Pero tampoco a la inversa, puesto que, señala ZUGALDÍA ESPINAR, la responsabilidad de las personas jurídicas no tiene por finalidad servir de parapeto a los miembros de la organización que presenten un comportamiento delictivo, debiendo evitarse que la atribución de responsabilidades individuales quede impedida por la imputación de la entidad[92]. En adición, la responsabilidad de las personas jurídicas es autónoma e independiente, señalándose a estos efectos por el apartado segundo del artículo 31 ter CP que la imposibilidad de imputación de la persona física (ya sea por fallecimiento o por sustracción a la acción de la justicia), no impedirá la responsabilidad de la persona jurídica[93]. Sobre este extremo tuvo ocasión de pronunciarse el Tribunal Supremo en la Sentencia 742/2018, de 7 de febrero, en la cual se concluyó que "*una cosa es que se exija la "constatación" de la actuación de esos sujetos personas físicas* (en alusión a los aparatos a) y b) del artículo 31 bis 1 CP) *y otra que sea un presupuesto la previa "condena" de las mismas*"[94]. De igual forma, la persona jurídica no se verá afectada por las circunstancias modificativas de la responsabilidad penal que se aprecien en relación a los sujetos naturales, habiéndose regulado para las entidades sus propios supuestos de atenuación de la responsabilidad por el artículo 31 bis apartados 2 y 4 CP.

---

92 ZUGALDÍA ESPINAR, J.M., *La responsabilidad criminal de las personas jurídicas, de los entes sin personalidad y de sus directivos. Análisis de los arts. 31 bis y 129 del Código Penal*, op. cit. pp. 104-105.

93 Sobre el particular, NEIRA PENA, A.M., *La instrucción de los procesos penales frente a las personas jurídicas*, Tirant lo Blanch, Valencia, 2017, pp. 115-116, no olvida sin embargo la autora la conveniencia de realizar todos los esfuerzos necesarios para la identificación de la persona física, puesto que "*el hecho de que la responsabilidad penal de las personas jurídicas presuponga una conducta, activa y omisiva, protagonizada por una persona natural, mientras que se admite el enjuiciamiento de la entidad sin haber sido identificado aquel individuo, encierra una cierta contradicción, en tanto que la imputación de la entidad, o su adquisición de la condición de encausada, supondrá atribuir la acción u omisión delictiva a un sujeto ignoto para la investigación*".

94 STS 742/2018, de 7 de febrero, ECLI:ES:TS:2019:279 (*Tol 7059216*), FJ 2º.

### 2.1.2. Hecho propio

Se entiende por hecho propio la presencia, en el seno de la persona jurídica, de un defecto organizacional[95], lo cual constituye la conducta culpable atribuible a la entidad. Ello porque la imposición de penas a las personas jurídicas requiere el previo reconocimiento de la capacidad de culpabilidad de estas. Siguiendo a GÓMEZ TOMILLO, pueden ofrecerse tres argumentos en defensa de esta postura. En primer lugar, negar la exigencia de culpabilidad de las entidades supondría fundamentar la imposición de sanciones sobre bases exclusivamente preventivas y no represivas, lo cual podría derivar en una afectación al principio de proporcionalidad, al poder imponerse penas muy elevadas y más gravosas de lo estrictamente necesario con relación a los delitos cometidos. En segundo lugar, se presentan críticas desde el punto de vista del principio de igualdad, dado que si no se valoran los hechos propios de la persona jurídica de los que se desprende su posible culpabilidad, la imposición de sanciones se aplicaría sin distinción alguna entre las entidades que sí cumplan con sus obligaciones y aquellas que no lo hacen. En tercer lugar, la imposición de sanciones sin atender a la culpabilidad de la entidad derivaría en una conculcación de los más elementales principios del Derecho Penal, los cuales deben resultar de aplicación sin ambages a las personas jurídicas por ser sujetos pasivos del proceso[96].

Pues bien, la atribución de culpabilidad a la persona jurídica exige la constatación de la comisión por su parte de un hecho delictivo. Hecho que debe ser propio y no asumido por derivación de la persona física, dado que lo contrario supondría violentar el principio de personalidad de las penas. Es cuanto menos evidente que sin un delito de base (hecho de referencia) cometido por una o varias personas físicas, en modo alguno habrá responsabilidad penal de la entidad, pues lo contrario entrañaría que el delito de la persona jurídica fuera siempre el mismo (esto es, el incumplimiento de sus deberes de supervisión

---

95 ZUGALDÍA ESPINAR, J.M., *La responsabilidad criminal de las personas jurídicas, de los entes sin personalidad y de sus directivos. Análisis de los arts. 31 bis y 129 del Código Penal*, op. cit. pp. 92-93.

96 GÓMEZ TOMILLO, M., *Introducción a la Responsabilidad Penal de las Personas Jurídicas*, Aranzadi, Cizur Menor, 2015, pp. 129-130.

y control) y que existiría siempre que no se hayan adoptado programas de cumplimiento penal, aun cuando no se hubiese cometido comportamiento criminal alguno por sus miembros. No pretendemos defender, por tanto, que la pena a la persona jurídica pueda nacer de la mera inexistencia de *compliance programs* en su organización sin haberse constatado que a causa de ello se posibilitó la actuación delictiva por la persona física.

Pero ello no puede significar que a la persona jurídica se le achaquen las conductas humanas. Seguimos así, punto por punto, la posición de ZUGALDÍA ESPINAR, quien sostiene que, en la teoría jurídica del delito de las entidades, la actitud reprobable del autor (esto es, el defecto de organización), es lo que permite imputar a aquellas el hecho ilícito de referencia cometido por la persona física. "*Desde luego que lo que podríamos llamar el "sustrato material" del comportamiento de la persona jurídica está en las personas físicas que la integran (...). Pero no es la responsabilidad de estas la que hace responsable a la persona jurídica (...), que no necesita la percha de la responsabilidad de una persona física de la que colgarse. (...) No se trata de "transferir" lo que ha hecho una persona (la persona física) a otra que no lo ha hecho (la persona jurídica). Ni siquiera se trata de poder afirmar que el hecho cometido por una persona (la persona física) equivale jurídica o axiológicamente a su realización por otra persona (la persona jurídica). Se trata de determinar bajo qué condiciones normativas se puede atribuir el hecho a la persona jurídica como propio, como su autora*"[97].

Intrínsicamente relacionado con lo anterior, GÓMEZ-JARA DÍEZ defiende que la "capacidad de acción" de las personas físicas que redunda en su culpabilidad, encuentra su equivalente funcional para las personas jurídicas en una "capacidad de organización". Ciertamente, señala que, pudiendo ser difícil argumentar que las personas jurídicas actúan por sí mismas, las dificultades de atribución de culpabilidad desaparecen si se toma en consideración que las entidades tienen una innegable libertad de autoorganización, autodeterminación y auto-

---

97 ZUGALDÍA ESPINAR, J.M., *La responsabilidad criminal de las personas jurídicas, de los entes sin personalidad y de sus directivos. Análisis de los arts. 31 bis y 129 del Código Penal*, op. cit. p. 69.

control, libertad que puede ser utilizada correcta o defectuosamente. Indica en este sentido que "*cuando una persona física actúa delictivamente dentro de una organización correcta, no se puede considerar que incurre el injusto propio de la persona jurídica. Sin embargo, cuando se produce dicha actuación delictiva en el seno de una organización defectuosa, entonces sí se puede considerar que concurre el injusto propio de la persona jurídica*"[98].

De esta manera, emulando el esquema seguido en el contexto europeo a partir de la tesis de TIEDEMANN[99], el legislador español entiende que la culpabilidad de la persona jurídica obedece a la omisión por esta de las medidas que le son exigibles para prevenir los comportamientos delictivos en su actividad y garantizar un desarrollo ordenado de la misma. Así se desprende de los apartados 2 y 4 del artículo 31 bis CP, por los que se concibe como causa eximente de la responsabilidad penal de la entidad la adopción, con carácter previo a la comisión delictiva del sujeto físico, de programas de cumplimiento penal, de forma tal que los autores individuales hayan cometido el delito eludiendo los mecanismos de vigilancia y control.

Indica GOMÉZ-JARA DÍEZ que el defecto organizacional debe analizarse bajo los parámetros de la tipicidad objetiva y subjetiva[100]. Así, con respecto a la primera, habrá de estarse a si la entidad contaba

---

98 GÓMEZ-JARA DÍEZ, C., "El injusto típico de la persona jurídica (tipicidad)", con M. Bajo Fernández y B.J. Feijoo Sánchez, en *Tratado de responsabilidad penal de las personas jurídicas*, op. cit. pp. 121-141, esp. pp. 125-126; del mismo autor, *La culpabilidad penal de la empresa*, Marcial Pons, Madrid, 2005, pp. 240-241.

99 Efectivamente, fue TIEDEMANN el primero en concebir la culpabilidad de la entidad como resultado de una omisión de sus deberes de supervisar y controlar las conductas desarrolladas por sus miembros en su ámbito de actuación. Inicialmente en la obra clásica TIEDEMANN, K., "Die 'Bebußung' von Unternehmen nach dem 2. Gesetz zur Bekämpfung der Wirtschaftskriminalität", *Neue Juristische Wochenschrift (NJW)* 1988, p. 1172; con posterioridad, señalamos TIEDEMANN, K., "El derecho comparado en el desarrollo del Derecho Penal económico", en L. Arroyo Zapatero y A. Nieto Martín (dres.), *El Derecho Penal económico en la era compliance*, Tirant lo Blanch, Valencia, 2013, pp. 31-42, esp. p. 39.

100 GÓMEZ-JARA DÍEZ, C., "El sistema de imputación de responsabilidad penal de las personas jurídicas", op. cit. p. 77; del mismo autor, "El injusto típico de la persona jurídica (tipicidad)", op. cit. p. 127.

con una organización que ha generado un riesgo delictivo por encima del tolerable, para a continuación constatar si ese riesgo no permitido es el que se ha materializado con la comisión del delito por el sujeto físico. Por cuanto se refiere a la vertiente subjetiva del injusto, el dolo o la imprudencia de la persona jurídica no puede confundirse con el correspondiente al autor individual, habida cuenta de que ello implicaría, una vez más, desatender a las reglas de imputación por hecho propio. Cabe así preguntarse ¿qué puede entenderse por dolo e imprudencia de la persona jurídica? Para ZUGALDÍA ESPINAR y GÓMEZ TOMILLO, el dolo/imprudencia es una categoría dogmática no predicable respecto de las personas jurídicas, de suerte que su apreciación para con estas ha de tomar como punto de referencia el comportamiento doloso o imprudente del sujeto físico en la comisión del hecho de referencia. Sostienen ambos autores en tal sentido que, si el delito de base se considera cometido con dolo o con imprudencia, así se considerará que ha actuado la persona jurídica a la hora de aplicar las reglas de determinación de la pena. De igual forma, si se considera que la persona física ha actuado imprudentemente y el delito de base no contempla la modalidad de su comisión por imprudencia, el hecho ha de permanecer inimputable también para la persona jurídica aun cuando se haya constatado en la misma un defecto organizacional[101].

No compartimos esta opinión, pues resulta contradictorio que la valoración del dolo o imprudencia de la persona jurídica (sin los cuales no puede ser condenada a la luz del artículo 5 CP) se haga depender de la apreciación de los mismos en la persona física y, al tiempo, no exista una obligación jurídico-positiva de individualizar el delito cometido por el sujeto natural para responsabilizar a la entidad. Para GÓMEZ TOMILLO, la imposibilidad de individualización de la persona física y, por tanto, de determinación sobre si la misma actuó con dolo o imprudencia, ha de encontrar como solución la aplicación del principio *in dubio pro reo* para con la persona jurídica, optán-

---

101 ZUGALDÍA ESPINAR, J.M., *La responsabilidad criminal de las personas jurídicas, de los entes sin personalidad y de sus directivos. Análisis de los arts. 31 bis y 129 del Código Penal*, op. cit. p. 90; GÓMEZ TOMILLO, M., *Introducción a la Responsabilidad Penal de las Personas Jurídicas*, op. cit. p. 163.

dose por la situación más benigna de la imprudencia[102]. En nuestra opinión, esta construcción, si se nos permite un poco forzada, implica evocar de nuevo un modelo de heterorresponsabilidad que ya ha sido superado. La autonomía de la responsabilidad penal de las entidades debe predicar en todos sus ámbitos.

Somos de este modo partidarios de la opinión de GÓMEZ-JARA DÍEZ, para quien el conocimiento del riesgo (elemento clave del dolo) o desconocimiento evitable (elemento clave de la imprudencia) por la persona jurídica, obliga a prestar atención a indicios de los que pueda desprenderse una comprensión por parte de la entidad de que en su ámbito de actuación existían deficiencias de control y supervisión que podían propiciar comportamientos delictivos por sus miembros[103]. Consideramos que estos indicios pueden consistir en la constatación de la previa elaboración o no por parte de la entidad de un mapa de riesgos, de cara a la adecuación del programa de cumplimiento a las singularidades de su organización. Ello comporta que el defecto organizativo existirá en la medida en que el *compliance program* adoptado sea meramente cosmético[104].

Cuestión distinta es, en nuestra opinión, que la culpabilidad de la persona jurídica sea graduable. Es en este punto donde podría tener cabida el planteamiento de ZUGALDÍA ESPINAR y GÓMEZ TOMILLO. Si los hechos de referencia fueron cometidos, supongamos, por imprudencia leve del miembro de la organización, no puede imponerse a la entidad la misma pena que si el delito base se hubiera cometido dolosamente. A mayores, como criterios de graduación de la culpabilidad de la entidad, señala GÓMEZ TOMILLO los siguientes: la existencia o no de un programa "serio" de cumplimiento; la existencia o

---

102 GÓMEZ TOMILLO, M., *Introducción a la Responsabilidad Penal de las Personas Jurídicas*, op. cit. pp. 163-164.

103 GÓMEZ-JARA DÍEZ, C., "El sistema de imputación de responsabilidad penal de las personas jurídicas", op. cit. p. 80; del mismo autor, "El injusto típico de la persona jurídica (tipicidad)", op. cit. pp. 138-139.

104 Sobre la cosmética de los *compliance programs*, NIETO MARTÍN refiere a los modelos de cumplimiento que carecen de toda virtualidad práctica, siendo su función puramente "de marketing", NIETO MARTÍN, A., "Fundamento y estructura de los programas de cumplimiento normativo", en A. Nieto Martín (dr.), *Manual de cumplimiento penal en la empresa*, op. cit. pp. 111-134, esp. p. 123.

no de vigilancia sobre el persona; si el delito base se ha cometido por un único sujeto físico, o por la actuación cumulativa de operaciones delictivas de varios miembros de la organización; la existencia o no de una previa prohibición expresa al miembro de la organización de realizar una determinada conducta; la concurrencia o no en la persona física de causas de inimputabilidad o error de prohibición; el dolo o imprudencia del miembro de la entidad; o el nivel jerárquico de la persona física que ha cometido el hecho de referencia[105].

A ello ha de añadirse, como último extremo señalado por la jurisprudencia, la valoración del número de administradores de hecho o de derecho. Así, por la STS 369/2022, de 18 de abril, se absuelve a una persona jurídica constituida como sociedad unipersonal, parapetándose el Tribunal en que la condena a su único administrador de hecho en virtud del artículo 31 CP y a la propia entidad por el artículo 31 bis CP supondría una conculcación del principio *non bis in idem*[106]. La identidad absoluta entre administrador y persona jurídica impide, por tanto, la condena simultánea de ambos, toda vez que, como se reitera en la STS 747/2022, de 27 de julio, no cabe apreciar realmente una responsabilidad penal de la persona jurídica al confundirse su actuación con la del sujeto físico que la gestiona en su totalidad y con cuyo patrimonio, de ser condenado, afrontaría dos multas por una misma acción. No aprecia el Tribunal la existencia de dos responsables (persona física y persona jurídica), sino solo uno (persona física) que se sirvió de un instrumento (persona jurídica) que no es nadie sino él mismo. Señala en efecto el juzgador que "*El régimen de responsabilidad penal de personas jurídicas exige una mínima alteridad de la persona jurídica respecto de la persona física penalmente responsable. Cuando el condenado penalmente como persona física es titular exclusivo de la sociedad, no resulta factible imponer dos penalidades sin erosionar, no ya solo el principio del non bis in ídem, sino la misma racionalidad de las cosas*". De este modo, continúa, "*resulta absurdo imponer a la persona física titular única de la mercantil dos penas: una por la comisión del delito: y otra ¡por no haber establecido mecanismos de prevención de sus propios delitos! Opera el principio*

105 GÓMEZ TOMILLO, M., *Introducción a la Responsabilidad Penal de las Personas Jurídicas*, op. cit. pp. 141-142.

106 STS 369/2022, de 18 de abril, ECLI:ES:TS:2022:1593 (*Tol 8920149*), FJ 2º.

*de consunción: al castigar al responsable penal del delito se está contemplando y sancionando también su desidia e indiferencia (¡!) por no prevenir sus propios delitos; su, digamos en la nomenclatura extendida, falta de cultura de respeto a las normas*"[107]. En resumidas cuentas, no existiendo otredad cuando la persona jurídica es una forma de ocultamiento de un negocio y actuación unipersonal, no cabe hablar de imputabilidad de aquella, siendo en estos casos la consideración de un doble sujeto pasivo procesal (persona física y persona jurídica) un mero artificio[108].

Complemento de la jurisprudencia anterior, la STS 894/2022, de 11 de noviembre, asienta como criterio de imputabilidad de las entidades su complejidad organizativa. En el asunto abordado por esta resolución se deja al margen el planteamiento del principio *non bis in idem* por cuanto que persona física y jurídica no confluyen, determinándose que, aun cuando quepa hablar de actuaciones propias y diferenciadas de una y otra, la apreciación del delito base y del hecho propio no puede llevarse a extremos injustificados. De este modo, se concluye que la imputabilidad de la entidad que surge de su defecto organizacional debe hacerse depender del grado de control y gestión que le es exigible en atención a la complejidad de su estructura. Matiza en resumen el Alto Tribunal que, con independencia de su constitución como sociedades unipersonales o no, "*no todas las personas ju-*

---

107 STS 3236/2022, de 27 de julio, ECLI:ES:TS:2022:3236 (*Tol 9213265*), FJ 8º, añadiendo en su argumentación el Tribunal que "*El sistema de responsabilidad penal de personas jurídicas encierra inevitablemente ciertas dosis de ficción. Las penas impuestas a la persona jurídica no las sufren materialmente los entes morales, incapaces de padecer. Acaban inexorablemente recayendo en personas físicas (pocas o muchas, y más o menos diluidas). Cuando la persona jurídica se identifica con una persona física, es esta la que sufre íntegramente la sanción. Si es penalmente responsable de la conducta por la que ha de responder la persona jurídica se le estará imponiendo una doble sanción por una única conducta: el delito cometido por él que arrastra, además, a la condena de la persona jurídica de su exclusiva titularidad*".

108 Ello no operaría, por el contrario, cuando la persona jurídica no es unipersonal. En estos casos, al no identificarse totalmente la actuación de un único directivo con la de la propia entidad, sí cabría considerar una responsabilidad penal de la persona jurídica. Cuestión distinta es la modulación de la pena de multa que en cada caso proceda cuando tanto persona física como jurídica sean condenadas, en atención al art. 31 ter 1 CP. En este sentido, la STS 36/2022, de 20 de enero, ECLI:ES:TS:2022:39 (*Tol 8765301*), FJ 7º.

*rídicas serán imputables, sirviendo de apoyo, de alguna manera, para esto que decimos el distinto tratamiento que en orden a las funciones de supervisión se establecen en el propio artículo 31 bis CP para las personas jurídicas de pequeñas dimensiones, en comparación con los mecanismos de* compliance *propios de las de mayor complejidad*"[109].

Como comentario a estos pronunciamientos jurisprudenciales, en nuestra opinión, la inimputabilidad de las sociedades unipersonales por el mero hecho de serlo[110] no es acorde con el modelo de responsabilidad penal introducido en nuestro ordenamiento jurídico. Y es que, una sociedad con un único administrador de hecho o de derecho, puede estar dotada de elementos más que suficientes para apreciar la alteridad (patrimonio diferenciado del perteneciente administrador, fundamentalmente). Eximir a las sociedades unipersonales de responsabilidad penal por su mera constitución como tales implicaría, por lo demás, una desatención a su atribución de personalidad jurídica propia. Por más que haya un único socio, la persona jurídica existe, es diferente de la persona física porque así lo ha pretendido el legislador, se beneficia del delito cometido en su ámbito de actuación y, en adición, podría haber implementado perfectamente programas de cumplimiento que impidiesen la criminalidad. Pueden identificarse sin ambages, por lo tanto, los elementos del tipo del artículo 31 bis 1 CP.

Por el contrario, la atención a la complejidad de la organización sí es, estimamos, plenamente conforme con la conceptualización de la capacidad de acción y culpabilidad de las personas jurídicas como "capacidad organizativa" a la que nos hemos referido en líneas anteriores, de modo tal que la ausencia de una mínima estructura sí podría redundar en la inimputabilidad de la entidad. No obstante y en aras de la máxima apreciación del principio de legalidad, consideramos del todo conveniente la puntualización de este nuevo matiz en la regula-

---

109 STS 894/2022, de 11 de noviembre, ECLI:ES:TS:2022:4116 (*Tol 9296824*), FJ 4º.

110 "Inimputabilidad estructural" en palabras de FORTUNY CENDRA, quien lo justifica sobre la base de los principios de lesividad y de intervención mínima, FORTUNY CENDRA, M., "¿Hacia la irresponsabilidad penal de las personas jurídicas de pequeñas dimensiones? A propósito de la sentencia del Tribunal Supremo de 11 de noviembre de 2022", *La Ley compliance penal* 2023, n. 13, disponible en https://revistas.laley.es.

ción ofrecida por el artículo 31 bis CP, de forma tal que se excluya la responsabilidad penal de las entidades que, en base a un criterio objetivo, no puedan ser caracterizadas de estructuras complejas. Con la fijación de un criterio tal, no se dejaría al arbitrio del juzgador en cada caso concreto la valoración de la imputabilidad o no de la persona jurídica por razones de complejidad organizativa. Proponemos, en conclusión, que el artículo 31 bis CP incluya en su redacción la inimputabilidad de las entidades de menos de cincuenta trabajadores, sirviéndonos a estos efectos del límite numérico asentado por la Ley 2/2023, de 20 de febrero, reguladora de la protección de las personas que informen sobre infracciones normativas y de lucha contra la corrupción, para la obligada implantación de canales de denuncias[111]. Ciertamente, si el legislador considera que entidades de este tamaño no son tan complejas como para contar con un sistema de denuncias internas, tampoco lo serán para ser penalmente responsables al adolecer de capacidad de culpabilidad.

### 2.2. *Régimen especial de consecuencias accesorias del artículo 129 CP*

Complementando el régimen general del artículo 31 bis CP, el régimen de consecuencias accesorias del artículo 129 CP rige para las entidades sin personalidad jurídica en el caso de comisión por estas de alguno de los delitos para los cuales la norma penal prevé la responsabilidad de las personas jurídicas. De su breve regulación, se desprende que nos encontramos ante un modelo de responsabilidad que requiere igualmente la comisión de un hecho delictivo por parte de una persona física, pero no la constatación de un defecto organizativo que haya facilitado la criminalidad por los miembros de la organización.

Una de las principales críticas apreciadas respecto del régimen complementario que ahora nos ocupa, es la amplitud dada a la redacción del artículo 129 CP. Advierte ECHEVERRIA BERECIARTUA que resulta harto complicado la delimitación de los sujetos incluidos en el ámbito de aplicación del precepto, el cual actúa como una suerte de cláusula de "cierre del sistema" del artículo 31 bis CP, compren-

---

[111] BOE n. 44, de 21 de febrero de 2023, pp. 26140-26189.

diendo por tanto todos los supuestos no abordados por este último[112]. Adicionalmente, apostilla GÓMEZ-JARA DÍAZ la conveniencia de que se hubiesen establecido cuáles son los criterios de motivación de las consecuencias accesorias a que se refiere el artículo 129 CP, proponiendo que para su determinación debería estarse a los criterios del artículo 66 bis CP, al igual que acontece con el régimen del artículo 31 bis CP[113].

Tratándose por lo tanto de un régimen complementario, ambos comparten ciertas características comunes. En primer lugar, el abanico de delitos sobre el que los dos preceptos pueden aplicarse es sustancialmente idéntico, lo cual no queda sino reforzado por el apartado 2 del artículo 129 CP, por el cual, "*Las consecuencias accesorias a las que se refiere en el apartado anterior solo podrán aplicarse a las empresas, organizaciones, grupos o entidades o agrupaciones en él mencionados cuando este Código lo prevea expresamente, o cuando se trate de alguno de los delitos o faltas por los que el mismo permite exigir responsabilidad penal a las personas jurídicas*". Junto con ello, también el sistema punitivo es ciertamente similar, remitiéndose el apartado 1 del artículo 129 CP a las penas previstas en el artículo 33.7 CP. Se excluye, sin embargo, la posibilidad de imposición de multas o la disolución de la entidad.

Ello nos lleva a plantearnos la siguiente pregunta: la enmarcación de las entidades sin personalidad jurídica en un régimen de consecuencias accesorias, ¿significa que no cabe respecto de ellas la apreciación de su responsabilidad penal? En sentido estricto y atendiendo al tenor literal del artículo 129 CP, cabría argumentar que el legislador ha pretendido para las entidades sin personalidad jurídica un sistema sancionatorio similar al existente para las personas jurídicas con anterioridad a la reforma de 2010. De ser así, lo dicho respecto a tal sistema resultaría de aplicación al actual artículo 129 CP, en el sentido de que considerar que nos encontramos ante una responsabilidad de naturaleza penal supondría una conculcación del principio

---

112 ECHEVERRIA BERECIARTUA, E., *Las modalidades de responsabilidad penal de las personas jurídicas en el marco del proceso penal*, op. cit. p. 303.

113 GÓMEZ-JARA DÍEZ, C., "Sujetos sometidos a la responsabilidad penal de las personas jurídicas", con M. Bajo Fernández y B.J. Feijoo Sánchez, en *Tratado de responsabilidad penal de las personas jurídicas*, op. cit. pp. 51-61, esp. pp. 59-60.

de legalidad. El régimen de consecuencias accesorias configurado parece indicar que la desvinculación de las entidades sin personalidad jurídica respecto de un sistema de responsabilidad penal, ha sido lo establecido, no sabemos si intencionadamente o no, por el legislador.

Cuatro argumentos podemos ofrecer a este respecto: primero, que la exclusión de la multa como consecuencia accesoria para las entidades sin personalidad jurídica, denota la distinción que hace el Código Penal respecto de sanciones con y sin naturaleza penal, considerando a la multa dentro de la primera categoría; segundo, que en el caso de las consecuencias accesorias, la previa condena a una persona física se presenta como requisito[114], lo cual no puede predicar respecto de un régimen sancionatorio penal en cuanto que ello iría en contra de la autonomía de la responsabilidad; tercero, la imposición de consecuencias accesorias es facultativa, no cabiendo sin embargo la voluntariedad en la aplicación de sanciones penales; y cuarto, la inexigibilidad de un defecto organizativo en la entidad sin personalidad jurídica excluye la existencia de un hecho propio atribuible a esta, implantando un sistema vicarial de responsabilidad que no es conforme con el principio de personalidad de las penas. Todo ello nos lleva a afirmar, como anticipamos, que el legislador excluye *de facto* la responsabilidad penal de las entidades sin personalidad jurídica.

Como postura crítica, volvemos a traer a colación el análisis de ECHEVERRIA BERECIARTUA, quien sostiene que sería más adecuado haber optado por un régimen de responsabilidad único y uniforme, que estableciera claramente la imposición de consecuencias penales para todo tipo de entidades con independencia de su realidad jurídica[115]. Estimamos que tal vez la justificación a la implantación de un doble sistema obedece a la ausencia de regulación y reglamentación interna de las entidades sin personalidad jurídica, pero frente a ello no puede obviarse que esta tipología de entidades puede llegar a tener una gran presencia en la vida social y económica, pudiendo estar perfectamente dotadas de estructuras organizativas equivalentes a las de una persona jurídica. Resulta evidente que en este tipo de organiza-

---

[114] Así se desprende del apartado 1 del art. 129 CP, según el cual, se podrán imponer "*consecuencias accesorias a la pena que corresponda al autor del delito*".

[115] ECHEVERRIA BERECIARTUA, E., *Las modalidades de responsabilidad penal de las personas jurídicas en el marco del proceso penal*, op. cit. p. 295.

ciones debería regir el mismo sistema incentivador de los programas de cumplimiento penal.

Junto con ello, percibe también ECHEVERRIA BERECIARTUA que la distinción de regímenes puede derivar en un atajo para sancionar a ciertas entidades sin personalidad jurídica con consecuencias similares a las penas que se imponen a las personas jurídicas, pero sin las garantías procesales propias del proceso penal. Ante tal situación, manifiesta el autor, "*la solución que proporciona mayores dosis de seguridad es aplicar a las entidades, independientemente de si tienen o no personalidad jurídica, el régimen procesal que incorpora el artículo 31 bis CP*"[116]. Coincidimos plenamente con la solución aportada por el autor. Más aún si tenemos en cuenta que, aunque apriorísticamente el artículo 129 CP solo se aplica a entidades sin personalidad jurídica, también en algunos supuestos resulta de aplicación a las personas jurídicas.

En efecto, determinados tipos delictivos se remiten al artículo 129 CP para la sancionabilidad de las entidades con independencia de su personalidad jurídica o no. Algunos ejemplos los encontramos en los delitos relativos a la manipulación genética, estableciendo el artículo 162 CP que "*la autoridad judicial podrá imponer alguna o algunas de las consecuencias previstas en el artículo 129 de este Código cuando el culpable perteneciere a una sociedad, organización o asociación, incluso de carácter transitorio, que se dedicare a la realización de tales actividades*"; la alteración de precios y subastas públicas, donde según el artículo 262 CP "*el juez o tribunal podrá imponer alguna o algunas de las consecuencias previstas en el artículo 129 si el culpable perteneciere a alguna sociedad, organización o asociación, incluso de carácter transitorio, que se dedicare a la realización de tales actividades*"; los delitos societarios como se desprende del artículo 294 CP, por el cual, "*la autoridad judicial podrá decretar algunas de las medidas previstas en el artículo 129 de este Código*"; o los delitos contra los trabajadores, donde el artículo 318 CP estipula que "*Cuando los*

---

116 *Ibidem*, pp. 333-334, señalando consecuentemente el autor que "*la falta de coherencia, nitidez y dudas que surgen, nos deben llevar a la conclusión de que el recurso a estas medidas accesorias debe estar restringido lo máximo posible en la práctica forense*"; en el mismo sentido, GÓMEZ TOMILLO, M., *Introducción a la Responsabilidad Penal de las Personas Jurídicas*, op. cit. p. 56.

*hechos previstos en los artículos de este título se atribuyeran a personas jurídicas, se impondrá la pena señalada a los administradores o encargados del servicio que hayan sido responsables de los mismos y a quienes, conociéndolos y pudiendo remediarlo, no hubieran adoptado medidas para ello. En estos supuestos la autoridad judicial podrá decretar, además, alguna o algunas de las medidas previstas en el artículo 129 de este Código*".

En tales tipologías delictivas, la remisión al artículo 129 CP implica que, aunque se trate de personas jurídicas, será este el precepto que haya de aplicarse. Así, nos encontramos en el Código Penal con delitos para los cuales la alusión en sus preceptos reguladores al artículo 31 bis CP prevé la imposición de penas con la aplicación de las consiguientes garantías propias del proceso penal, mientras que para otros delitos como los referenciados en el párrafo anterior, la sanción quedará reconducida al ámbito de las consecuencias accesorias, con la problemática que ello supone para la salvaguarda de las garantías procesales de la entidad.

Esta disparidad, creemos, se debe a un "descuido" del legislador, que al modificar el Código Penal en 2010 "olvidó" cambiar la referencia de alguno de los preceptos al artículo 129 CP propio del anterior sistema de 1995. Lo contrario, esto es, que la diferencia en cuanto a la remisión al artículo 129 CP o al artículo 31 bis CP sea intencionada, lo encontramos injustificable. Primero, porque siendo puristas, el artículo 129 CP en la redacción otorgada en 2010, solo es aplicable a entidades sin personalidad jurídica, de forma tal que en el caso de los delitos que, como los ejemplos señalados, se remiten a este precepto para sancionar a las personas jurídicas, nos encontraremos con que estas resultarán inimputables. Segundo, porque si estimamos que aunque el delito en cuestión se remita al artículo 129 CP este resulta aplicable a las personas jurídicas, tendremos para ellas dos regímenes de responsabilidad: uno penal y otro de meras consecuencias accesorias. Tal circunstancia ha sido advertida por el Tribunal Supremo en la Sentencia 121/2017, de 23 de febrero, al señalar que la remisión del artículo 318 CP al artículo 129 CP, excluye la aplicación del régimen general de responsabilidad penal del artículo 31 bis CP, indicando que la persona jurídica "*no puede ser acusada por este delito a tenor del artículo 31 bis CP. El artículo 318 no se remite al artículo 31 bis. Lo que hace —mediante una cláusula que está vigente desde la LO*

*11/2003 y por ello con anterioridad a que se implantase la responsabilidad penal de las personas jurídicas por Lo 5/2010— es permitir la atribución de la pena en tales casos a los administradores y que quepa imponer alguna de las medidas del artículo 129 CP a la persona jurídica; pero esta no puede ser acusada como responsable penal*"[117].

Todo ello, concluimos, no hace más que reforzar la necesidad de que el artículo 129 CP se conciba como un elemento integrante del régimen del artículo 31 bis CP, al que resulten de aplicación los mismos requisitos, por ejemplo, en materia de exigencia de defecto organizacional para sancionar y de no imprescindibilidad de la previa condena de la persona física, pero también las mismas garantías procesales.

[117] STS 121/2017, de 23 de febrero, ECLI:ES:TS:2017:73 (*Tol 5938557*), FJ 2º; en el mismo sentido, la STS 162/2019, de 16 de marzo, ECLI:ES:TS:2019:1007 (*Tol 7153528*), FJ 5º: "*Cuando los hechos sean realizados en el ámbito de actuación de una persona jurídica responderán penalmente los administradores o encargados del servicio y no la propia sociedad, tal y como ha ocurrido en este caso, y se añade que podrá decretarse, además, alguna o algunas de las consecuencias accesorias del artículo 129 CP*"; o la STS 792/2022, de 29 de septiembre, ECLI:ES:TS:2022:3488 (*Tol 9248246*), FJ 3º: "*el tipo penal contemplado en el artículo 311 CP no puede dar lugar a la responsabilidad penal de la persona jurídica titular del establecimiento, dado que esa eventualidad no se prevé expresamente, conforme a lo que exige el artículo 31 bis*".

# Capítulo II
# PROBLEMÁTICA PROCESAL DEL MODELO DE RESPONSABILIDAD PENAL DE LAS PERSONAS JURÍDICAS

La introducción del modelo español de responsabilidad penal de las personas jurídicas no vino acompañada de las oportunas modificaciones procesales de cara a incorporar las especialidades propias de este nuevo sujeto pasivo. Señala LUPÁRIA, con carácter genérico y consideramos que con gran razón que, a diferencia de lo que ocurre con el Derecho Penal material, "*en el ámbito procesal, en cambio, parece menos consolidada la conciencia de la tendencia a la maleabilidad de la estructura sistémica respecto de los distintos tipos de delitos que son objeto de la actividad investigadora y judicial*"[118]. Ciertamente, en el ordenamiento español, al margen de las limitadas previsiones de la Ley 37/2011, de 10 de octubre, de medidas de agilización procesal (en adelante LMAP)[119], la doctrina y la jurisprudencia han tenido que acudir al rescate del vacío legislativo, de cara a adaptar una regulación destinada fundamentalmente a los sujetos físicos a su posible aplicación a entidades incorporales.

## 1. PRINCIPALES IMPLICACIONES PROCESALES

Nos detendremos sucintamente en los principales aspectos procesales desprendidos del sistema de "doble vía" analizado en el Capítulo anterior. Por razones lógicas de espacio y concreción, no es nuestra intención en esta monografía abordar el estatuto completo de las entidades en el proceso penal, sino tan solo referirnos a aquellas

---

[118] LUPÁRIA, L., "Processo penale e reati societari: fisionomía di un modello "invisibile"", en L. D. Cerqua (ed.), *Diritto penale delle società. Profili sostanziali e processuali*, Cedam, Padova, 2009, pp. 1119-1130, esp. p. 1120.

[119] BOE n. 245, de 11 de octubre de 2011, pp. 106726-106744.

cuestiones más estrechamente relacionadas con su intervención en el proceso.

### 1.1. Competencia objetiva y procedimiento

A la luz de lo expuesto, la responsabilidad penal de la entidad se encuentra desconectada de la atribuible al autor del delito de referencia[120]. De ello se desprenden importantes implicaciones procesales, pudiendo darse situaciones tales como que la persona física resulte absuelta y la jurídica condenada, o a la inversa; o que una de ellas preste su conformidad con la acusación, sin que ello vincule al proceso seguido contra la otra. Junto con ello, compartimos con GASCÓN INCHAUSTI la consideración de que persona física y jurídica cometen delitos distintos. En efecto, la entidad podrá ser responsable penal en aplicación del artículo 31 bis CP en la medida en que se dé el hecho propio consistente en el defecto organizacional; por su parte, sobre la persona física se harán recaer las consecuencias previstas en el concreto artículo regulador del delito que haya cometido. La consecuencia procesal es evidente: "*si se persigue conjuntamente a persona física y a persona jurídica, el proceso penal tendrá un objeto plural, pues versará sobre dos delitos distintos. Para que esto resulte posible es necesario que el delito imputado a la persona física y el delito imputado a la persona jurídica se puedan considerar delitos conexos en el sentido "procesal" del término, es decir, que son delitos que pueden investigarse y enjuiciarse conjuntamente en un solo proceso penal*"[121].

A este respecto, señala el artículo 17.1 LECrim que se consideran delitos conexos "*Los cometidos simultáneamente por dos o más personas reunidas, siempre que estas vengan sujetas a diversos Jueces o Tribunales ordinarios o especiales, o que puedan estarlo por la índole del delito*". La aplicación de esta regla al supuesto de hecho que nos ocupa requiere de un ejercicio de abstracción, en el sentido de que, como es lógico, no puede exigirse la comisión simultánea del hecho por la persona física y jurídica estando ambos reunidas, puesto que esta

---

120 ECHEVERRIA BERECIARTUA, E., *Las modalidades de responsabilidad penal de las personas jurídicas en el marco del proceso penal*, op. cit. p. 183.

121 GASCÓN INCHAUSTI, F., *Proceso penal y persona jurídica*, op. cit. p. 41.

última no tiene capacidad de reunión. Además, la comisión simultánea debe entenderse producida en el momento en que se produzca el comportamiento criminal de la persona física, toda vez que la conducta de la persona jurídica permanece en el tiempo por corresponderse con la inaplicación o la ineficiencia de los programas de *compliance*. Esto no debe impedir, sin embargo y recordando de nuevo a GASCÓN INCHAUSTI, que se desarrollen procesos separados en caso de que la persona física sea identificada una vez comenzado el proceso contra la entidad[122].

Importantes repercusiones se desprenden de lo anterior en relación al órgano jurisdiccional objetivamente competente para conocer del proceso penal[123]. Para ZARZALEJOS NIETO, las reglas de determinación de la competencia objetiva serán distintas en función de si el proceso se sigue simultáneamente contra persona física o jurídica. En el primer caso, se atenderá a la pena prevista para la persona física, aun cuando el proceso se dirija únicamente contra la jurídica. En

---

122 *Ibidem* p. 42.

123 Respecto de la competencia funcional y la competencia territorial, no se introdujo por la LMAP especialidad alguna en los procesos seguidos contra las personas jurídicas. En relación con la competencia territorial, cabe plantear no obstante una doble posibilidad. Y es que, rigiendo la regla del lugar de comisión del delito (arts. 14 y 15 LECrim), podría sugerirse que el mismo se corresponderá con el lugar donde la persona jurídica ha ubicado el centro en cuyo ámbito se ha producido el delito base; sin embargo, y en cuanto que la imputación de la entidad requiere la constatación del hecho propio en que consiste el defecto organizacional, podría igualmente plantearse que el lugar de comisión será el correspondiente al domicilio social de la entidad, pues será en el mismo donde se tomen las oportunas decisiones sobre los modelos de cumplimiento penal. Sobre la cuestión, GIMENO BEVIÁ, J., *Compliance y proceso penal. El proceso penal de las personas jurídicas*, Aranzadi, Cizur Menor, 2016, pp. 67-68. Los Tribunales parecen haber optado por la solución más simplista, siguiéndose el criterio genérico asentado en el Pleno no jurisdiccional de la Sala Segunda TS de 3 de febrero de 2005 "*el delito se comete en todas las jurisdicciones en las que se haya realizado algún elemento del tipo. En consecuencia el juez de cualquiera de ellas que primero haya iniciado las actuaciones procesales será en principio competente para la instrucción de la causa*", disponible en https://www.poderjudicial.es/cgpj/es/Poder-Judicial/Tribunal-Supremo/Jurisprudencia-/Acuerdos-de-Sala/Acuerdos-de-3-de-febrero-de-2005-sobre--1--Principio-de-ubicuidad---2--Clausulas-de-reserva-de-dominio-y-prohibicion-de-enajenar---3--Principio-de-minimos-psicoactivos-en-relacion-al-art--368-CP (última consulta: 7 de febrero de 2025).

cambio, de no ser identificada la persona física o de resultar esta inimputable, serán aplicables las reglas generales del artículo 14 LECrim, de forma tal que la competencia objetiva en fase de enjuiciamiento se hará recaer sobre la Sección de lo Penal del Tribunal de Instancia, puesto que a esta se atribuye el conocimiento de los delitos con pena de multa, cualquiera que sea su cuantía[124].

En caso de que el delito atribuible a la entidad no sea de multa, es preciso atender a la duración de la pena[125]. De esta suerte, las Secciones de lo Penal de los Tribunales de Instancia serán competentes para el enjuiciamiento de delitos con pena "*de distinta naturaleza, bien sean únicas, conjuntas o alternativas, siempre que la duración de estas no exceda de diez años*" (artículo 14.3 LECrim). De entre las penas comprendidas en el artículo 33.7 CP, la suspensión de actividades, la intervención judicial y la clausura de locales no pueden ser por tiempo superior a cinco años, por lo que también será competente para el conocimiento del proceso la Sección de lo Penal del Tribunal de Instancia; en cambio, la prohibición de realización de actividades o la inhabilitación para percibir ayudas públicas puede llegar hasta los quince años, en cuyo caso, de haberse cometido un delito que lleve aparejado una pena de duración tal, resultará competente para el enjuiciamiento la Audiencia Provincial[126].

En cambio, para GASCÓN INCHAUSTI, el criterio vendrá siempre determinado por la gravedad de la pena atribuida al delito base cometido por la persona física, independientemente de que la misma sea enjuiciada o no junto con la jurídica[127]. Según esta teoría, siempre

---

124 Así también RODRÍGUEZ GARCÍA, N., "Hacia la definición en España del estatuto procesal de la persona jurídica como sujeto pasivo de un proceso penal por blanqueo de capitales y otros delitos", op. cit. p. 123.

125 ZARZALEJOS NIETO, J., "La competencia judicial y el procedimiento adecuado en los procesos penales contra personas jurídicas", con J. Banacloche Palao y C. Gómez-Jara Díez, en *Responsabilidad penal de las personas jurídicas. Aspectos sustantivos y procesales*, op. cit. pp. 141-152, esp. pp. 146-147.

126 Ello sin perjuicio de las reglas especiales sobre competencia objetiva por razón de la materia, en cuyo caso la duración de la pena determinará si la competencia para el enjuiciamiento corresponde a la Sección de lo Penal del Tribunal Central de Instancia o a la Sala de lo Penal de la Audiencia Nacional.

127 GASCÓN INCHAUSTI, F., *Proceso penal y persona jurídica*, op. cit. p. 54.

resultará aplicable el artículo 14 bis LECrim[128]. En este sentido, la determinación de la competencia objetiva por parte de la Sección de lo Penal del Tribunal de Instancia o de la Audiencia Provincial dependerá de la duración de la pena de prisión, o en su caso de la pena de multa o de otra naturaleza, prevista en abstracto para el delito cometido por la persona física y aplicable a esta. De la misma opinión es GIMENO BEVIÁ, quien sostiene que el legislador, con la incorporación del artículo 14 bis LECrim, pretendió atender al criterio de la "pena en abstracto"[129].

Nos mostramos más coincidentes con esta opinión que con la expresada por ZARZALEJOS NIETO, toda vez que la tesis sostenida por este último supone tomar en consideración un doble criterio para la determinación del órgano competente en fase de enjuiciamiento[130]. El artículo 14 bis LECrim debe interpretarse en este punto desde una perspectiva literal, de modo que en su aplicación resultará indiferente el enjuiciamiento conjunto o separado de persona física y jurídica.

Similares discrepancias interpretativas se aprecian al respecto del proceso penal aplicable. Una vez más, ZARZALEJOS NIETO aboga por la distinción entre procedimientos individuales o conjuntos[131]. Con ello, en el primer caso, se atiende en exclusiva a la gravedad de la pena prevista para la propia persona jurídica, de lo que resulta que siempre se seguirán los cauces del procedimiento abreviado, al señalar el artículo 757 LECrim que así ocurrirá con delitos que lleven aparejadas penas de naturaleza distinta a la privación de libertad, cualquiera que sea su cuantía o duración. En cambio, en el segundo caso, esto es cuando se siga un proceso conjunto contra persona física y jurídica, la gravedad de la pena ya no se referirá a la entidad, sino a

---

128 Precepto precisamente introducido por la LMAP.

129 GIMENO BEVIÁ, J., *Compliance y proceso penal. El proceso penal de las personas jurídicas*, op. cit. p. 61.

130 No habrá discrepancia en cuanto a la competencia en fase de instrucción, atribuible a las Secciones de Instrucción de los Tribunales de Instancia salvo aplicación de reglas específicas por razón de la materia en caso de delitos comprendidos en el ámbito de la Audiencia Nacional, en cuyo caso la Instrucción se hará recaer sobre la Sección de Instrucción del Tribunal Central de Instancia.

131 ZARZALEJOS NIETO, J., "La competencia judicial y el procedimiento adecuado en los procesos penales contra personas jurídicas", op. cit. p. 150.

la persona física. De superarse para ella la pena prevista de prisión los nueve años, resultará aplicable el procedimiento ordinario.

Por el contrario, GASCÓN INCHAUSTI propugna una visión similar a la ofrecida por el artículo 14 bis LECrim en cuanto a la determinación de la competencia objetiva. Verdaderamente, aduce la conveniencia de atender, con independencia de que nos encontremos ante un proceso individual o conjunto, a la gravedad de la pena prevista en abstracto para las personas físicas. Ello porque el delito base se va a analizar de un modo u otro, aunque no se juzgue a persona física alguna[132]. Nuevamente GIMENO BEVIÁ coincide en su interpretación, advirtiendo que la opción por uno u otro procedimiento obedecerá a la gravedad de la pena en abstracto para el sujeto natural[133]. De este modo, si el delito en cuestión está castigado con pena de prisión no superior a nueve años, el procedimiento a seguir será el abreviado, en tanto que será el ordinario de darse el caso contrario[134].

## 1.2. *Capacidad para ser parte y capacidad procesal*

La posible exigencia de responsabilidad penal a las personas jurídicas reclama, como no puede ser de otra forma, la atribución a estas de la condición de sujeto pasivo en el proceso penal, debiendo aparecer en el mismo como imputada[135] y posteriormente como acusada de cara a su eventual condena.

---

132 GASCÓN INCHAUSTI, F., *Proceso penal y persona jurídica*, op. cit. p. 60.

133 GIMENO BEVIÁ, J., *Compliance y proceso penal. El proceso penal de las personas jurídicas*, op. cit. p. 70.

134 Ello salvo que se trate de un delito que deba seguir los cauces del procedimiento ante el Tribunal del Jurado o del "juicio rápido". Si bien en relación con este último, señala GIMENO BEVIÁ su imposibilidad, pues la instrucción de un proceso contra una persona jurídica nunca "será sencilla", requisito exigido por el art. 795.3º LECrim, *Ibidem*, p. 71.

135 Nótense que hablamos de "imputada" y no de "investigada". En efecto, por medio de la Ley Orgánica 13/2015, de 5 de octubre, de modificación de la Ley de Enjuiciamiento Criminal para el fortalecimiento de las garantías procesales y la regulación de las medidas de investigación tecnológica, se sustituyó la noción de "imputado" por la de "investigado" con respecto a las personas físicas, pero no en relación a las jurídicas, siendo que el art. 119 LECrim sigue haciendo alusión a la "imputación de una persona jurídica". No compartimos esta exclusión de las entidades en el cambio terminológico, toda vez que la justificación del mismo

El comentario acerca de la capacidad para ser parte en el proceso penal de las personas jurídicas, pasa por la previa determinación de qué entidades tienen esta consideración y, por lo tanto, quedan incluidas en el ámbito de aplicación del artículo 31 bis CP. Este precepto no proporciona definición alguna en torno a qué debe entenderse por "persona jurídica", siendo así que hemos de remitirnos a otras ramas del ordenamiento jurídico. Es el caso del artículo 35 del Real Decreto de 24 de julio de 1889 por el que se publica el Código Civil, en el que se definen como personas jurídicas "*las corporaciones, asociaciones y fundaciones de interés público reconocidas por la ley*" y "*las asociaciones de interés particular, sean civiles, mercantiles o industriales, a las que la ley conceda personalidad propia, independiente de la de cada uno de los asociados*" [136]. Serán estas, por lo tanto, las que tengan capacidad de ser parte (pasiva en nuestro objeto de estudio) en el proceso penal, recurriendo a estos efectos al artículo 6.1.3° Ley 1/2000, de 7 de enero, de Enjuiciamiento Civil (LEC)[137], en cuanto que el legislador penal se remite a tal cuerpo normativo con carácter genérico a la hora de regular la capacidad para ser parte.

La remisión a la LEC debe completarse, sin embargo, con el artículo 31 quinquies CP, del cual se desprende que las entidades en él indicadas, aun cuando pudieran ser susceptibles de capacidad para ser parte en atención a las reglas generales del ordenamiento civil, no serán penalmente responsables y, consiguientemente, no podrá seguirse proceso penal contra la mismas[138].

---

radicó en la afectación que la noción "imputado" tiene para la imagen y el honor de las personas físicas, derecho este que también predica respecto de las jurídicas.

136 Gaceta de Madrid n. 206, de 25 de julio de 1889; podemos también referirnos al Real Decreto de 22 de agosto de 1885 por el que se publica el Código de Comercio (Gaceta de Madrid n. 289, de 16 de octubre de 1885), cuyo art. 116 confiere personalidad jurídica a las compañías mercantiles; o al art. 1 LSC, por el que se le atribuye aquella a las sociedades de capital.

137 BOE n. 7, de 8 de enero de 2000, pp. 575-728.

138 Sobre la inimputabilidad del Estado, las Administraciones Públicas, los Organismos reguladores, las Agencias y Entidades Públicas empresariales y las Organizaciones internacionales de Derecho Público, véase GIMENO BEVIÁ, J., *Compliance y proceso penal. El proceso penal de las personas jurídicas*, op. cit. pp. 98-99, el fundamento genérico de su exclusión del ámbito de aplicación del art. 31 bis CP radica, señala el autor, en la incongruencia de que el Estado se sancione a sí mismo o a entidades y organismos dependientes.

En adición, la jurisprudencia ha convenido que las denominadas "sociedades pantalla" quedan igualmente excluidas de la esfera de responsabilidad penal que aquí analizamos. En este sentido, la STS 154/2016, de 29 de febrero, afirma que "*la sociedad meramente instrumental,* o *"pantalla", creada exclusivamente para servir de instrumento en la comisión del delito por la persona física, ha de ser considerada al margen del régimen de responsabilidad del artículo 31 bis, por resultar insólito pretender realizar valoraciones de responsabilidad respecto de ella, dada la imposibilidad congénita de ponderar la existencia de mecanismos internos de control y, por ende, de cultura de respeto o desafección hacia la norma, respecto de quien nace exclusivamente con una finalidad delictiva que agota la propia razón de su existencia*"[139]. ZUGALDÍA ESPINAR incide especialmente en este punto, indicando que, aunque puede que las sociedades pantalla estén dotadas de personalidad jurídica, el hecho de que su principal actividad sea la comisión delictiva hace necesario acudir a la "doctrina de levantamiento del velo", a efectos de hacer "*aflorar a las personas físicas amparadas por la ficción de independencia y alteridad de la sociedad pantalla*"[140]. Se trata por tanto de evitar que los sujetos físicos se parapeten en la opacidad de una organización compleja para eludir o dificultar su imputabilidad directa. Las sociedades pantalla deben quedar reconducidas, por tanto y al igual que acontece con cualesquiera entidades sin personalidad jurídica, a la esfera de las

---

139 STS 154/2016, de 29 de febrero, op. cit. FJ 11º; en el mismo sentido, por todas, la STS 4863/2023, de 15 de noviembre, ECLI:ES:TS:2023:4863 (*Tol 9787655*), FJ 17.

140 ZUGALDÍA ESPINAR, J.M., *La responsabilidad criminal de las personas jurídicas, de los entes sin personalidad y de sus directivos. Análisis de los arts. 31 bis y 129 del Código Penal*, op. cit. pp. 106-108; señala además el autor que esta interpretación no entra en colisión con la norma de determinación de la pena del art. 66 bis 2º b) CP. Este precepto indica que para la concreción de las penas se valorará como supuesto agravado "*Que la persona jurídica se utilice instrumentalmente para la comisión de ilícitos penales*". Ello pudiera hacernos llegar a la conclusión de que las sociedades pantalla con personalidad jurídica sí deben quedar incluidas en el ámbito del artículo 31 bis CP; sin embargo, al señalar el mismo precepto que "*Se entenderá que se está ante este último supuesto siempre que la actividad legal de la persona jurídica sea menos relevante que su actividad ilegal*", permite excluir a aquellas entidades que carecen de actividad legal alguna, constituidas con un mero carácter instrumental.

consecuencias accesorias del artículo 129 CP, debiendo el órgano jurisdiccional abstenerse de formular imputación contra ellas[141].

Con respecto a la capacidad procesal de las personas jurídicas, es claro que su realidad incorpórea requiere de la designación de un representante físico encargado de la realización de cuantas actuaciones procesales correspondan a la entidad en su condición de sujeto pasivo[142], actuando como "*rostro visible*" [143]. No en vano, el artículo

---

141 Advierte no obstante BANACLOCHE PALAO la conveniencia de permitir que esta tipología de entidades participe en el proceso y se persone en la instrucción, pues lo contrario podría derivar en una vulneración de su derecho de defensa, toda vez que sus intereses van a quedar afectados por lo que se decida en la resolución del proceso, BANACLOCHE PALAO, J., "La imputación de la persona jurídica en la fase de instrucción", con J. Zarzalejos Nieto y C. Gómez-Jara Díez, en *Responsabilidad penal de las personas jurídicas. Aspectos sustantivos y procesales,* op. cit. pp. 153-193, esp. p. 166.

142 Así lo vaticinaba ya SERRA DOMÍNGUEZ al pronunciar las siguientes palabras: "*la persona jurídica carece de existencia real y por consiguiente no puede actuar personalmente en el proceso, debiendo ser forzosamente representada, al igual que le ocurre, en general, en su actuación en el tráfico jurídico*", SERRA DOMÍNGUEZ, M., "Precisiones en torno a los conceptos de parte, capacidad procesal, representación y legitimación", *Justicia: revista de derecho procesal* 1987, n. 2, pp. 289-314, esp. p. 301.

143 Dado en llamar por la doctrina como "humanización" u "hominización" de la persona jurídica, es defendido por autores como DOPICO GÓMEZ-ALLER, J., "Proceso penal contra personas jurídicas: medidas cautelares, representantes y testigos", *Diario la Ley* 13 de febrero de 2012, n. 7796, disponible en https://diariolaley.laleynext.es; HERNÁNDEZ GARCÍA, J., "Problemas alrededor del Estatuto Procesal de las personas jurídicas penalmente responsables", *Diario La Ley* 18 de junio de 2010, n. 7427, disponible en https://diariolaley.laleynext.es; NEIRA PENA, A.M., "*La defensa penal de la persona jurídica. Representante defensivo, rebeldía, conformidad y compliance como objeto de prueba.* 27-28; PÉREZ GIL, J., "El proceso penal contra personas jurídicas: entre lo vigente, lo proyectado y lo imaginado" en J. Pérez Gil y R. del Román Pérez (coords.), *Estudios jurídicos sobre la empresa y los negocios. Una perspectiva multidisciplinar: libro conmemorativo del XXV aniversario de la Facultad de Derecho de Burgos*, Universidad de Burgos, 2011, pp. 383-406, esp. pp. 391-393. Por el contrario, ha sido objeto de crítica por autores como ABASCAL JUNQUERA, alegando que "*debería bastar con una comunicación al representante legal de la entidad o con una comparecencia judicial con su representante o incluso con su abogado defensor*", ABASCAL JUNQUERA, A., "Problemas y soluciones a la imputación de las personas jurídicas en el proceso penal. Perspectiva legal y constitucional" *Revista jurídica de Asturias* 2013, n. 36, pp. 115-134, esp. p. 124; en la misma lógica se pronuncia DEL MORAL GARCÍA, para quien exigir la presencia de una

119 LECrim expresa, al referirse a la citación y comparecencia de la persona jurídica, que la misma tiene que proceder a la designación de un representante. Ninguna especificación se contiene acerca de quién puede/debe ser nombrado como tal[144], incluyéndose como mera condición o limitación que la designación no podrá hacerse recaer sobre "*quien haya de declarar en el juicio como testigo*" (artículo 786 bis LECrim). No hay así razón para obedecer imperativamente a la regla que el artículo 7.4 LEC establece para el proceso civil, por la cual la función se atribuirá a quien sea el representante legal de la persona jurídica[145], lo que se corresponderá de ordinario en el caso de las sociedades de capital con la figura de alguno de los administradores (artículos 209 y 233 del Real Decreto Legislativo 1/2010, de 2 de ju-

persona física que simbolice la figura de la entidad imputada solo propiciará un enredo en el desenvolvimiento del proceso, pero sin que ello suponga una mejora en el estatus de la persona jurídica en cuanto al reconocimiento de sus garantías procesales; para este autor, "*si la persona moral no es persona física, su presencia no ha de ser física, sino también moral o "jurídica"*", de forma que frente a la técnica de la humanización debe equiparase la situación de la persona jurídica enjuiciable en el proceso penal a la de su intervención en el proceso como tercero responsable civil, de modo de que "*es esencial que sean notificados, que estén presentes mediante abogado y procurador, que se les comuniquen todas las decisiones relevantes; pero no es necesario que exista una persona física concreta que asuma el rol de imputado. Hay que salvaguardar todos los derechos que la Constitución y el ordenamiento asignan a una parte imputada, pero sin necesidad de que se visualice de manera ineludible en el proceso a través de un representante orgánico a la sociedad imputada*", DEL MORAL GARCÍA, A., "El estatuto jurídico procesal", *Jornada de Derecho Penal. Los retos de la organización empresarial ante la nueva reforma del Código Penal*, Fundación Ramón Areces, 2011, pp. 78-101, esp. pp. 79-81, disponible en https://www.fundacionareces.es/recursos/doc/portal/2018/06/06/los-retos-de-la-organizacion-empresarial-ante-la-nueva-reforma-del-codigo-penal-.pdf (última consulta: 15 de marzo de 2025); así también se pronuncia GASCÓN INCHAUSTI, para quien la presencia del representante persona física en el proceso resulta "*redundante*", pues para la práctica de las actuaciones resultaría suficiente la presencia del abogado en cuanto que defensor técnico. No en vano, la falta de nombramiento de representante por la entidad no obsta la continuación del proceso (Vid. art. 119.1.a) *in fine* LECrim), GASCÓN INCHAUSTI, F., *Proceso penal y persona jurídica*, op. cit. pp. 89-90.

144 RODRÍGUEZ GARCÍA, N., "Hacia la definición en España del estatuto procesal de la persona jurídica como sujeto pasivo de un proceso penal por blanqueo de capitales y otros delitos", op. cit. p. 135.

145 Sobre el particular, SAMANES ARA, C., *Las partes en el proceso civil*, La Ley, Madrid, 2000, pp. 37-39.

lio, por el que se aprueba el Texto Refundido de la Ley de Sociedades de Capital (TRLSC))[146].

La cuestión de quién se ocupará de la representación material en el proceso penal no es baladí, en vista de que con esta persona se practicarán las actuaciones a lo largo del mismo. En efecto, será a ella a quien se informe de las causas de la acusación (artículo 119.1.c) LECrim); con ella se practicará la comparecencia (artículo 119.1.b) LECrim); será quien preste declaración (artículo 409 bis LECrim)[147]; será quien actúe en su nombre en el juicio oral, ocupando en Sala el lugar reservado a los acusados y pudiendo declarar (artículo 786 bis CP); y será quien pueda mostrar conformidad (artículo 787.8 LECrim)[148].

Pero pese a ello, la regulación ofrecida por el legislador peca otra vez de frugalidad. Destaca RENEDO ARENAL que la persona física que actúe en nombre de la jurídica lo hará "*no como simple mandataria, sino como sujeto procesal subrogado para el ejercicio de los*

---

146 BOE n. 161, de 3 de julio de 2010, pp. 58472-58594. Esta misma regla fue la seguida durante el lapso temporal entre la reforma del CP y la introducción de la máxima *societas delinquiere potest* y la aprobación de la LMAP, NEIRA PENA, A.M., "*La defensa penal de la persona jurídica. Representante defensivo, rebeldía, conformidad y compliance como objeto de prueba*", op. cit. pp. 36-37; PEDRAZ PENALVA, E., PÉREZ GIL, J. y CABEZUDO RODRÍGUEZ, N., "Aspectos procesales de la reforma del Código Penal en materia de responsabilidad penal de las personas jurídicas", en F.J. Álvarez García, J.L. González Cussac (dres.), A. Manjón-Cabeza Olmeda y A. Ventura Püschel (coords.), *Consideraciones a propósito del proyecto de ley de 2009 de modificación del Código Penal*, Tirant lo Blanch, Valencia, 2010, pp. 19-30, esp. p. 24; PÉREZ GIL, J., "Cauces para la declaración de responsabilidad penal de las personas jurídicas", en F.J. Álvarez García y J.L. González Cussac (dres.), *Comentarios a la reforma penal de 2010*, Tirant lo Blanch, Valencia, 2010, pp. 583-590, esp. p. 587.

147 Señala RODRÍGUEZ GARCÍA que "*desde el momento en que la persona jurídica actúa por medio de su representante en el proceso, ha perdido razón de ser que para tomar conocimiento de su actividad esta pueda presentar alegaciones escritas. Por ello, estando ya imputada la persona jurídica, el órgano jurisdiccional va a tomar declaración al representante especialmente designado por ella, asistido del abogado*", RODRÍGUEZ GARCÍA, N., "Hacia la definición en España del estatuto procesal de la persona jurídica como sujeto pasivo de un proceso penal por blanqueo de capitales y otros delitos", op. cit. p. 139.

148 FRAGO AMADA, J.A., *La persona jurídica en el proceso penal: presente y futuro*, Aranzadi, Cizur Menor, 2023, p. 130.

*derechos que le asisten*"[149]. El representante, por tanto, no ostenta la condición de sujeto pasivo en el proceso, sino que su nombramiento se presenta como requisito del ejercicio por la persona jurídica de su capacidad procesal. Siendo ello así, y aunque el artículo 786 bis 1 LECrim se refiere a la fase de juicio oral, entendemos que la limitación comprendida en el mismo debe hacerse extensiva a todas las fases del proceso, de forma tal que desde la instrucción evite nombrarse como representante a quien, por su conocimiento de los hechos, pueda ser con posterioridad llamado como testigo. Según GASCÓN INCHAUSTI, en opinión junto a la cual nos posicionamos, esta limitación tiene por causa lo dicho por el legislador en el párrafo anterior del mismo artículo 786 bis 1 LECrim con respecto al derecho a guardar silencio y a no autoincriminarse que predica para las entidades. Parece, de este modo, que pretende evitarse el "fraude" que supondría la designación como representante de quien pudiera proporcionar una prueba testifical incriminatoria de la entidad con el simple propósito de eludir esta declaración[150].

Una consideración amplia de la restricción del artículo 786 bis 1 LECrim derivaría, sin embargo, en problemas de índole práctica, consistentes en las dificultades de dar con una persona física que, incluso en el más remoto de los supuestos, no vaya a ser llamada como testigo; más aún, de encontrarse esa persona, la misma desconocerá por entero la causa penal, poniéndose con ello en entredicho la efectividad de su representación y el correcto ejercicio del derecho de defensa por la entidad[151]. Volviendo a GASCÓN INCHAUSTI, lo cierto es que "*el concepto de testigo es tan amplio que la lista de los mismos puede abarcar sujetos que se encuentren en posiciones de conocimiento muy diferentes, sin que resulte razonable que a todos ellos les sea de aplicación la regla del artículo 786 bis 1*"[152]. Lo contrario implicaría

149 RENEDO ARENAL, M.A., "La imputación de la persona jurídica", op. cit. p. 103.

150 GASCÓN INCHAUSTI, F., *Proceso penal y persona jurídica*, op. cit. p. 81.

151 En este sentido, DOPICO GÓMEZ-ALLER advierte que "*para que su representante pueda ejercer con mínimas garantías su derecho de defensa, debería ser alguien con conocimiento suficiente sobre estos extremos como para declarar sobre ellos*", DOPICO GÓMEZ-ALLER, J., "Proceso penal contra personas jurídicas: medidas cautelares, representantes y testigos", op. cit.

152 GASCÓN INCHAUSTI, F., *Proceso penal y persona jurídica*, op. cit. p. 83.

entender que la LECrim prioriza la llamada de testigos sobre el derecho de defensa de la persona jurídica.

De este modo, la posible comisión del "fraude" ha de ser analizada caso por caso. Por ejemplo, podrá apreciarse cuando se designa como representante a la concreta persona física que ha cometido el delito base, sin que la misma tenga peso institucional alguno en la organización. Por el contrario, si la defensa material se hace recaer sobre un administrador o directivo ajeno a los hechos de referencia, su participación como representante en el proceso no debería verse impedida aun cuando el mismo pudiera ser llamado como testigo, por ejemplo, para aportar información sobre la eficacia de los *compliance programs* implantados en la entidad[153].

Otra complicación que puede presentarse es la aparición de un conflicto de intereses entre la persona jurídica y el representante designado, lo cual sin lugar a dudas acontecerá cuando se nombre como tal al sujeto físico cuya conducta (delito base) dio lugar a la imputación de la entidad, por tratarse de alguna de las personas físicas del artículo 31 bis 1 CP. Pone sobre aviso NEIRA PENA de que la atribución de la defensa material a la persona física investigada por los mismos hechos o coencausada, devendría en un ataque al derecho de defensa de la entidad[154].

También se ha abordado por el Tribunal Supremo la afectación que para el derecho de defensa de la persona jurídica supondría que su representación a lo largo del proceso se hubiese hecho recaer sobre una persona física con intereses contrapuestos. En este sentido, la STS 154/2016, de 29 de febrero, indica que "*nada impediría, sino todo lo contrario, el que, en un caso en el cual efectivamente se apreciase en concreto la posible conculcación efectiva del derecho de defensa de la persona jurídica al haber sido representada en juicio, y a lo largo de*

---

153 DOPICO GÓMEZ-ALLER, J., "Proceso penal contra personas jurídicas: medidas cautelares, representantes y testigos", op. cit.

154 NEIRA PENA, A.M., "*La defensa penal de la persona jurídica. Representante defensivo, rebeldía, conformidad y compliance como objeto de prueba*", op. cit. p. 39, afirma la autora que este problema no se planteaba en el régimen anterior a la modificación del CP en 2010, pues un modelo de imposición de consecuencias accesorias a las personas jurídicas se caracteriza por la alineación de los intereses y posiciones procesales tanto de estas como de sus miembros.

*todo el procedimiento, por una persona física objeto ella misma de acusación y con intereses distintos y contrapuestos a los de aquella, se pudiera proceder a la estimación de un motivo en la línea del presente, disponiendo la repetición, cuando menos, del Juicio oral, en lo que al enjuiciamiento de la persona jurídica se refiere, a fin de que la misma fuera representada, con las amplias funciones ya descritas, por alguien ajeno a cualquier posible conflicto de intereses procesales con los de la entidad, que debería en este caso ser designado, si ello fuera posible, por los órganos de representación*"[155].

No obstante, el legislador no se ha cuestionado esta posibilidad y, como resultado, no encontramos referencia legal alguna a la imposibilidad de nombrar como representante a quien pueda plantear un conflicto de intereses con la entidad. No estando prevista la figura del defensor judicial en estos supuestos, a juicio de BANACLOCHE PALAO la solución más acertada es que la persona jurídica proceda a la designación de un nuevo representante tan pronto como se tenga conocimiento del posible conflicto de intereses[156], lo cual podría incentivarse mediante el otorgamiento de un plazo por el órgano jurisdiccional bajo el apercibimiento de incurrir en delito de desobediencia[157]. Ciertamente, nada impide que la entidad cambie de representante cuantas veces quiera a lo largo del proceso, bien por "imposición" derivada del conflicto de intereses, bien por cualquier otro motivo que considere oportuno. En relación a esto último, critica NEIRA PENA la falta de concreción legislativa, pues "*permitir un cambio de representante, totalmente libre y descausalizado, impediría tener una versión única de los hechos y dificultaría contrastar las diversas versiones de los mismos que hubiesen aportado cada uno de los representantes*" [158]. El cambio, por tanto, no habría de ser permitido si

---

155 STS 154/2016, de 29 de febrero, op. cit. FJ 8º.

156 BANACLOCHE PALAO, J., "La imputación de la persona jurídica en la fase de instrucción", op. cit. pp. 169-170.

157 Propuesta de PÉREZ GIL en su análisis de la situación anterior a la aprobación de la LMAP, pero que resulta plenamente concorde con la realidad procesal tras su promulgación, en cuanto que el legislador no ha previsto medida alguna al respecto, PÉREZ GIL, J., "Cauces para la declaración de responsabilidad penal de las personas jurídicas", op. cit. p. 587.

158 NEIRA PENA, A.M., "*La defensa penal de la persona jurídica. Representante defensivo, rebeldía, conformidad y compliance como objeto de prueba*", op. cit.

obedece a razones puramente dilatorias o de confusión en el proceso sobre la base del artículo 247.2 LEC.

Planteadas estas cuestiones, procede detallar quién se presenta, según las principales opiniones doctrinales, como la figura ideal para el ejercicio de la defensa material de la persona jurídica. Nos referimos así a NEIRA PENA y GIMENO BEVIÁ, coincidentes ambos en que designar como representante al *compliance officer* es la solución más acertada. Para la primera, el individuo nombrado ha de poseer indicaciones de los órganos directivos de la entidad al respecto de cuál es la postura de esta frente a la imputación, a efectos de definir su estrategia defensiva; de igual forma, ha de tratarse de una persona que tenga las nociones necesarias para el descargo de responsabilidad de la persona jurídica, es decir, que pueda explicar con detalle la inexistencia en la misma de un defecto organizacional[159]. Siendo el oficial de cumplimiento el encargado de la implementación y supervisión de los programas de gestión y control, es claro que será quien se encuentre en mejor posición para dar a conocer en el proceso la actuación diligente de la entidad. GIMENO BEVIÁ añade que, además de ser quien mejor conoce la estructura y funcionamiento de la persona jurídica, el *compliance officer* "*cuenta con el beneplácito y la confianza de la junta directiva y conoce de primera mano el trabajo que realizan los empleados*"[160].

Si en algún momento llegase a entrar en vigor el Anteproyecto de Ley de Enjuiciamiento Criminal de 2020 (ALECrim)[161], el pronóstico de los anteriores autores se hará realidad, puesto que se establece en el mismo una relación de personas susceptibles de ostentar la representación material de la persona jurídica, encontrándose en primera

pp. 53-54.

159 *Ibidem*, p. 71.

160 GIMENO BEVIÁ, J., *Compliance y proceso penal. El proceso penal de las personas jurídicas*, op. cit. p. 115.

161 Disponible en https://www.mjusticia.gob.es/es/AreaTematica/ActividadLegislativa/Documents/210126%20ANTEPROYECTO%20LECRIM%202020%20INFORMACION%20PUBLICA%20%281%29.pdf (última consulta: 3 de marzo de 2025).

posición el sujeto que desempeñe "*el cargo de director del sistema de control interno de la entidad*" (artículo 81.1 ALECrim)[162].

En cualquier caso, para terminar, tal vez la previsión de toda esta problemática fue lo que en su momento llevó al legislador a concebir la designación del representante como facultativa y no obligatoria[163]. Ello es objeto de crítica por GIMENO BEVIÁ, primero, porque no puede obviarse el artículo 118 CE, según el cual es obligada la colaboración con las autoridades en el curso del proceso; segundo porque, aunque el legislador considere que la defensa técnica ejercida por el abogado es suficiente, lo cierto es que la defensa material designada por la entidad constituye la forma de participación de esta en el proceso, cuya posibilidad es inherente al correcto ejercicio de sus garantías procesales[164]. De nuevo el autor atina en su análisis, pues una de las principales novedades del ALECrim es precisamente la obligatoriedad de la designación de representante material por la entidad[165]. Nuestra opinión dista de este planteamiento, pues consideramos que la com-

---

162 Continuando con el orden de la relación, "*Si ninguna persona ocupara el cargo de director del sistema de control interno y la persona jurídica, previa advertencia de las consecuencias de la falta de designación, no nombrara otra que acepte la representación, el Juez de Garantías, a instancia del Ministerio Fiscal, designará para representar a la entidad a quien ostente el máximo poder real de decisión en el órgano de gobierno o administración o como administrador de hecho*" (art. 81.2 ALECrim).

163 El art. 119 a) LECrim señala que "*La falta de designación del representante no impedirá la sustanciación del procedimiento con el Abogado y Procurador designado*"; por su parte, el art. 786 bis 2 LECrim indica que "*la incomparecencia de la persona especialmente designada por la persona jurídica para su representación no impedirá en ningún caso la celebración de la vista, que se llevará a cabo con la presencia del Abogado y el Procurador de esta*". Nos encontramos así ante una situación asimilada a la del testigo no esencial, cuya incomparecencia no provoca la suspensión del juicio (art. 746.3 LECrim).

164 GIMENO BEVIÁ, J., *Compliance y proceso penal. El proceso penal de las personas jurídicas*, op. cit. p. 107.

165 Vid. art. 81.4 ALECrim: "*La intervención del representante de la entidad es preceptiva en todas las actuaciones en las que esta ley prevé la comparecencia o intervención personal de la persona encausada*". Sobre esta cuestión nos pronunciamos en sentido crítico en VICARIO PÉREZ, A.M., "La comparecencia obligatoria del representante de la persona jurídica en el juicio oral a la luz del Anteproyecto LECrim: ¿una vulneración de las garantías procesales?", en J. M. Asencio Mellado y O. Fuentes Soriano (dres.), *El proceso como garantía*, Atelier, Barcelona, 2023, pp. 781-789, esp. pp. 782-784.

parecencia de la entidad, y por ende la presencia de su representante en el proceso, no puede ser una carga obligatoria sino voluntaria. Aducimos en apoyo de esta idea que el representante de la entidad no tiene por qué conocer las conductas ilícitas que hayan tenido lugar en el seno de aquella, siendo que en no pocas ocasiones la información que podrá proporcionar será irrelevante. Por añadidura, las declaraciones del representante únicamente tendrán verdadero valor probatorio cuando él mismo haya intervenido en los hechos investigados y, sin embargo, en estos casos esta persona será llamada como testigo y, por tanto, no debería poder ser designada como representante[166].

## 2. LA PERSONA JURÍDICA COMO PATRIMONIO TITULAR DEL DERECHO AL DEBIDO PROCESO

¿Son las personas jurídicas titulares de garantías procesales? Para dar respuesta a esta pregunta, primero hemos de definir en qué consiste la atribución de personalidad jurídica a entidades colectivas. Seguimos a estos efectos la posición de ALFARO ÁGUILA-REAL quien, desde una perspectiva eminentemente mercantilista, sostiene que la personificación de las sociedades implica su equiparación con los seres humanos en su aspecto patrimonial. Ciertamente, para este autor, las personas jurídicas no son más que patrimonios dotados de capacidad de obrar[167]; esto es, patrimonios cuya titularidad no recae sobre un individuo sino sobre un grupo que, con sus aportaciones, persiguen intereses y objetivos comunes, personificando para ello a este conjunto de bienes para dotarle de capacidad de obrar mediante la designación de individuos que operarán en el tráfico jurídico con efectos sobre el mismo[168]. No en vano, el artículo 38 del Código Civil, al definir la personalidad jurídica de las entidades, se refiere a esta pers-

---

166 NEIRA PENA, A.M., *La instrucción de los procesos penales frente a las personas jurídicas*, op. cit. p. 179.

167 ALFARO ÁGUILA-REAL, J., *La persona jurídica*, op. cit., esp. p. 7.

168 *Ibidem* p. 17. Señala en adición el autor, en el mismo sentido, que "*la relación de la personalidad jurídica con la sociedad aparece cuando los que deciden cooperar entre sí en la persecución de un fin común les resulta intuitivo que el fin perseguido puede lograrse con mayor eficacia si los socios forman un fondo con sus*

pectiva patrimonial en la medida en que les confiere capacidad para adquirir y poseer bienes, contraer obligaciones y ejercitar acciones civiles o penales. Así pues, la conformación de un patrimonio común al que se le dote de agencia mediante un contrato de sociedad por el que un sujeto puede actuar en nombre del mismo, conllevará la creación de una persona jurídica, habida cuenta de que "*el Derecho reconoce personalidad jurídica cuando uno o varios individuos desean destinar un patrimonio a un fin común actuando en el tráfico patrimonial, no cuando varios individuos desean actuar como si fueran uno solo*"[169].

Las personas jurídicas son, en consecuencia, entes ficticios que no pueden ser sin más equiparados a los sujetos físicos. Porque el reconocimiento de personalidad jurídica a las sociedades no significa ni mucho menos que su régimen jurídico sea idéntico al de los individuos físicos. Únicamente cuando estos últimos sean también percibidos como patrimonios, podrá operar una analogía en cuanto a sus derechos y obligaciones. Es evidente que la frase "Juan debe tres mil euros a Luis", es perfectamente asimilable a la frase "la mercantil XXX debe tres mil euros a la mercantil YYY", toda vez que, en ambos supuestos, los sujetos (físicos o jurídicos) implicados están operando desde un punto de vista patrimonial.

Precisamente esta perspectiva patrimonialista estuvo presente en la consideración de las personas jurídicas como sujetos responsables de ilícitos penales. Si dirigimos la mirada a la normativa de la Unión Europea, de notable influencia en los ordenamientos jurídicos nacionales y, entre ellos, en el español, la inclusión de las entidades como potenciales sujetos criminales operó a la luz del Acto del Consejo de 19 de junio de 1997, por el que se establece el Segundo Protocolo del Convenio relativo a la protección de los intereses financieros de las Comunidades Europeas. En este se instituye por vez primera la responsabilidad (sin precisar si la misma ha de ser penal o administrativa) de la propia persona jurídica, refiriéndose sus artículos 3 y 4 de forma expresa a la sanción de las entidades por cuantos actos de fraude, corrupción o blanqueo de capitales puedan haber sido come-

---

*aportaciones al que se imputen los derechos y las obligaciones que se contraigan en el curso de los negocios necesarios para conseguir el fin común*" (p. 21).

169 *Ibidem* p. 151.

tidos por cualquier sujeto que, siendo parte integrante de sus órganos de dirección o encontrándose sometido a la autoridad de los mismos, actúe en su beneficio. Vemos así que la posible comisión de actos ilícitos por entidades surgió como consecuencia de su actuación en el tráfico jurídico en cuanto que patrimonios independientes. Igualmente la norma española, donde la adopción de la máxima *societas delinquere potest* se vio influenciada por la normativa supranacional, "*sobre todo en aquellas figuras delictivas donde la posible intervención de las mismas se hace más evidente (corrupción en el sector privado, en las transacciones comerciales internacionales, pornografía y prostitución infantil, trata de seres humanos, blanqueo de capitales, inmigración ilegal, ataques a sistemas informáticos...)*"[170].

En adición y como refuerzo a este argumentario, la pena corporativa por antonomasia de entre el elenco de sanciones previstas por el ordenamiento jurídico[171], es la de índole pecuniaria, siendo el fin perseguido el motivar a la persona jurídica a adoptar en su seno las medidas necesarias de evitación de conductas delictivas, sobre la base racional de que la amenaza de imposición de una sanción cuyo coste de aplicación (*expected punishment cost*) sea superior al beneficio potencial de la actividad delictiva, constituirá disuasión suficiente.

En suma, coincidimos con ALFARO ÁGUILA-REAL en la concepción de las personas jurídicas como ficciones patrimoniales, no equiparables a los sujetos físicos sino desde el punto de vista de la actuación de ambos como operadores del tráfico jurídico. Ahora bien, no compartimos la idea de que esta consideración como meros elementos patrimonios implique *de facto* el no reconocimiento en su favor de ciertos derechos fundamentales. Para el referido autor, "*el de los derechos fundamentales de las personas jurídicas es un falso*

---

170 Vid. Exposición de Motivos de Ley Orgánica 5/2010, de 22 de junio, por la que se modifica la Ley Orgánica 10/1995, de 23 de noviembre, del Código Penal (BOE n. 152, de 23 de junio de 2010, pp. 54811-54883), por la que se introduce en España la responsabilidad penal de las personas jurídicas.

171 El art. 33.7 del Código Penal prevé como penas aplicables a las personas jurídicas la multa por cuotas o proporcional, la disolución de la entidad, la suspensión temporal de sus actividades por tiempo no superior a cinco años, la clausura de establecimientos por tiempo no superior a cinco años, la prohibición temporal o definitiva de realización de actividades, la inhabilitación para obtener ayudas y/o subvenciones públicas o la intervención judicial

*problema. Se trata de examinar los derechos fundamentales de los individuos que forman patrimonios para mejor conseguir sus fines* (...). De este modo, continúa, "*se reconocen derechos fundamentales a los individuos incluyendo su ejercicio y defensa de forma colectiva permitiéndoles formar patrimonios dotados de capacidad de obrar para dedicarlos a tal fin*"[172].

Empero, a nuestro juicio, la atribución de personalidad jurídica a las entidades debe desprender todos sus efectos y no solo alguno de ellos. Cierto es, como venimos apuntando, que las personas jurídicas no dejan de ser una ficción creada para la consecución de objetivos de los individuos que las integran, habiendo señalado en tal sentido el TC que, "*dejando a un lado las distintas teorías que han tratado de explicar el fundamento de las personas jurídicas, estas solo pueden ser rectamente concebidas si se las conceptúa, con las precisiones que sea preciso efectuar en cada caso, como uno más de los instrumentos o de las técnicas que el Derecho y los ordenamientos jurídicos ponen al servicio de la persona para que pueda actuar en el tráfico jurídico y alcanzar variados fines de interés público o privado reconocidos por el propio ordenamiento*"[173].

Pero no menos cierto es que las entidades son algo más que la mera suma de sus miembros, siendo en adición que el legislador ha decidido dotarles de competencia organizativa, de gestión y de toma de decisiones. Las personas jurídicas adquieren así una suerte de "autonomía de la voluntad" que, si bien como es lógico es ejercitada a través de individuos físicos, no por ello deja de ser indicativa de su actuación independiente en el tráfico jurídico. Cuando el Consejo de accionistas de una empresa decide cuál serán las operaciones venideras de esta, el titular de la noticia no es que los individuos integrantes del Consejo han decidido optar por una u otra estrategia de mercado, sino que la empresa ha decidido llevar a cabo las actuaciones pertinentes. De igual forma, cuando a la empresa se le atribuye una actuación desacorde con los estándares de responsabilidad social corporativa, es su imagen y reputación la que se ve afectada, no la de sus miembros

---

172 ALFARO ÁGUILA-REAL, J., *La persona jurídica*, Comares, Granada, 2023, esp. pp. 217-218.

173 STC 117/1998, de 2 de junio, BOE-T-1998-15727, FJ 4º.

individualmente considerados. Así, en la medida en que se dote a las entidades de capacidad de obrar, deben atribuirse los derechos fundamentales que puedan serles de aplicación.

Pero incluso siguiendo a pies puntillas las teorías patrimonialistas y, por tanto, considerando que las personas jurídicas son puras agrupaciones de individuos vinculados por un contrato social para la puesta en común de un patrimonio de cara la consecución de un objetivo, también cabría sostener la atribución de derechos en favor de estas entidades. Ciertamente, en la CE nos encontramos con la imposición a los poderes públicos de la obligación de procurar las condiciones necesarias para que la *"libertad y la igualdad del individuo y de los grupos en que se integra sean reales y efectivas"* (artículo 9.2 CE), de lo que algunos autores desprenden un tácito reconocimiento a que las personas jurídicas ostenten la titularidad de derechos fundamentales[174], pues, en el sentido sostenido por las teorías patrimonialistas, tras toda persona jurídica se encuentran irremediablemente personas físicas que, por medio de tales agrupaciones, ejercitan derechos que deberán ser igualmente protegidos[175].

---

174 AMÉRIGO, F. y SUÁREZ PERTIERRA, G., "Artículo 14. Igualdad ante la Ley" en O. Alzaga Villaamil (coord.), *Comentarios a la Constitución Española de 1978. Tomo II*, Cortes Generales EDERSA, Madrid, 1996, pp. 251-266, esp. p. 264; GÓMEZ MONTORO, A.J. "La titularidad de derechos fundamentales por personas jurídicas. Un intento de fundamentación (I)", op. cit. p. 82; VIDAL MARTÍN, T., "Derecho al honor, personas jurídicas y Tribunal Constitucional", *InDret Revista para el análisis del Derecho* 2007, n. 1, pp. 1-18, esp. p. 4.

175 Disposición similar muestra la Constitución italiana, cuyo art. 3 indica en su inciso segundo que "*Constituye obligación de la República suprimir los obstáculos de orden económico y social que, limitando de hecho la libertad y la igualdad de los ciudadanos, impiden el pleno desarrollo de la persona humana y la participación efectiva de todos los trabajadores en la organización política, económica y social del país*", precepto respecto del cual, habiendo servido sin duda de inspiración para el constituyente español, cabe hacer la misma reflexión en cuanto al sobreentendido reconocimiento de los derechos de las personas jurídicas. Más si cabe, tal tesis se refuerza de la conjunción con el art. 2 del mismo texto, que brinda protección a los derechos fundamentales tanto desde el punto de vista del hombre individualmente considerado como desde su incardinación en cualesquiera formaciones sociales; FONT OPORTO, P., "El artículo 9.2 CE, entre el valor igualdad y el estado social. Estudio histórico y sistemático", *Revista General de Derecho Constitucional* 2013, n. 16, pp. 1-43, esp. p. 11, disponible en https://www.iustel.com/; RODRÍGUEZ COARASA, C., "Constitu-

En suma, defendemos la necesidad de que a las personas jurídicas les resulten de aplicación ciertos derechos fundamentales. A efectos ejemplificativos, resulta clara y evidente la postura de otros constituyentes europeos, en los que se recoge de modo expreso la titularidad de derechos fundamentales por las personas jurídicas. Es el caso, en Alemania, de la Ley Fundamental de Bonn, en cuyo artículo 19.3 se dispone que "*Los derechos fundamentales rigen también para las personas jurídicas con sede en el país, en tanto por su propia naturaleza sean aplicables a las mismas*"[176]; así como de la Constitución de Portugal[177] a la vista de lo preceptuado en su artículo 12.2, conforme al cual, "*Las personas colectivas gozarán de los derechos y los deberes compatibles con su naturaleza*"[178]. Dejando al margen lo paradójico que resulta que sea precisamente el país que mayores reticencias pre-

ción española. Sinopsis artículo 9", disponible en la página del Congreso de los Diputados https://app.congreso.es/consti/constitucion/indice/sinopsis/sinopsis.jsp?art=9&tipo=2 (última consulta: 30 de junio de 20232); referenciado en GÓMEZ MONTORO, A.J. "La titularidad de derechos fundamentales por personas jurídicas. Un intento de fundamentación (I)", op. cit. p. 60, puede atenderse también a BARILE, P., *Il soggetto privato nella Costituzione italiana*, Cedam, Padua, 1953, p. 14 y ss., cuyo autor, claramente adelantado a su tiempo, aseveraba ya desde comienzos de los años 50 la importancia social del reconocimiento constitucional de las personas jurídicas, presentándolas como titulares de derechos fundamentales.

176 Sobre el reconocimiento de la titularidad de derechos fundamentales por las personas jurídicas en la Constitución alemana véase BACIGALUPO SAGGESE, S., "Los derechos fundamentales de las personas jurídicas", *Revista del Poder Judicial* 1999, n. 53, pp. 49-106, esp. p. 79.

177 Constitución de Portugal de 1976, versión en español disponible en https://www.constituteproject.org/constitution/Portugal_2005.pdf?lang=es (última consulta: 18 de febrero de 2025).

178 Sobre el ámbito de aplicación subjetivo del art. 12 de la Constitución portuguesa puede verse DUARTE, D., "A norma de universalidade de direitos e deveres fundamentais: esboço de uma anotação", *Boletim da Faculdade de Direito: Universidade de Coimbra* 2000, n. 76, pp. 413-431, esp. p 421-422, donde se señala que: "*La norma contenida en el enunciado normativo descrito en el n. 2 del art. 12 establece, siguiendo el tratamiento constitucional de las posiciones legales fundamentales y las normas que consagran los respectivos regímenes, otra gran expansión del círculo de titulares de derechos y deberes fundamentales, al determinar que también son sujetos respectivos activos las personas jurídicas, (...) dependientes, desde luego, del presupuesto adicional de que sean compatibles con su propia naturaleza, que es un factor limitativo de este tipo de titularidades*" (Traducción propia).

senta a la exigibilidad penal de las personas jurídicas uno de los que brindan a estas la protección de sus derechos fundamentales[179] (entre los que destacaría por antonomasia el respeto a sus garantías procesales), de ambos preceptos pueden extraerse las conclusiones a las que, de modo implícito y como se ha defendido, llega también el constituyente español. De un lado, que la participación del ser humano en la vida social y económica del entorno en el que vive convierte en fundamental, para la efectiva protección de sus derechos fundamentales, que estos sean igualmente considerados en toda su extensión respecto de las personas jurídicas, que no son a la postre sino una manifestación de la actuación de las personas naturales que tras ellas se encuentran[180].

De otro lado, que es irrebatible que no todos los derechos reconocidos al ser físico resultan de aplicación a las personas jurídicas, sino única e inevitablemente los susceptibles de aplicación de acuerdo con su naturaleza incorpórea y entre los que se encuentra, de cara a nuestro objeto de estudio, la protección de sus garantías procesales en cuanto que manifestación de la tutela judicial efectiva. El TC español ha venido sustentando esta manifestación, como es el caso de la STC 23/1989, de 2 de febrero: "*en nuestro ordenamiento constitucional,*

---

179 Ciertamente, Alemania se presenta como el paradigma del mantenimiento en Europa del principio *societas delinquere non potest*, sobre la máxima de que sobre las personas jurídicas no puede hacerse recaer el principio de culpabilidad, al cual se le atribuye el rango de constitucional Señala a estos efectos el Tribunal Constitucional Federal alemán que, "*como tal, la persona jurídica no es capaz de actuar. Si se reclama por acción culpable en el sentido penal, solo la culpabilidad de las personas responsables de ella puede ser decisiva*", Sentencia del Tribunal Constitucional Federal alemán (Bundesverfassungsgericht-BverfGE) n. 20, 323, 331. VICARIO PÉREZ, A.M., *Cooperación judicial en la Unión Europea frente a la criminalidad de personas jurídicas*, op. cit. pp. 69-77.

180 El Tribunal Constitucional alemán ha determinado en relación con ello que "*Solo cuando la formación y la actividad de una persona jurídica son expresión del libre desarrollo de los particulares, de personas naturales, cuando especialmente la mirada a los hombres que están detrás de la persona jurídica se presenta como necesaria y llena de sentido, está justificado considerar a las personas jurídicas como titulares de derechos fundamentales y, por ello, incluirlas también en el ámbito de protección de determinados derechos fundamentales materiales*", Sentencia de 8 de julio de 1982 BVerfGE, 61, 82 (100), referenciada en GÓMEZ MONTORO, A.J. "La titularidad de derechos fundamentales por personas jurídicas. Un intento de fundamentación (I)", op. cit. p. 98.

*aun cuando no se explicite en los términos con que se proclama en los textos constitucionales de otros Estados, los derechos fundamentales rigen también para las personas jurídicas nacionales en la medida en que, por su naturaleza, resulten aplicables a ellas. Así ocurre con el derecho a la inviolabilidad del domicilio, o el derecho a la tutela judicial efectiva*"[181].

Centrándonos en este último derecho, y siguiendo el análisis efectuado por ROSADO IGLESIAS, la atribución del derecho del artículo 24 CE a las personas jurídicas se lleva a cabo de forma implícita al reconocerse a estas la posibilidad de interponer recurso de amparo[182]. Así, teniendo en cuenta que el recurso de amparo es el mecanismo por excelencia comprendido en la CE para la defensa de los derechos fundamentales, no resulta en absoluto descabellado sostener que, si las personas jurídicas pueden interponerlo, es porque tales derechos les resultan de aplicación[183], claro está, en la medida de sus posibilidades y en relación a las concretas libertades que les puedan ser atribuibles[184].

En adición, el artículo 161.1.b) CE ha de completarse con el artículo 46.1 Ley Orgánica 2/1979, de 3 de octubre, del Tribunal Constitucional (LOTC)[185], que legitima para la interposición de recurso de amparo a "*la persona directamente afectada*" y a "*quienes hayan sido parte en el proceso judicial correspondiente*". Nuevamente, esta redacción permite inferir el encaje de las personas jurídicas en el seno de esta figura jurídica de protección de derechos fundamentales, pues

---

181 STC 23/1989, de 2 de febrero, ECLI:ES:TC:1989:23 (*Tol 80234*), FJ 2º.

182 Vid. art. 162.1.b) CE, que legitima para la formulación de recurso de amparo a cualquier persona natural o jurídica que tenga un interés legítimo.

183 ROSADO IGLESIAS, *La titularidad de derechos fundamentales por la persona jurídica,* Tirant lo Blanch, Valencia, 2004, pp. 138-164; SOLOZÁBAL ECHEVARRÍA, J.J., "Una revisión de la teoría de los derechos fundamentales", *Revista Jurídica Universidad Autónoma de Madrid* 2001, n. 4, pp. 105-121, esp. p. 118.

184 GÓMEZ MONTORO, A.J. "La titularidad de derechos fundamentales por personas jurídicas. Un intento de fundamentación (I)", *Revista Española de Derecho Constitucional* 2002, n. 65, pp. 49-105, esp. p. 62; indica este autor, además, que "*en la práctica la existencia de una vía procesal —y tan cualificada como la del amparo— explica que muchos de esos entes intenten hacer uso de ella y, para conseguirlo, defiendan una titularidad que, en otros casos, no se plantearían*" (esp. p. 64).

185 BOE n. 239, de 5 de octubre de 1979, pp. 23186-23195.

el concepto de "persona" irremediablemente aúna a físicas y jurídicas y, por añadidura, las entidades pueden ser parte en un procedimiento ante los órganos jurisdiccionales de todo orden. Como indica CRUZ VILLALÓN, este artículo constituye un "*principio de «apertura» de los derechos fundamentales hacia las personas jurídicas*"[186].

Por añadidura, a nuestro parecer, resulta del todo significativa la modificación del artículo 41 LOTC operada en el año 2007, en que se eliminó la referencia a "*todo ciudadano*" a la hora de expresar la protección brindada por el recurso de amparo[187]. Si bien el enunciado "*a todo ciudadano*" pudiera suscitar dudas acerca de si en tal concepto se encuadran las personas jurídicas (postura, entendemos, difícil de sostener en vista de que el concepto de "ciudadano" parece requerir una existencia física o natural), la eliminación de tal referencia allana el camino a la posibilidad de que las personas jurídicas sufran también una violación de unos derechos fundamentales que, por ende, habrán de tener reconocidos.

En consonancia con ello, para GÓMEZ MONTORO, de la referencia del artículo 24.2 CE a "*todos*", unido a la naturaleza de la tutela judicial efectiva, cabe entender que el derecho recogido en tal precepto es predicable también respecto de las personas jurídicas. Re-

---

186 CRUZ VILLALÓN, P., "Dos cuestiones de titularidad de derechos: los extranjeros; las personas jurídicas", *Revista Española de Derecho Constitucional* 1992, n. 35, pp. 63-83, esp. p. 73.

187 Compárese la redacción del art. 41.2 LOTC antes y después de la reforma efectuada por la Ley Orgánica 6/2007, de 24 de mayo, por la que se modifica la Ley Orgánica 2/1979, de 3 de octubre, del Tribunal Constitucional, BOE n. 125, de 25 de mayo de 2007, pp. 22541-22547: antes: "*El recurso de amparo constitucional protege* a todos los ciudadanos, *en los términos que la presente Ley establece, frente a las violaciones de los derechos y libertades a que se refiere el apartado anterior, originadas por disposiciones, actos jurídicos o simple vía de hecho de los poderes públicos del Estado, las Comunidades Autónomas y demás entes públicos de carácter territorial, corporativo o institucional, así como de sus funcionarios o agentes*" (destacado propio); después: "*El recurso de amparo constitucional protege, en los términos que esta ley establece, frente a las violaciones de los derechos y libertades a que se refiere el apartado anterior, originadas por las disposiciones, actos jurídicos, omisiones o simple vía de hecho de los poderes públicos del Estado, las Comunidades Autónomas y demás entes públicos de carácter territorial, corporativo o institucional, así como de sus funcionarios o agentes*".

conoce así que "*la persona jurídica es algo distinto de sus miembros y no se entiende por qué tal principio debería quebrar al operarse en el ámbito del Derecho Constitucional y, más en concreto, en el de los derechos fundamentales*". Así, es preciso "*asegurar a la persona jurídica un status que le garantice determinados ámbitos de actuación y la necesaria protección por parte del Estado*"[188].

Poniendo el foco en la normativa procesal, coincidimos con RODRÍGUEZ GARCÍA cuando afirma que la LMAP debería haber colmado el vacío legislativo en torno a la posición procesal de la persona jurídica, máxime cuando, como hemos visto, la extensión del contenido de la Carta Magna (en concreto del artículo 24 CE) a las entidades se desprende de las interpretaciones doctrinales y jurisprudenciales, habida cuenta de que en la Constitución española no existe previsión alguna al respecto de las personas jurídicas como titulares de derechos fundamentales[189].

Pero, a pesar de que no encontramos en la LECrim una definición específica de las garantías procesales de las personas jurídicas, su inclusión en el ámbito de aplicación del artículo 118 LECrim es comúnmente admitida a la luz del artículo 119 LECrim. Como acontece con el artículo 24.2 CE, la expresión "toda persona" con la que comienza el tenor literal del artículo 118 LECrim ha de ser apreciada con amplitud interpretativa suficiente. A este respecto, es ejemplificativo el pronunciamiento del Tribunal Supremo en la STS 514/2015, de 2 de septiembre, al señalar que "*ya se opte por un modelo de responsabilidad por el hecho propio, ya por una fórmula de heterorresponsabilidad, parece evidente que cualquier pronunciamiento condenatorio de las personas jurídicas habrá de estar basado en los principios irrenunciables que informan el Derecho Penal*"[190].

Más específico es, sin embargo, el artículo 2 de la Ley Orgánica 5/2024, de 11 de noviembre, del Derecho de Defensa, conforme al cual, "*El derecho de defensa comprende el conjunto de facultades y*

---

188 GÓMEZ MONTORO, A.J. "La titularidad de derechos fundamentales por personas jurídicas. Un intento de fundamentación (I)", op. cit. p. 98.

189 RODRÍGUEZ GARCÍA, N., "Hacia la definición en España del estatuto procesal de la persona jurídica como sujeto pasivo de un proceso penal por blanqueo de capitales y otros delitos", op. cit. p. 119.

190 STS 514/2015, de 2 de septiembre, ECLI:ES:TS:2015:3813 (*Tol 5438461*), FJ 3º.

*garantías, reconocidas en el ordenamiento jurídico, que permiten a todas las personas*, físicas y jurídicas, *proteger y hacer valer, con arreglo a un procedimiento previamente establecido, sus derechos, libertades e intereses legítimos en cualquier tipo de controversia ante los tribunales y administraciones públicas, incluidas las diligencias de investigación del Ministerio Fiscal, o en los medios adecuados de solución de controversias regulados en la normativa de aplicación*" [191].

## 3. ATRIBUCIÓN DE LA CARGA DE LA PRUEBA DEL DEFECTO ORGANIZACIONAL

Los apartados 2 y 4 del artículo 31 bis CP redundan en la exoneración, o en su caso atenuación, de la responsabilidad penal de las entidades[192] si se constata que las mismas contaban con medidas de organización y gestión tendentes a la prevención o minoración del riesgo de comisión delictiva, cuyo correcto funcionamiento se hubiera

---

191 BOE n. 275, de 14 de noviembre de 2024, pp. 145568-145585. Especial interés tiene la Disposición Final Tercera, por la que se modifica la Ley 1/1996, de 10 de enero, de asistencia jurídica gratuita, incluyendo un nuevo apartado i) de su artículo 2, referente al ámbito de aplicación de este derecho: "*En el orden penal, las personas jurídicas, cuando por requerimiento judicial haya de designarse defensa letrada y, en su caso, representación procesal, siempre que la sociedad haya sido declarada judicialmente en situación de insolvencia actual o inminente, se encuentre en concurso de acreedores o no conste actividad económica en el último ejercicio cuando, en este último caso, la sociedad se halle disuelta o en trámite de disolución por las causas y por el procedimiento legalmente previsto para ello*". Sobre el anterior no reconocimiento del derecho a la asistencia jurídica gratuita a las personas jurídicas, nos pronunciamos en VICARIO PÉREZ, A.M., "Reconocimiento del derecho de justicia gratuita a las personas jurídicas sujetas a responsabilidad penal: estado actual y propuestas de reforma", *Revista General de Derecho Procesal* 2022, nº 57, pp. 1-40, disponible en https://www.iustel.com/

192 No de las personas físicas autoras del delito base. Así, la STS 737/2018, de 5 de febrero, ECLI:ES:TS:2019:330 (*Tol 7059012*), FJ 3º: "*A partir de la introducción de un sistema de responsabilidad penal de personas jurídicas, esos Corporate Compliance, en la terminología anglosajona, pueden operar como causas exoneradoras de la responsabilidad penal de la persona jurídica; pero no pueden afectar en principio ni a las responsabilidades civiles; ni menos aún a la responsabilidad penal de las personas físicas responsables de delitos dolosos cometidos en el seno de una empresa*".

encomendado a un órgano o sujeto con potestades de supervisión y control, de forma tal que el delito base se haya cometido eludiendo tales mecanismos. Con esta regulación, se persigue incentivar a las organizaciones a reducir en lo máximo posible la comisión de delitos por sus miembros, conminándolas a proveerse de una estructura interna autorregulada consistente en la adopción de programas de cumplimiento.

Junto con lo anterior, como señala PÉREZ GIL, la atribución de valor a la cultura de cumplimiento penal de la entidad y, en consecuencia, a la adopción por esta de modelos de prevención y gestión, comporta igualmente poner en el marco de la responsabilidad penal de las personas jurídicas un hecho propio, fundamentando la posibilidad de imputación de aquellas sobre algo (el defecto organizacional) que depende de ellas mismas[193]. Ciertamente, en el sentido expresado en el primer Capítulo de esta monografía, para una imputación y eventual condena a las personas jurídicas plenamente conforme con el principio de personalidad de las penas, urge no solo la constatación del hecho de referencia achacable a un miembro de la organización, sino también la acreditación de la presencia de un acto atribuible a la propia entidad. El principal problema que se presenta en la dogmática jurídico-penal es, no obstante, la determinación de sobre quién ha de recaer tal acreditación.

Es en este punto donde entran en juego las reglas de la carga de la prueba. Con carácter genérico y antes de entrar en las desavenencias doctrinales referidas al defecto organizacional, se hace necesario mencionar, siquiera de forma breve, la vinculación de las reglas probatorias con el derecho al debido proceso que, como sujetos pasivos del proceso penal, corresponde a personas jurídicas con igualdad de fundamentos que a personas físicas. Apunta sobre el particular MORENO CATENA que lo tocante a la prueba viene referido fundamentalmente a la actuación de la acusación, dado que es esta quien ha de desvirtuar la presunción de inocencia del investigado y, por tanto, a quien perjudica la falta de prueba suficiente. La defensa, por su

---

193 PÉREZ GIL, J., "Carga de la prueba y sistemas de gestión de *compliance*", en J. L. Gómez Colomer (dir.) y C. M. Madrid Boquín (coord.), *Tratado sobre compliance penal: responsabilidad penal de las personas jurídicas y modelos de organización y gestión*, Tirant lo Blanch, Valencia, 2019, pp. 1061-1090, esp. p. 1062.

parte, puede introducir en el proceso "prueba de descargo", esto es, la concurrencia de hechos impeditivos, extintivos o excluyentes, enfrentándose a la acusación tanto en lo referente a su responsabilidad como a su grado de participación, a la desvirtuación de la prueba de cargo o, en términos amplios, sembrando en el juzgador una duda razonable[194]. Desde la perspectiva jurisprudencial, es digna de alusión la STC 76/1990, de 26 de abril, en la cual se asienta que la presunción de inocencia radicada en el artículo 24.2 CE exige que la carga de la prueba sobre los hechos constitutivos del delito se atribuya en exclusiva a la acusación[195].

Como se verá a continuación al analizar las distintas posiciones doctrinales, la cuestión de la carga de la prueba del defecto organizacional ha generado ríos de tinta en la literatura procesal, alentada sin duda alguna por la ambigüedad que al respecto ofrece el legislador penal[196]. En efecto, si dirigimos la atención a los apartados 2 y 4 del artículo 31 bis CP, la primera deducción que extraemos es que la norma parece presentar el modelo de cumplimiento penal como causa eximente de la responsabilidad penal de las entidades, siendo así que, en atención a las reglas generales de la carga de la prueba, la acreditación del modelo de organización y control habrá de corresponder a la defensa. Sin embargo, dejarse llevar por esta primera conclusión traería consigo el olvido del sistema de autorresponsabilidad implantado en el ordenamiento jurídico penal español. Y es que, como se viene argumentando en esta monografía, el defecto de organización se presenta como el hecho del cual deriva la posibilidad de imputación de la entidad, habida cuenta de que, de lo contrario, nos encontraríamos

---

194 MORENO CATENA, V., "El desarrollo del juicio oral. La prueba", con V. Cortés Domínguez, en *Derecho procesal penal*, Tirant lo Blanch, Valencia, 2023, pp. 447-478, esp. p. 446.

195 STC 76/1990, de 26 de abril, op. cit. FJ 8°.

196 Más preciso se muestra por ejemplo el legislador italiano. Verdaderamente, el art. 6.1 *Decreto Legislativo 8 giugno 2001, n. 231. Disciplina della responsabilita' amministrativa delle persone giuridiche, delle societa' e delle associazioni anche prive di personalita' giuridica, a norma dell'articolo 11 della legge 29 settembre 2000, n. 300*, señala que "*Si la infracción ha sido cometida por las personas indicadas en la letra a) del apartado 1 del artículo 5, la entidad no será responsable si demuestra que* (...)". Esta redacción parece dejar clara la atribución de la carga de la prueba a la persona jurídica. Disponible en https://www.gazzettaufficiale.it/atto/stampa/serie_generale/originario (última consulta: 2 de marzo de 2025).

ante una transferencia vicarial de las conductas cometidas por los sujetos físicos que en nada concuerda con los principios constitucionales. Es por ello que la implementación de modelos de *compliance* puede llegar a entenderse como un elemento objetivo del tipo, es decir, como un componente irrenunciable de la conducta en que la propia persona jurídica ha de haber incurrido y que le puede ser atribuida. Con esta premisa, la carga de la prueba del defecto organizacional incumbirá a la acusación, al igual que se atribuye a esta la demostración de que los hechos cometidos por los miembros de la organización han sido por cuenta y en beneficio directo o indirecto de la misma. El debate entre la doctrina respecto a tales consideraciones sigue vivo.

### 3.1. *Atribución de la carga probatoria a la defensa de la persona jurídica*

Comenzando por quienes evalúan que el programa de cumplimiento ha de ser acreditado por la defensa, GÓMEZ TOMILLO argumenta que la organización defectuosa no es una cuestión de injusto penal, es decir, no es una causa de justificación de la antijuricidad, sino una posibilidad de exclusión de la culpabilidad. De esta suerte, como con todas las cuestiones referidas a la culpabilidad, sostiene que la prueba del defecto organizacional incumbe a la defensa de la persona jurídica[197].

Este mismo autor argumenta que no es prudente, ni muchos menos práctico, que la acreditación de todos y cada uno de los componentes de la culpabilidad se atribuya a la acusación[198]. De igual forma que en un proceso penal contra una persona física la intoxicación plena, la alteración mental o cualesquiera circunstancias que puedan excluir su culpabilidad se atribuye a la propia defensa, lo mismo debe inferirse respecto del defecto organizacional. En esta línea, se sostiene por LEÓN ALAPONT que los apartados 2 y 4 del artículo 31 bis CP deben operar, por cuanto a la práctica probatoria se refiere, con los mismos criterios de atribución que los correspondientes al artículo

---

197 GÓMEZ TOMILLO, M., *Introducción a la Responsabilidad Penal de las Personas Jurídicas*, op. cit. p. 181.

198 *Ibidem*, p. 182.

20 CP, al respecto de los cuales nadie pone en duda que hayan de ser probados por la defensa de los acusados[199]. Igualmente, afirma GONZÁLEZ CUSSAC que debe aplicarse la doctrina general consolidada concerniente a la atribución de la carga probatoria de las circunstancias eximentes de la responsabilidad a la defensa[200].

Tal postura se apoya en la doctrina jurisprudencial referente a que los elementos de descargo de la culpabilidad han de ser probados por la parte en el proceso que los alega. Con carácter ilustrativo, la STC 87/2001, de 2 de abril, establece que "*la carga de la prueba que compete a la acusación se proyecta sobre los elementos típicos de la infracción penal, pero no se requiere que las partes acusadoras aporten prueba en cada caso de la no concurrencia de causas de atipicidad, justificación, exculpación o de la prescripción*"[201]; o la más reciente STS 561/2018, de 15 de noviembre, por la cual "*acreditado un comportamiento antijurídico, corresponde a la parte que trata de justificar su inexistencia la* (carga de la prueba) *correspondiente al hecho impeditivo introducido en el proceso como justificante de aquel*"[202].

De igual forma podemos señalar resoluciones que, aunque referidas a procedimientos administrativo-sancionadores, recuerdan principios plenamente aplicables al ámbito de responsabilidad penal de las personas jurídicas. Es el caso de la STS 1473/2004, de 4 de marzo, en cuya virtud, "*a fin de evitarse la sanción pese a que la presunción de inocencia haya conseguido ser desvirtuada, corresponderá al administrado la carga de acreditar aquellos elementos de descargo que* (...) *conlleven una declaración de no exigencia de responsabilidad administrativa. Lo que en cualquier caso no constituye un atentado al derecho a la presunción de inocencia, en relación con la carga de la prueba del inculpado de los elementos tendentes a su exculpación, es el hecho de tener este último que someterse o soportar la prácti-*

---

199 LEÓN ALAPONT, J., *Canales de denuncia e investigaciones internas en el marco del compliance penal corporativo*, Tirant lo Blanch, Valencia, 2023, p. 185.

200 GONZÁLEZ CUSSAC, J. L., "La eficacia eximente de los programas de prevención de delitos", *Estudios penales y criminológicos* 2019, n. 39, pp. 593-654, esp. p. 654.

201 STC 87/2001, de 2 de abril, ECLI:ES:TC:2001:87 (*Tol 81453*), FJ 10º.

202 STS 561/2018, de 15 de noviembre, ECLI:ES:TS:2018:3812 (*Tol 6920186*), FJ 3º.

*ca de determinas pericias encaminadas a averiguar elementos de hecho determinantes para el enjuiciamiento de la conducta objeto del procedimiento*"[203].

Trasladando ello a nuestro objeto de estudio, la acusación tendrá que probar la existencia de un delito de base, así como que la actuación de la persona física se llevó a cabo por cuenta y en beneficio de la entidad. Junto con ello, en el caso de que el sujeto infractor fuera uno de los subordinados a los que se refiere el apartado b) del artículo 31 bis 1 CP, también habrá de acreditarse por la acusación que los directivos encargados de su supervisión obviaron el cumplimiento de este deber de vigilancia y control. Ello a consecuencia de que son los apartados a) y b) del artículo 31 bis 1 CP los que contemplan los elementos del tipo, no así los apartados 4 y 5 del artículo 31 bis CP. La Fiscalía General del Estado, en la Circular 1/2016, de 22 de enero, mantiene de modo similar que los modelos de organización y control operan a modo de excusa absolutoria, de forma tal que "*atañe a la persona jurídica acreditar que los modelos de organización y gestión cumplen las condiciones y requisitos legales*", en tanto que "*corresponderá a la acusación probar que se ha cometido el delito en las circunstancias que establece el artículo 31 bis 1º*".

Continuando con los argumentos ofrecidos por GÓMEZ TOMILLO, no es viable que la acusación se vea obligada a probar la ausencia de un programa de cumplimiento[204]. Ello supondría trasladarle una *probatio diabolica*, dada la dificultad de acreditar cuestiones atinentes a organizaciones corporativas, más si cabe a medida que la estructura de estas se torna compleja[205]. Es la entidad la que se

---

[203] STS 1473/2004, de 4 de marzo, ECLI:ES:TS:2004:1473, FJ 5º; en el mismo sentido, STS 129/2003, de 30 de junio, ECLI:ES:TC:2003:129 (*Tol 285459*), FJ 8º: "*habiendo existido actividad probatoria de cargo sobre los hechos que se le imputaban a la mercantil ahora recurrente, era a ella a quien competía proporcionar a los órganos administrativos que han intervenido en la sustanciación del expediente un principio de prueba, por mínimo que fuera, que permitiera hacerles pensar que la infracción de la norma no le era reprochable*".

[204] GÓMEZ TOMILLO, M., *Introducción a la Responsabilidad Penal de las Personas Jurídicas*, op. cit. p. 182.

[205] En el mismo sentido opina el Magistrado de la Sala de lo Penal, Sección Sala de Apelación de la Audiencia Nacional Eloy Velasco Núñez quien, por medio de entrevista efectuada vía telefónica el 12 de julio de 2023, nos manifestó su

encuentra en posición de poder aportar al proceso informaciones concernientes a la implementación de programas de cumplimiento, sus actualizaciones y revisiones, su grado de respeto por los miembros de la corporación, quiénes son los responsables de su vigilancia, etc. En resumen, "*resulta artificial trasladar a la acusación la carga de probar lo que se encuentra fácilmente a disposición de la persona jurídica*"[206]. Coincidente es MORALES HERNÁNDEZ, para quien la atribución de la carga de la prueba a la acusación podría derivar, si no se consigue por su parte acreditar la existencia del defecto organizacional, en que no llegue a abrirse la causa penal[207].

Junto con lo anterior, lo usual será que, una vez constatado el hecho de referencia o delito base, se pueda llegar sin dificultades a la conclusión de que, si ello se ha producido, es porque la entidad no atendió a su obligación de contar con un programa de *compliance* o que el mismo, de existir, devino en ineficaz. Volviendo a GÓMEZ TOMILLO, en la medida en que *"resulta razonable eximir de la prueba lo que resulta excepcional o presumir lo que es normal*", podrá inferirse que la prueba del delito cometido por el sujeto físico será indicio suficiente del defecto organizacional[208]. Ciertamente, que el programa de cumplimiento sea correctamente diseñado e implementado y, que pese a ello el delito base se cometa, será algo excepcional.

Esta idea es igualmente defendida por la Fiscalía General del Estado en la Circular 1/2016, de 22 de enero, si bien advirtiendo dos matices: i) que el indicio desprendido del delito base no implica automáticamente y bajo cualquier circunstancia que ha habido defecto

---

opinión favorable a que, una vez ejercida la acusación, la defensa deba acreditar los elementos que el legislador Estatal pone a su disposición para eximirse de responsabilidad. Ahora bien, matiza, esa acreditación se refiere en exclusiva a los elementos del programa de *compliance* referentes a la prevención de los hechos en que consistió el delito, no a todo el programa en su conjunto.

206 GÓMEZ TOMILLO, M., "Presunción de inocencia, carga de la prueba e idoneidad de los "compliance programs" y cultura de cumplimiento", en FRAGO AMADA, J.A. (dr.), *Actualidad* compliance *2018*, Aranzadi, Cizur Menor, 2018, pp. 201-214, esp. p. 206.

207 MORALES HERNÁNDEZ, M. A., "Los criterios jurisprudenciales para exigir responsabilidad penal a las personas jurídicas en el delito corporativo", *Revista de Derecho Penal y Criminología* 2018, n. 19, pp. 327-368, esp. p. 367.

208 GÓMEZ TOMILLO, M., *Introducción a la Responsabilidad Penal de las Personas Jurídicas*, op. cit. p. 183.

organizacional, pues "*la comisión de un delito queda como un riesgo residual de cualquier programa de prevención, por eficaz que este sea*"; ii) que el valor indiciario del delito base será mayor cuando este proceda de personas incluidas en el apartado a) del artículo 31 bis 1 CP.

En cualquier caso, el argumento aquí analizado encuentra su fundamento en la doctrina jurisprudencial sobre la carga probatoria de la prueba indiciaria, por la cual, no es contrario a la presunción de inocencia el hecho de que, ante las pruebas practicadas por la acusación, se pretenda de la defensa una explicación a determinadas circunstancias, cuya omisión puede permitir al órgano jurisdiccional llegar a la conclusión de que tal explicación no existe y que, por tanto, el acusado es culpable[209]. Así, si la acusación logra probar los elementos del tipo del artículo 31 bis 1 CP, el indicio que ello supone respecto del defecto organizacional hace preciso que la persona jurídica pruebe que tal defecto no existía, pues lo contrario podrá derivar en la convicción del juez sobre la no implementación de un programa de cumplimiento eficaz.

Otro argumento en favor de atribuir la carga de la prueba del defecto organizacional a la defensa, es que lo contrario vulneraría el fundamento mismo de la responsabilidad penal de las personas jurídicas. La posible condena de las entidades fue introducida por el legislador con el firme propósito de constituir un impulso a la colaboración de las mismas en el proceso penal, al tiempo que se contrarresta su creciente poder y complejidad al obligarles a incorporar mecanismos autorregulatorios manifestadores de una cultura de *compliance*. Así pues, "*lo coherente no es después trasladar a la acusación la carga de la prueba de la adecuada implementación de tales programas de*

---

209 Por todas, señalamos la STC 26/2010, de 27 de abril, ECLI:ES:TC:2010:26 (*Tol 1841558*), FJ 6º: "*Ante la existencia de ciertas evidencias objetivas aducidas por la acusación como las aquí concurrentes, la omisión de explicaciones acerca del comportamiento enjuiciado en virtud del legítimo ejercicio del derecho a guardar silencio puede utilizarse por el Juzgador para fundamentar la condena, a no ser que la inferencia no estuviese motivada o la motivación fuese irrazonable o arbitraria*"; en el mismo sentido, la STS 487/2014, de 9 de junio, ECLI:ES:TS:2014:2563 (*Tol 8702389*), FJ 9º.

*cumplimiento porque con ello se estaría erosionando la funcionalidad del sistema mismo*"[210].

También DEL MORAL GARCÍA pertenece a la corriente doctrinal según la cual el defecto organizacional debe probarse por la defensa de la persona jurídica. Partiendo de la base de que debe primar en todo caso la finalidad preventiva de los programas de *compliance* sobre su posible eficacia exoneradora, señala el autor que "*el mejor plan de cumplimiento es el que jamás ha de llevarse a un órgano judicial porque ha servido para atajar toda posible actividad delictiva*"[211]. Pese a ello, la inclusión de las personas jurídicas como sujetos penalmente responsables no puede derivar en un tratamiento diferente al brindado por el legislador procesal penal a los sujetos físicos[212]. No pronunciándose al respecto de si el defecto organizacional es una causa de justificación o una circunstancia excluyente de la culpabilidad, para DEL MORAL GARCÍA rige la regla genérica de que, en materia de eximentes, la carga de la prueba corresponde a la defensa, con independencia de que nos encontremos ante las genéricas del artículo 20 CP o a las atribuibles a las entidades por el artículo 31 bis 2 y 4 CP, con independencia también de que estas últimas sean reputadas como causas de justificación o de exclusión de la culpabilidad. La acusación no tiene por qué acreditar que no concurren circunstancias que pudieran redundar en la exoneración de la entidad. Para DEL MORAL GARCÍA, la acusación únicamente se verá compelida, en su caso, a refutar la alegación efectuada por la defensa al respecto de la existencia de un programa de cumplimiento eficaz.

---

210 GÓMEZ TOMILLO, M., "Presunción de inocencia, carga de la prueba e idoneidad de los "compliance programs" y cultura de cumplimiento", op. cit. p. 207.

211 DEL MORAL GARCÍA, A., "Responsabilidad penal de personas jurídicas y presunción de inocencia", en N. Rodríguez García y F. Rodríguez López (eds.), *Compliance y responsabilidad de las personas jurídicas*, Tirant lo Blanch, Valencia, 2021, pp. 31-72, esp. p. 59.

212 *Ibidem*, p. 54, donde incluye el autor un ejemplo que consideramos sumamente ilustrativo: "*Seguramente nadie suscribiría la afirmación a tenor de la cual el Fiscal debe probar en todos los casos la imputabilidad de cada uno de los acusados, demostrando de manera fehaciente que no padece una enfermedad mental. Esto parece una obviedad; algo de puro sentido común. Pues bien, creo que cuando se sostiene que la acusación deberá probar la culpabilidad de la persona jurídica acusada se está haciendo una afirmación equiparable*".

El autor hace además una observación que encontramos preocupante. Señala que el principio *in dubio pro reo* rige cuando no es posible la acreditación de circunstancias eximentes de la responsabilidad penal. Aplicado esto a las personas jurídicas, DEL MORAL GARCÍA defiende que, si existen dudas acerca de la concurrencia o no de la eximente, esto es, del defecto organizacional, el órgano jurisdiccional ha de dictar sentencia absolutoria, puesto que, ante la incertidumbre, la valoración de la eximente en sentido positivo se presenta como lo más favorable para la posición de la acusada. En resumen, "*en caso de duda sobre la concurrencia de alguno de los elementos (positivos o negativos) que se requieren para proclamar la responsabilidad penal de la persona jurídica no procede su condena. Corresponderá a la defensa en principio alegar la vigencia de un programa de cumplimiento. Pero si subsisten dudas respecto a su eficacia* in casu, (...) *el órgano de enjuiciamiento ha de inclinarse por la solución más favorable a la acusada*"[213].

Como apuntábamos, esta opinión no nos parece en absoluto carente de fundamento, pero sí ciertamente problemática, toda vez que, llevando la opinión del autor al extremo, a la persona jurídica le bastará con alegar la posible circunstancia exoneradora del *compliance program* para que, ante la incapacidad de la acusación de acreditar un defecto organizacional como resultado de la complejidad empresarial, la sentencia sea siempre absolutoria, sin necesidad para la entidad de acreditar una mínima efectividad del modelo de gestión y control.

Junto con las posiciones doctrinales, aludimos al Voto Particular de la STS 154/2016, de 29 de febrero[214]. En el mismo, los Magistrados apuntan que no hay razón que justifique la alteración de las reglas probatorias generales de las circunstancias eximentes. "*Estas exenciones son coherentes con el fundamento último de la responsabilidad penal de las personas jurídicas* (...). *Si la atribución de responsabilidad penal a la persona jurídica por los delitos cometidos por sus representantes, o dependientes, con determinados presupuestos, se fundamenta en el plano culpabilístico en permitir o favorecer su*

---

213 *Ibidem*, p. 65.

214 Suscrito por 7 Magistrados (entre los que se encuentra Antonio del Moral García) de los 15 que integraban la Sala, da buena muestra de que la discrepancia no solo opera entre la doctrina sobre esta temática.

*comisión al haber eludido la adopción de las medidas de prevención adecuadas, la acreditación de la adopción de estas medidas debe producir como consecuencia la exclusión de su responsabilidad penal*". Esta exclusión, habrá de probarse caso por caso por la defensa, sin que pueda atribuirse a la acusación la acreditación de hechos negativos.

### *3.2. Atribución de la carga probatoria a la acusación*

Como contrapunto a la corriente de pensamiento analizada en el apartado anterior, para otro sector doctrinal el defecto organizacional tiene la consideración de elemento del tipo. Así, BANACLOCHE PALAO entiende que, si se sostiene la implementación de un *compliance program* como causa de exclusión de la culpabilidad, realmente la eventual condena a la persona jurídica tendría por fundamentación la atribución de un hecho ajeno, cual es el cometido por el sujeto natural. A tenor de lo indicado, se estaría subsumiendo la responsabilidad de la entidad en un modelo vicarial carente de base constitucional. Conforme señala el autor, la prueba por la acusación del delito base acreditaría el requisito de la antijuricidad, pero no lo agotaría, ya que tendría que demostrar también la ausencia de mecanismos de cumplimiento eficaces de los que se pueda desprender la culpabilidad de la organización. Deja la puerta abierta, sin embargo, a que la persona jurídica tenga interés en aportar por sí misma al proceso los datos concernientes a su modelo de cumplimiento, para así evitar las consecuencias negativas para su imagen provocadas por la investigación. Resumiendo su postura, especifica que, aunque la prueba del programa de cumplimiento penal no incumba a la entidad, *de facto* se va a ver compelida a asumirla. Ahora bien, de ello no puede deducirse que, si no llega a probarlo, pueda ser condenada, pues para ello se requerirá que la acusación sí haya podido probar lo contario, esto es, el defecto organizacional[215].

---

215 BANACLOCHE PALAO, J., "Dilemas de la defensa, principio de oportunidad y responsabilidad penal de las personas jurídicas", en AA.VV., *La responsabilidad penal de las personas jurídicas. Homenaje al Excmo. Sr. D. José Manuel Maza Martín*, Fiscalía General del Estado, Madrid, 2018, pp. 13-40, esp. p. 35.

Concordante con lo anterior, FEIJOO SÁNCHEZ se refiere al modelo de autorresponsabilidad de las entidades vigente en el sistema penal español para argumentar que la cultura de cumplimiento es el fundamento de la culpabilidad de las personas jurídicas. Sentadas estas bases, el derecho a la presunción de inocencia en todo caso atribuible a aquellas, obliga a que sea la acusación quien haya de correr con la carga de la prueba[216]. Al igual que GÓMEZ TOMILLO, FEIJOO SÁNCHEZ reconoce la naturaleza indiciaria del delito base con respecto a la eventual existencia de un defecto organizacional, pero a diferencia de aquel, defiende que su acreditación corresponde a la acusación. Así, "*se debe tratar de una prueba indiciaria que cumpla los requisitos de prueba suficiente para enervar el principio de presunción de inocencia*". La cuestión esencial, por tanto, para el autor, "*no es que la persona jurídica pruebe que tiene un sistema de gestión de compliance penal, sino que se acredite* (por la acusación) *que el delito cometido por la persona física tiene también su origen en la falta de una cultura de cumplimiento de la legalidad y es expresión de esta*"[217].

También GIMENO BEVIÁ expresa que la primacía de la presunción de inocencia como garantía constitucional hace inviable que la carga de la prueba recaiga sobre la defensa. Ello no quiere decir que la defensa esté libre de toda práctica probatoria, pero sí que primero deberán ser probados los hechos de la acusación[218]. De este modo, al igual que los autores anteriores, afirma que los elementos del tipo no solo incluyen las previsiones de los apartados a) y b) del artículo 31 bis 1 CP sino que, en cuanto que elemento determinante de la responsabilidad penal de la entidad, el defecto organizacional también ha de ser considerado como requisito inherente a la culpabilidad, ergo acreditado por la acusación. Cuestión distinta es que la defensa, ante

---

216 FEIJOO SÁNCHEZ, B., "Bases para un modelo de responsabilidad penal de las personas jurídicas a la española", en AA.VV., *La responsabilidad penal de las personas jurídicas. Homenaje al Excmo. Sr. D. José Manuel Maza Martín*, op. cit. pp. 149-180, esp. p. 171.

217 *Ibidem*, pp. 172-173.

218 GIMENO BEVIÁ, J., "Algunos problemas procesales en la recuperación de activos", en A. Nieto Martín y M. Maroto Calatayud (dres.), *Public compliance. Prevención de la corrupción en administraciones públicas y partidos políticos*, Ediciones de la Universidad de Castilla-La Mancha, Cuenca, 2014, pp. 279-302, esp. pp. 294-298.

las alegaciones probatorias de aquella, pueda introducir pruebas que sostengan la eficaz introducción de un *compliance program* por la entidad. GIMENO BEVIÁ, por añadidura, razona que la valoración del defecto organizacional como circunstancia exoneradora proviene del modelo estadounidense, en el cual prima la colaboración como posibilidad de evitar el procesamiento y alcanzar un acuerdo con la Fiscalía y en el que, además, se puede obligar a la entidad a aportar documentación bajo apercibimiento de delito de obstrucción a la justicia. Para el antedicho autor, estas particularidades son difícilmente encuadrables en un ordenamiento jurídico como el español, donde el derecho a la no autoincriminación se antepone a un eventual deber de colaboración con la justicia[219].

Como último punto de vista, señalamos la aportación de GÓMEZ MARTÍN, quien en la misma tónica que los autores anteriores descarta la naturaleza exoneradora de responsabilidad del defecto organizacional[220]. Este es un elemento del injusto, de tal modo que la aplicación del principio acusatorio conduce a afirmar que debe ser probado por quien lo alega, esto es, por la acusación. Lo contrario, culmina, se presentaría como una inaceptable inversión de la carga de la prueba.

Expuestos los juicios doctrinales anteriores, lo cierto es que la mayor defensora de la tipicidad del defecto organizacional ha sido la jurisprudencia. Nos referimos de nuevo a la STS 154/2016, de 29 de febrero, en este caso por su valoración del reparto probatorio. Rechazando el criterio de la Circular 1/2016, de 22 de enero, de la Fiscalía General del Estado, el Tribunal Supremo recalca que la ausencia de programas de cumplimiento constituye el núcleo típico de la responsabilidad penal de la persona jurídica. Una excusa absolutoria, en el sentido propuesto por la Fiscalía General del Estado, requiere, por su propia definición, la previa acreditación de una responsabilidad. Pues bien, esta responsabilidad no puede derivar más que de un hecho propio de la entidad, cual es el defecto organizacional. "*Y si bien es cierto que, en la práctica, será la propia persona jurídica la que apo-*

---

219 *Ibidem*, p. 299.

220 GÓMEZ MARTÍN, V., "Falsa alarma. O sobre por qué la Ley Orgánica 5/2010 no deroga el principio societas delinquere non potest", en S. Mir Puig, M. Corcoy Bidasolo (dres.) y V. Gómez Martín (coord.), *Garantías constitucionales y Derecho Penal europeo*, Marcial Pons, Madrid, 2012, pp. 331-383, esp. p. 381.

*ye su defensa en la acreditación de la real existencia de modelos de prevención adecuados, reveladores de la referida "cultura de cumplimiento" que la norma penal persigue, lo que no puede sostenerse es que esa actuación pese, como obligación ineludible, sobre la sometida al procedimiento penal, ya que ello equivaldría a que, en el caso de la persona jurídica no rijan los principios básicos de nuestro sistema de enjuiciamiento penal, tales como el de la exclusión de una responsabilidad objetiva (...)*"[221].

En suma, para el Alto Tribunal, "*Lo que no concebiríamos en modo alguno si de la responsabilidad de la persona física estuviéramos hablando, es decir, el hecho de que estuviera obligada a acreditar la inexistencia de los elementos de los que se deriva su responsabilidad, la ausencia del exigible deber de cuidado en el caso de las conductas imprudentes, por ejemplo, no puede lógicamente predicarse de la responsabilidad de la persona jurídica, una vez que nuestro Legislador ha optado por atribuir a esta una responsabilidad de tal carácter*"[222]. Doctrina reiterada en la posterior STS 221/2016, de 16 de marzo, donde se incide en la imposibilidad de dar un trato diferenciado a las personas jurídicas respecto a las físicas, en tanto en cuanto ambas son concebidas como sujetos penalmente responsables con los mismos derechos y obligaciones[223].

Por último, es de ver que el Consejo de Estado ya advertía en su Dictamen sobre el Proyecto de Reforma del Código Penal de 2015, de 27 de junio de 2013[224], que la redacción otorgada al artículo 31 bis 4

---

221 STS 154/2016, de 29 de febrero, op. cit. FJ 8º.

222 *Ibidem.*

223 STS 221/2016, de 16 de marzo, op. cit. FJ 5º. Esta resolución incide en que la acusación no puede quedar exenta de la necesidad de acreditar la concurrencia del defecto organizacional. Ahora bien, parece inclinarse someramente hacia las posturas conciliadoras a las que a continuación nos referiremos, al señalar que la atribución de la carga probatoria a la acusación será "*Sin perjuicio de que la persona jurídica que esté siendo investigada se valga de los medios probatorios que estime oportunos-pericial, documental, testifical-para demostrar su correcto funcionamiento desde la perspectiva del cumplimiento de la legalidad*".

224 Disponible en https://www.boe.es/buscar/doc.php?id=CE-D-2013-358 (última consulta: 7 de marzo de 2025), indicando el Consejo de Estado que "*en la redacción propuesta por el Anteproyecto, el artículo 31 bis.2 del Código Penal podría llevar a la conclusión de que, debido a que la existencia del programa de compliance se erige en una circunstancia obstativa de la responsabilidad penal de*

y 5 CP daría lugar a una profusa discusión en torno a las reglas de distribución de la carga probatoria. Máxime si se compara con el tenor literal del Anteproyecto, el cual, siguiendo tal vez el modelo italiano, preceptuaba que la persona jurídica no sería penalmente responsable si acreditaba la incorporación de un programa de *compliance*. De ello se infiere que tal vez en la mente del legislador estuviera la atribución de la carga de la prueba a la persona jurídica. Pero la redacción finalmente incorporada no nos faculta a sostener tal asentimiento con carácter categórico.

### 3.3. *Posiciones doctrinales conciliadoras*

Destacados autores han aportado soluciones doctrinales eclécticas que no se enrocan en las posiciones "extremistas" planteadas en los epígrafes anteriores, sino que buscan una solución al problema probatorio que tenga en cuenta los aspectos primordiales de ambas corrientes de opinión.

Es el caso de GÓMEZ-JARA DÍAZ, quien plantea un modelo que no imponga una *probatio diabolica* a la acusación, pero que tampoco vulnere las garantías procesales de la persona jurídica[225]. De este modo, en cuanto que elemento de tipicidad, la existencia de un defecto organizacional que ha favorecido la perpetración del delito concreto debe acreditarse por la acusación, sobre la base de que la comisión del hecho de referencia es consecuencia de la no adopción de medidas organizativas adecuadas para mantener la actividad de la entidad dentro del riesgo permitido. Ahora bien, sobre la persona jurídica se hará recaer la carga de la prueba de que, pese al delito base y la falta de idoneidad *ex ante* de su programa de *compliance*, tiene sin embargo incorporada una cultura de cumplimiento de la legalidad que permitiría detectar y prevenir comportamientos criminales de la misma naturaleza. Así pues, para el autor, ha de distinguirse en-

*la persona jurídica, tan solo a ella le incumbe la carga material de la prueba de dicho hecho impeditivo, cuando en realidad la acreditación de tales extremos (la inexistencia del programa de compliance o su inaplicación) debería recaer sobre las partes acusadoras".*

225 GÓMEZ-JARA DÍEZ, C., "La culpabilidad de la persona jurídica", op. cit. pp. 217-219.

tre las medidas de control relativas al hecho concreto de referencia, que indudablemente han fallado y cuya acreditación corresponde a la acusación, y el genérico funcionamiento del sistema de gestión de *compliance*, cuya efectividad será probada por la defensa de la corporación[226].

Con similar pretensión conciliadora, NEIRA PENA plantea la idoneidad de una distribución probatoria que tenga en consideración la dinámica de la prueba por indicios en función del sujeto físico del que deriva el hecho de referencia[227]. Según este criterio, la comisión delictiva por parte de las personas incardinadas en el apartado a) del artículo 31 bis 1 CP constituye una manifestación más que evidente del defecto organizacional. Se apoya para ello en el pronunciamiento del Tribunal Supremo en la STS 583/2017, de 19 de julio, según el cual, "*sería un contrasentido que quienes controlan la persona jurídica a la que utilizan para canalizar su actividad delictiva a su vez implantasen medidas para prevenir sus propios propósitos y planes*"[228]. Esta presunción de defecto organizacional no supone, según la autora, conculcación alguna del derecho a la presunción de inocencia de la entidad, en razón de que se trata de una presunción *iuris tantum* que decaerá si la persona jurídica, por medio de las alegaciones vertidas en su defensa, consigue introducir una duda razonable acerca de la posible eficacia del programa de cumplimiento. En tal caso, la aplicación del principio *in dubio pro reo* debe imperar y redundar en una sentencia absolutoria. Así, "*probada la comisión de un delito por los altos cargos de la organización, actuando en su nombre y en su beneficio, parece haber indicios incriminatorios suficientes de los que deducir la audiencia de medidas de prevención delictiva eficaces en su seno. Y en este contexto, la acreditación de la efectiva implementación de un modelo de prevención delictiva fun-*

---

226 GÓMEZ-JARA DÍEZ, C., *El Tribunal Supremo ante la responsabilidad penal de las personas jurídicas. El inicio de una larga andadura*, Aranzadi, Cizur Menor, 2017, p. 101.

227 NEIRA PENA, A.M., *La defensa penal de la persona jurídica. Representante defensivo, rebeldía, conformidad y compliance como objeto de prueba*, op. cit. pp. 320-323.

228 STS 583/2017, de 19 de julio, ECLI:ES:TS:2017:3210 (*Tol 6336755*), FJ 28º.

*ciona como una excusa excluyente de responsabilidad que (...) debe ser probada por la defensa*"[229].

Cuando el hecho de referencia procede de un subalterno incluido en el ámbito del apartado b) de artículo 31 bis 1 CP, recuerda la autora que se introduce un elemento típico que no está presente en el supuesto del apartado a), cual es que la conducta del miembro de la entidad haya sido permitida por el incumplimiento de sus supervisores de sus obligaciones de vigilancia y control. Siendo ello un elemento del tipo, su acreditación corresponderá a la acusación, debiendo probar en qué grado la entidad ha asumido un riesgo superior al permitir a sus directivos la desatención a sus deberes de supervisión, vigilancia y control. La prueba de este último extremo será el indicio de la concurrencia del defecto organizacional[230].

Resumiendo el análisis de NEIRA PENA, la comisión delitos por personas físicas del apartado a) del artículo 31 bis 1 CP, es por sí indicio del defecto de organización, debiendo la persona jurídica tratar de desvirtuarlo mediante la constatación de lo contrario. Por su parte, cuando el delito derive de sujetos del apartado b) del mismo precepto, el indicio del defecto organizacional se desprenderá del incumplimiento grave por los supervisores de su deber de vigilancia y control, lo cual, en cuanto que elemento del tipo, ha de ser acreditado por la acusación.

Señalamos como último apunte doctrinal el correspondiente a PÉREZ GIL, para quien las garantías del debido proceso deben erigirse en el punto central sobre el que se asiente el modelo probatorio elegido[231]. Tres aspectos han de tomarse en consideración: el derecho a la presunción de inocencia de las personas jurídicas como sujetos pasivos del proceso penal; el derecho a no colaborar activamente con la acusación y, yendo más allá, el derecho a la no autoincriminación, también predicable respecto de las personas jurídicas; y la propia dinámica del proceso. Con respecto a los dos primeros puntos, arguye

---

229 NEIRA PENA, A.M., *La defensa penal de la persona jurídica. Representante defensivo, rebeldía, conformidad y compliance como objeto de prueba*, op. cit. p. 325.

230 *Ibidem*, pp. 332-333.

231 PÉREZ GIL, J., "Carga de la prueba y sistemas de gestión de *compliance*", op. cit. p. 1074.

el autor que la consecuencia de su apreciación no puede ser otra sino la atribución de la carga de la prueba a la acusación. No en vano, "*las garantías procesales de las personas jurídicas sometidas a enjuiciamiento no se corresponden con su propia personalidad, sino con la garantía del debido proceso legal que acarrea necesariamente los derechos de contradicción y defensa. Lo relevante no es su vinculación con la dignidad humana, sino con el sano desarrollo de una dinámica procesal que cuenta con un diseño, estructura y forma*"[232]. Por cuanto se refiere al tercer aspecto, la apertura del proceso supone de por sí una afectación para la imagen de la entidad que esta tratará de disminuir por cualquier medio a su alcance.

Es por ello que la propia persona jurídica puede ser la principal interesada en incorporar al proceso los elementos probatorios de su programa de *compliance*, con independencia de que no se le atribuya formalmente la carga de la prueba del defecto organizacional. Para PÉREZ GIL, la pregunta que ha de resolverse no es tanto quién ha de probar, sino qué ha de probarse, pues solo determinado lo que debe acreditarse podrá, posteriormente, deducirse quién ha de aportar la información al proceso. En base a ello, llega a la conclusión de que el deber probatorio dependerá de si el delito de referencia ha sido cometido por órganos apicales de la entidad o no: en el primer caso, la acusación deberá acreditar que el delito fue cometido por quien ostenta la gestión de la entidad, esto es, que no se trata de un delito cometido por sujetos insertos en el apartado b) del artículo 31 bis 1 CP, y que aquellos incumplieron con su deber de adopción y ejecución de modelos de organización y gestión (acreditados tales extremos por la acusación, el rebate de tales afirmaciones corresponderá a la defensa); en el segundo caso, esto es, si el delito base ha sido cometido por un trabajador, la exoneración de responsabilidad de la entidad dependerá de la prueba practicada por esta al respecto de la adopción y ejecución eficaz de un modelo de *compliance* adecuado para prevenir delitos de la misma naturaleza del que fue cometido[233].

---

232 *Ibidem*, p. 1075.

233 *Ibidem*, pp. 1080-1081.

### *3.4. Toma de postura y planteamiento interpretativo*

Tratando de dar forma a nuestra posición en el debate doctrinal presentado, hemos de reconocer que nos encontramos más cercanos a las propuestas armonizadoras, si bien con algunos matices que pasamos a comentar. Lo primero que ha de tomarse en consideración, y en este sentido coincidimos plenamente con GÓMEZ-JARA DÍAZ, es que, sea cual sea el modelo de distribución de la carga de la prueba por el que se opte, no puede perderse el foco sobre la necesaria conjugación de la colaboración corporativa en el desarrollo del proceso penal con el debido respeto a las garantías procesales de la persona jurídica.

En efecto, entendemos que la introducción por el legislador español de un sistema de responsabilidad penal de las personas jurídicas no obedece ni mucho menos a una finalidad represora, la cual ciertamente estaba ya patente en el modelo administrativo anterior conforme al cual podrían serles impuestas sanciones gravosas y afectantes a su imagen social. La política criminal por la que finalmente se optó en 2010 tuvo como principal fundamento, siguiendo las líneas marcadas por el legislador europeo y los Estados miembros de nuestro entorno más inmediato, promover la participación de la persona jurídica en el proceso penal. Se trataba de solventar los problemas derivados de la complejidad organizacional a la hora de probarse en el curso del proceso la efectiva comisión de hechos ilícitos por parte de un miembro de la organización. Reproduciendo las palabras de JIMENO BULNES, "*la introducción de la responsabilidad penal de las personas jurídicas se sustenta en un importante criterio de utilidad asimismo asociado a aquellos de naturaleza estrictamente económica en beneficio del buen funcionamiento del mercado o la antedicha autorregulación empresarial*"[234].

---

[234] JIMENO BULNES, M., "La responsabilidad penal de las personas jurídicas y los modelos de compliance: un supuesto de anticipación probatoria", *Revista General de Derecho Penal* 2019, n. 32, pp. 1-67, esp. p. 12, disponible en https://www.iustel.com/; destacamos igualmente la STS 292/2021, de 8 de abril, ECLI:ES:TS:2021:1301 (*Tol 8398938*), FJ 9°, donde se concibe el *compliance program* como el "*conjunto de normas de carácter interno, establecidas en la empresa a iniciativa del órgano de administración, con la finalidad de implemen-*

Con la promoción de los modelos de *compliance*, se insta a las entidades a que sean ellas mismas las que recopilen la información concerniente a aquellos y la pongan a disposición de las autoridades jurisdiccionales, como reflejo de la adopción por su parte de verdaderas políticas de cumplimiento.

Es por ello que, consideramos, carecería de sentido abogar por una interpretación rigorista de las reglas de la carga de la prueba. Y es que, la finalidad explicitada caminaría sobre pies de barro si, al mismo tiempo que se incentiva la cooperación de la entidad en el proceso, se obliga a la acusación a probar la existencia del defecto organizacional. Ello no solo supondría la imposición a la parte acusadora de una *probatio diabolica*, sino que además puede tener el efecto indeseado de propiciar la ocultación por la persona jurídica de los hechos acaecidos en su ámbito organizacional. Verdaderamente, si la condena de la entidad depende de la previa constatación de un delito base o hecho de referencia, como efectivamente acontece, la consideración del defecto organizacional como elemento del tipo y, por tanto, como elemento a probar por la acusación sin cuya constatación la persona jurídica no será condenada, incentivará que esta trate de ocultar los delitos cometidos por sus miembros.

Ahora bien, lo anterior no puede tener como resultado una carga probatoria del defecto organizacional que recaiga por entero sobre la defensa de la persona jurídica[235]. Sería ilógico reconocer a las entidades como potenciales sujetos pasivos del proceso penal y, al mismo tiempo, privarles de las garantías procesales de todo investigado o acusado. El artículo 119 LECrim es claro cuando, en su remisión al

---

*tar en ella un modelo de organización y gestión eficaz e idóneo que le permita mitigar el riesgo de la comisión de delitos* (...)".

235 Nos recuerda Juan Antonio Frago Amada, en entrevista realizada vía *Teams* el 23 de junio de 2023, que ha de tenerse en cuenta la regla de la facilidad probatoria del art. 217.7 LEC, la cual en el proceso penal cuenta sin embargo con el factor corrector de la presunción de inocencia. Juan Antonio Frago Amada es Fiscal en excedencia especializado en delito económicos, actualmente abogado y socio responsable del Área Penal en FragoySuárez AbogadosPenalistas. Es Doctor por ICADE por la tesis doctoral titulada "La persona jurídica en el proceso penal: presente y futuro" (enero de 2022, dirigida por la Dra. D.ª Cristina Carretero González) y miembro del Consejo Asesor de la revista "La Ley-Compliance Penal" del grupo Wolters Kluwer.

artículo 118 del mismo cuerpo normativo, reconoce la aplicación a las personas jurídicas de los derechos indisociablemente vinculados al debido proceso. Es acertado aludir en tal sentido a la STS 372/2025, de 11 de abril, donde se reitera en la idea de que "*La imposición de penas a las personas jurídicas como la multa, la disolución y pérdida definitiva de su personalidad jurídica, la suspensión, la clausura de sus locales y establecimientos, la inhabilitación y, en fin, la intervención judicial (art. 33.7 del CP), exige del Fiscal, como representante del ius puniendi del Estado, el mismo esfuerzo probatorio que le es requerido para justificar la procedencia de cualquier otra pena cuando ésta tenga como destinataria a una persona física. El proceso penal es incompatible con una doble vía probatoria, aquella por la que discurre la prueba de la acción de la persona física y aquella otra por la que transita la declaración de responsabilidad penal de la persona jurídica*"[236]. En el mismo sentido, la STS 768/2025, de 25 de septiembre[237], y la STS 836/2025, de 14 de octubre[238], al señalar que "*En la medida en que el defecto estructural en los modelos de gestión, vigilancia y supervisión constituye el fundamento de la responsabilidad del delito corporativo, la vigencia del derecho a la presunción de inocencia impone que el Fiscal no se considere exento de la necesidad de acreditar la concurrencia de un incumplimiento grave de los deberes de supervisión*".

La carga de la prueba de hechos constitutivos del tipo, por lo tanto, no puede atribuirse a la defensa. La vía optada por los autores que argumentan la consideración del defecto organizacional como circunstancia eximente podría salvar esta problemática. Sin embargo, ello supondría perder el foco sobre la finalidad última de los *compliance programs* apuntada en el párrafo anterior. Coincidimos, por tanto, en las opiniones de NEIRA PENA y PÉREZ GIL acerca de la "división" de la carga probatoria.

El principio de legalidad imperante en el Derecho penal impide calificar como delictivas conductas no previstas como tales por el ordenamiento jurídico. Esta regla nos lleva, en una reflexión temprana, a señalar que el defecto organizacional no puede ser considerado como

---

236 En este sentido, la STS 372/2025, de 11 de abril, op. cit. FJ 2°.

237 STS 768/2025, de 25 de septiembre, ECLI:ES:TS:2025:4223 (*Tol 10732346*), FJ 1°.

238 STS 836/2025, de 14 de octubre, ECLI:ES:TS:2025:4357 (*Tol 10742606*), FJ 2°.

un elemento del tipo cuya existencia dé lugar a la comisión delictiva por la persona jurídica. Y es que, el tenor literal del artículo 31 bis CP puede llevar a confusión en cuanto a la interpretación que debe darse a sus apartados 2 y 4 cuando se refieren a que "*la persona jurídica quedará exenta de responsabilidad si...*". Para los defensores del deber probatorio de la entidad, esta literalidad supone la inclusión por el legislador de una circunstancia eximente; en cambio, los autores que sostienen la actividad probatoria por la acusación, consideran que se trata de una introducción *sui genéris* de un elemento más del tipo.

En nuestra opinión, insistimos, reputar el defecto organizacional como circunstancia eximente cuya carga probatoria corresponde a la defensa, daría como resultado el olvido de la finalidad facilitadora del proceso pretendida por el legislador. Nos mostramos, por lo tanto, más partidarios de la opción por el defecto organizacional como elemento del tipo, siempre y cuando su comprensión como tal no suponga una conculcación del aludido principio de legalidad. En efecto, la norma penal no prevé expresamente la falta de programas de cumplimiento como elemento del tipo, de lo que podría aducirse que adoptar esta posición no es admisible. Una posible vía de escape a tales limitaciones es la conocida como "teoría de los elementos negativos del tipo". Como señala LUZÓN PEÑA, conforme a esta teoría el tipo tiene dos partes diferenciadas: "*la parte positiva del tipo o tipo positivo ("tipo en sentido estricto, coincidente con lo que tradicionalmente se llama tipo), que contiene los elementos o requisitos definidos positivamente para cada figura de delitos por los preceptos legales de la parte especial* (...); *y una parte negativa del tipo, que es la ausencia de causas de justificación*"[239]. La teoría de los elementos negativos del

239 LUZÓN PEÑA, D.M., *Lecciones de Derecho Penal. Parte general*, Tirant lo Blanch, Valencia, 2012, p. 160; explica el autor que "*la parte positiva describe los elementos, objetivos y subjetivos, de una acción que la hacen en principio penalmente relevante (entre otras cosas, por su peligrosidad o lesividad para bienes jurídicos) y que por tanto suponen un indicio de antijuricidad y fundamentan en principio un injusto penal* (...); *la parte negativa, la ausencia de causas de atipicidad y de justificación, sirve para confirmar definitivamente o no este indicio de antijuricidad*"; igualmente, MIR PUIG, S., *Fundamentos de Derecho Penal y Teoría del delito*, Reppertor, Barcelona, 2019, pp. 249-250; ORTIZ DE URBINA GIMENO, I., "La teoría de los elementos negativos del tipo: ¿una invención

tipo difiere de la tradicional distinción tripartita entre antijuricidad, tipicidad y culpabilidad, habiendo sido indicado por SCHÜNEMANN que la concurrencia del elemento negativo constata que el comportamiento no solo no es típico sino tampoco antijurídico[240]. En el mismo sentido, matiza SILVA SÁNCHEZ que esta teoría "*superpone la constatación de la tipicidad y la antijuricidad, al concebir el tipo como tipo total de injusto y los presupuestos de las causas de justificación (tradicionalmente estimadas como pertenecientes al ámbito de la antijuricidad) como elementos negativos del tipo*"[241].

Por lo anterior, siguiendo esta teoría y como elementos positivos del tipo, es claro que la acusación ha de probar los hechos referidos en los apartados a) y b) del artículo 31 bis 1 CP, y así, la comisión del delito base o hecho de referencia por parte de un miembro de la organización, por cuenta y en beneficio directo o indirecto de la persona jurídica y, en el caso de comisión por un subordinado, que ello fue posible por el incumplimiento de los supervisores de sus deberes de vigilancia y control[242]. Por su parte, la causa de justificación en que consiste el defecto organizacional será reputada como elemento negativo del tipo, de modo que su constatación recaerá igualmente sobre la acusación. Dicho esto, coincidimos con PÉREZ GIL en que la persona jurídica se presentará pronto como la principal interesada en demostrar su cultura de cumplimiento, dadas las consecuencias indeseables que para su imagen tiene el simple desarrollo del proceso

---

jurídico-penal?", en C. García Valdés, A. Cuerda Riezu, M. Martínez Escamilla, R. Alcácer Guirao y M. Valle Mariscal de Gante (coords.), *Estudios penales en homenaje a Enrique Gimbernat. Tomo II*, Edisofer, Madrid, 2008, pp. 1393-1418, esp. p. 1405.

240 SCHÜNEMANN, B., "La función de la delimitación de injusto y culpabilidad", en J.M. Silva Sánchez (dr.), B. Schünemann y J. de Figueiredo Dias (coords.), *Fundamentos de un sistema europeo del Derecho Penal*, Bosch, Barcelona, 1995, pp. 205-278, esp. p. 236.

241 SILVA SÁNCHEZ, J.M., *Aproximación al Derecho Penal contemporáneo*, Ed. B de F, Montevideo, 2012, p. 631.

242 A modo de ejemplo, en la STS 506/2018, de 25 de octubre, op. cit. se confirma la absolución de la persona jurídica por no haberse acreditado por la acusación la antijuricidad del comportamiento de la persona física. Se exige por tanto la constatación de un delito base, pero no la condena de la persona física por el mismo, como aclara la STS 742/2018, de 7 de febrero, op. cit. en el sentido indicado *ut supra*.

penal. Aun sin corresponderle legalmente, la prueba de su programa de *compliance* será el indicio más evidente de su voluntad colaborativa, lo cual sin duda contribuirá a salvaguardar su reputación.

Con todo, la atención al principio de legalidad, a las reglas de la carga de la prueba, a los derechos procesales de las personas jurídicas y a la finalidad preventiva y colaborativa de la responsabilidad penal de estas, permite concluir lo siguiente: la acusación deberá probar la posible existencia de un defecto organizacional que redunde en la responsabilidad penal de la entidad, para lo cual, compartiendo la opinión de NEIRA PENA, la constatación del delito base será indicio suficiente; la defensa de la persona jurídica, por su parte, aportará al proceso el material probatorio que demuestre que, pese al delito concreto acaecido, su programa de cumplimiento es plenamente eficaz. Si la defensa consigue incorporar una duda razonable acerca de la concurrencia o no del defecto organizacional aducido por la acusación, el principio *in dubio pro reo* solo podrá dar como resultado su absolución. Como apoyo de nuestra argumentación, señalamos el Auto de la Audiencia Nacional 179/2022, de 14 de marzo, en el que, refiriéndose a las posiciones doctrinales integradoras o conciliadores y huyendo del rigorismo de la STS 154/2016, de 29 de febrero, se distingue la labor probatoria de acusación y defensa: la primera, deberá hacer patente la falta de idoneidad del programa de control y gestión para la evitación del delito que se ha cometido; en tanto que la segunda, habrá de probar la existencia en la persona jurídica de una cultura de cumplimiento de la legalidad, esto es, la idoneidad del programa para la eventual evitación de delitos de la misma naturaleza que el cometido[243].

---

243 Auto AN (AAN) 179/2022, de 14 de marzo, ECLI:ES:AN:2022:2118A (*Tol 8889620*), FJ 3º; en sentido similar el AAN 51/2022, de 7 de febrero, ECLI:ES:AN:2022:432A (*Tol 8791379*), FJ 4º, en el conocido como "caso Villarejo", por el que se estima el recurso de apelación seguido contra el Auto de sobreseimiento de 29 de julio de 2021 del Juzgado Central de Instrucción nº 6 en favor de REPSOL S.A. y CAIXABANK. La estimación del recurso se fundamenta en que el sobreseimiento dèl proceso contra ambas entidades estuvo basado en la mera declaración de los respectivos representantes designados al respecto de la eficacia de los programas de cumplimiento, considerando la AN que no se practicaron todas las diligencias requeridas para esclarecer de manera suficiente la responsabilidad criminal de las personas jurídicas, como la declaración

Similar planteamiento al de la Audiencia Nacional es el seguido por la STS 298/2024, de 8 de abril[244]. En ella, la no implantación de un plan de cumplimiento eficaz que haya tenido que ser burlado para la actuación delictiva del agente es concebida como un elemento negativo de la responsabilidad penal de la entidad. Ciertamente, se manifiesta el Tribunal aseverando que "*Sea cual sea el modelo que atraiga las simpatías en el plano teórico de uno u otro intérprete, en la práctica lo que es exigible para unos y otros es que se constate la presencia de todos y cada uno de los elementos que a tenor del art. 31 bis CP arrastran la imposición de una pena a una persona jurídica. Entre ellos está también ese elemento negativo —carencia de unos protocolos eficaces de prevención referidos al concreto delito perpetrado—, que, por ser negativo, implica unas mecánicas probatorias diferentes y específicas, lo que no significa que en ese ámbito no opere el principio in dubio*".

La concurrencia del delito base acometido en beneficio de la persona jurídica será indicio suficiente de la concurrencia de este elemento negativo[245], cumpliéndose con ello la labor probatoria de la acusación. Ahora bien, es sentido coincidente con la tesis sostenida en el presente apartado, la defensa deberá acreditar, en contraposición, la existencia de un programa de cumplimiento eficaz. Se indica a estos

---

del responsable del cumplimiento normativo solicitada por la acusación. Indica además la AN que el sobreseimiento impidió "*ejercer contra aquellas* (REPSOL Y CAIXABANK) *la acción penal para las acusaciones apelantes, y estas no han intervenido, o han tenido una limitada intervención en aquellas diligencias, el respeto del derecho a la tutela judicial efectiva de las partes recurrentes constituye una razón más, añadida a la pertinencia, posibilidad y necesidad de las diligencias anteriormente mencionadas*". De ello no cabe más que inferir la importancia conferida a las pruebas que, en materia de acreditación del defecto organizacional, son aportadas por la acusación.

244 STS 298/2024, de 8 de abril, ECLI:ES:TS:2024:1932 (*Tol 9980988*), FJ 4º.

245 A modo de ejemplo, la STS 217/2024, de 7 de marzo, ECLI:ES:TS:2024:1158 (*Tol 9911953*), FJ 9º, donde se confirma la inexistencia de medidas de control y cumplimiento eficaces como consecuencia de la comisión en su seno de un delito contra la Hacienda Pública: "*La constatación de pago y el cumplimiento de las obligaciones fiscales en la cuantía correspondiente a sus ingresos era fácilmente comprobable y controlable, por lo que resulta evidente que hubo ausencia de los debidos controles por parte de la persona jurídica respecto del cumplimiento, en legal forma, de las correspondientes obligaciones tributarias ordinarias, por lo que obviamente debe responder como autora de los delitos fiscales cometidos*".

efectos en la misma STS 298/2024, de 8 de abril, que si la persona jurídica "*se abstiene de proponer prueba alguna al respecto, y no realiza ni siquiera un amago de aportar un plan de cumplimiento y/o demostrar que la empresa se ajustaba en su funcionamiento a cada uno de los requisitos que perfila el Código Penal, será legítimo entender acreditado que no existía tal plan de cumplimiento*". Continua la resolución afirmando que "*Si se acusa a una empresa por hechos cometidos por un directivo; y su dirección letrada (...) adopta una postura abstencionista, estratégicamente abstencionista, y se limita sin más a decir que no se ha probado la inexistencia de un programa de cumplimiento adecuado, se deduzca que no se contaba con ese protocolo. (...) No parece que el derecho de defensa quede erosionado porque las acusaciones no hiciesen constar en sus escritos que no reinaba en esas empresas una cultura de cumplimiento. Si no se dice nada, y se acusa a la Sociedad, esa negación —que no afirmación— está implícita. (...). La abulia indagatoria y probatoria sobre ese elemento negativo, no ha de traducirse necesariamente en una duda sobre su concurrencia*". La propia STS 836/2025 aludida *ut supra* señala, tras referirse a la necesaria acreditación de los elementos del tipo por la acusación que, ello será "*sin perjuicio de que la persona jurídica que esté siendo investigada se valga de los medios probatorios que estime oportunos —pericial, documental, testifical— para demostrar su correcto funcionamiento desde la perspectiva del cumplimiento de la legalidad*".

## Capítulo III

# EL PROGRAMA DE CUMPLIMIENTO NORMATIVO: CRITERIOS DE EFICACIA COMO GARANTÍA PROCESAL

Analizadas las peculiaridades de la carga probatoria en materia de responsabilidad penal de las personas jurídicas, procede a continuación establecer una serie de delimitaciones conceptuales en torno a la noción y eficacia de los programas de cumplimiento. Saltándonos la práctica habitual en el estudio del Derecho procesal consistente en abordar en primer lugar el objeto de la prueba y en segundo lugar la carga de la misma, el análisis del concepto y elementos del *compliance program* en este momento obedece precisamente a las especialidades del objeto de la prueba en los procesos incoados contra las personas jurídicas.

En efecto, como se viene argumentando en esta monografía, la introducción de la responsabilidad penal de las personas jurídicas en el ordenamiento español atendió no solo a una finalidad de prevención delictiva de las entidades, sino también y fundamentalmente a la necesidad de eficacia del proceso penal contra estas. Con la modificación del CP del año 2015 y la consideración del defecto organizacional como criterio de culpabilidad, ambas finalidades de prevención y eficacia se "privatizan", dando como resultado a la consiguiente "*demostración ex ante que ha de tener lugar respecto de la eficacia de tales programas de cumplimiento ya para el caso concreto y no pro futuro como antaño*"[246]. En consecuencia, siguiendo la literalidad de la Circular 1/2016, de 22 de enero, de la Fiscalía General del Estado, "*el objeto del proceso penal se extiende ahora también y de manera esencial a valorar la idoneidad del programa de cumplimiento adoptado por la corporación*".

---

[246] JIMENO BULNES, M., "La responsabilidad penal de las personas jurídicas y los modelos de compliance: un supuesto de anticipación probatoria", op. cit. p. 43.

Hemos determinado que, junto con los elementos del artículo 31 bis 1 a) y b) CP, sobre la acusación recaerá la prueba de la existencia de un defecto organizacional, o si se prefiere, la inexistencia de un programa de cumplimiento. Pues bien, ¿qué debe entenderse por programa de cumplimiento a estos efectos? A la defensa, por su parte, corresponderá acreditar que la entidad sí contaba, pese a la materialización de la comisión delictiva, con un *compliance* eficaz. Surge así la cuestión de cuáles son los criterios de valoración de esta eficacia.

A ello dedicamos el presente Capítulo, comenzando con una aproximación al concepto de programa de cumplimiento para, a renglón seguido, esbozar los elementos de eficacia del mismo. Como punto final, detallaremos los criterios mantenidos por los órganos jurisdiccionales a la hora de valorar esta característica.

## 1. APROXIMACIÓN CONCEPTUAL AL PROGRAMA DE CUMPLIMIENTO

El recurso al defecto de organización como elemento inherente a la responsabilidad de las personas jurídicas parte de la imposición a las entidades de un deber jurídico consistente en implantar una organización adecuada, en la que existan mecanismos de vigilancia y control de la conducta de sus miembros. De este modo, es la inatención a esta obligación la que se erige en el hecho propio desencadenante de la culpa de la persona jurídica[247]. Nos hacemos eco de las palabras de NIETO MARTÍN, para quien "*La culpabilidad de la empresa por defecto de organización significa que en la dirección empresarial no se han cumplido eficazmente y de manera prolongada las obligaciones de autorregulación que impone el Derecho Administrativo o el Derecho Penal con el fin de evitar lesiones para los bienes jurídicos más afectados por la actividad empresarial*"[248].

---

[247] Vid. *supra* Cap.I.2.1, en concreto sobre la distinción entre hecho propio y delito base en el modelo español.

[248] NIETO MARTÍN, A., "Responsabilidad social, gobierno corporativo y autorregulación: sus influencias en el Derecho Penal de la empresa", op. cit. p. 14.

Es en este punto donde la implementación de los modelos de *compliance* pasa a ocupar un lugar destacado en el aseguramiento de la efectiva atención a tales deberes organizativos, tornándose, por ende, en el criterio jurídico central sobre el que se fundamenta la responsabilidad de la persona jurídica[249]. Nos servimos de las palabras de ZUGALDÍA ESPINAR, para quien "*Con el corporate compliance, la empresa se autoimpone una serie de obligaciones para dar satisfacción a las normas*"[250]. Similar es el pronunciamiento de RODRÍGUEZ GARCÍA, según el cual el *compliance* es "*la herramienta que posibilita que las organizaciones puedan cumplir con sus obligaciones normativas, prevengan riesgos de distintas especies y ejecuten una cultura de comportamiento ético, en una suerte de mutua retroalimentación y reciprocidad en los pensamientos y en las conductas*"[251].

Esta autorregulación o *self regulation* de las personas jurídicas proviene de una clara influencia del modelo estadounidense de relación autoridad-empresa, pasando esta última a ocupar un importante papel junto con los legisladores tanto en la prevención como en la persecución del delito[252]. Y es que, los altos niveles de complejidad corporativa son concluyentes de la imposibilidad para el Estado de regular y controlar estructuras organizativas de forma directa[253]. Es por ello que el legislador lo más que puede hacer es configurar una suerte de "Derecho reflexivo", que permita a las autoridades supervisar el comportamiento de las entidades a través de la definición y control de mecanismos de autorregulación, en tanto en cuanto son las propias

---

249 SIEBER, U., "*Programas de compliance en el Derecho Penal de la empresa. Una nueva concepción para controlar la criminalidad económica*" en L. Arroyo Zapatero y A. Nieto Martín (dres.), *El Derecho Penal económico en la era compliance*, op. cit. pp. 63-109, esp. pp. 88-89.

250 ZUGALDÍA ESPINAR, J.M., *La responsabilidad criminal de las personas jurídicas, de los entes sin personalidad y de sus directivos. Análisis de los arts. 31 bis y 129 del Código Penal*, op. cit. p. 98.

251 RODRÍGUEZ GARCÍA, N., "*Compliance* y sistema penal español: potencialidades y retos", op. cit. p. 312.

252 En lo que supone una "privatización del Derecho Penal", ECHEVERRIA BERECIARTUA, E., *Las modalidades de responsabilidad penal de las personas jurídicas en el marco del proceso penal*, op. cit. p. 36.

253 SIEBER, U., "*Programas de compliance en el Derecho Penal de la empresa. Una nueva concepción para controlar la criminalidad económica*", op. cit. p. 98.

corporaciones las que se encuentran en mejor posición para detectar y perseguir los riesgos delictivos existentes en su ámbito de actividad[254].

Ahora bien, no puede defenderse una idea de autorregulación absoluta de las propias entidades, pues como señala ENGELHART, los riesgos derivados de ello serían evidentes: "*las empresas son un conglomerado de bienes y personas. Ello les proporciona no solo poder económico, sino también (...) grandes posibilidades de influir en los mercados, la opinión pública e incluso en política y aprobación normativa. El clima corporativo y su (potencialmente negativo) impacto sobre el comportamiento individual constituye un argumento contra la autorregulación. Estos riesgos justifican la intervención del Estado*"[255]. También ZUGALDÍA ESPINAR es de la opinión de que una autorregulación absoluta en favor de las entidades podría derivar (y de hecho así fue en sus inicios) en una disminución del control por las autoridades sobre la actividad de los entes colectivos, lo cual facilita la aparición de escándalos financieros, económicos y/o sociales[256].

Se habla de este modo de una "autorregulación regulada", por la cual las autoridades son las que definen las características de los modelos de *compliance* que las personas jurídicas deben implementar, así como las consecuencias de su no incorporación o incorporación deficiente[257]. En este sentido, los modelos de cumplimiento son la cara visible de la autorregulación que, junto con la noción de responsabilidad social y como señala NIETO MARTÍN, debe ser la base del modelo de responsabilidad penal de las personas jurídicas[258]. Siguiendo a ENGELHART, pueden indicarse cinco niveles de autorregula-

---

254 GÓMEZ-JARA DÍEZ, C., "Fundamentos de la responsabilidad penal de las personas jurídicas", con J. Banacloche Palao y J. Zarzalejos Nieto, en *Responsabilidad penal de las personas jurídicas. Aspectos sustantivos y procesales*, op. cit. pp. 24-47, esp. pp. 26-29.

255 ENGELHART, M., "Corporate Criminal Liability from a Comparative Perspective", op. cit. p. 67.

256 ZUGALDÍA ESPINAR, J.M., *La responsabilidad criminal de las personas jurídicas, de los entes sin personalidad y de sus directivos. Análisis de los arts. 31 bis y 129 del Código Penal*, op. cit. pp. 102-103.

257 ENGELHART, M., "Corporate Criminal Liability from a Comparative Perspective", op. cit. p. 69.

258 NIETO MARTÍN, A., "Responsabilidad social, gobierno corporativo y autorregulación: sus influencias en el Derecho Penal de la empresa", op. cit. p. 14.

ción-regulada mediante la implantación de *compliance programs*: i) incentivos informales por parte del Estado para la adopción de los programas de cumplimiento; ii) recompensas por la adopción de programas de cumplimiento; iii) sanciones ante la falta de programas de cumplimiento; iv) exención o atenuación de la responsabilidad de la persona jurídica si cuenta con programas de cumplimiento; v) obligación legal de contar con programas de cumplimiento[259].

Siendo que en nuestro ordenamiento jurídico se ha optado por la consideración de los *compliance programs* como circunstancias clave para la exoneración de responsabilidad de las entidades, y en la medida en que de ello se desprende la problemática probatoria adelantada *ut supra*, llegamos a lo que consideramos que debe ser el objeto de prueba básico en el proceso seguido contra la entidad: la *idoneidad* o *eficacia* del modelo de *compliance*. La cuestión que se plantea es clara: ¿cuáles son los requisitos de esta eficacia? Su determinación no carece de importancia, debido a que su plena apreciación es lo que permitirá el descargo de responsabilidad de la entidad. Junto con ello, tampoco es desdeñable el carácter de circunstancia atenuante de la responsabilidad que, según los apartados 2 y 4 del artículo 31 bis CP, tiene su constatación parcial.

La falta de concreción acerca de cuáles son los elementos de los programas de *compliance* se ha visto solventada en la esfera internacional mediante el recurso a normas de *soft law*, tales como la ISO 37301:2021, publicada el 13 de abril de 2021[260] o la ISO 37008:2023, publicada el 28 de julio de 2023[261]; sin poder dejar de mencionarse, en adición, el Considerando 30 del Reglamento (UE) 596/2014 del Parlamento Europeo y del Consejo, de 16 de abril de 2014, sobre el abuso de mercado, el cual se limita a señalar que "*Cuando las personas jurídicas adoptan todas las medidas razonables para evitar que se produz-*

---

259 ENGELHART, M., "Corporate Criminal Liability from a Comparative Perspective", op. cit. pp. 69-72.

260 Significativo es su apartado 4.4, por el cual, "*El sistema de gestión de compliance debe reflejar los valores, objetivos, estrategia y riesgos de compliance de la organización teniendo en cuenta el contexto de la organización*".

261 "Internal investigations of organizations-Guidance"; puede consultarse un breve análisis de la misma en https://protecciondatos-lopd.com/empresas/iso-37008-gestion-investigaciones-internas/ (última consulta: 20 de febrero de 2025).

*can abusos de mercado, pero, aun así, alguna persona física empleada por ellas comete abusos de mercado en su nombre, no debe imputarse abuso de mercado a la persona jurídica*"[262]. Es así que el legislador europeo, al no introducir los requisitos precisos para que los programas de cumplimiento puedan ser considerados como causa de exención de responsabilidad para las entidades, permite a los Estados miembros una libre configuración de los modelos de prevención delictiva.

Saliéndonos de la esfera europea, queremos traer a colación por su representatividad lo expresado en las *United Sates Sentencing Commission Guidelines Manual 2021*[263], las cuales se presentan como normas que establecen una política uniforme de imposición de penas a personas y organizaciones condenadas. Entre ellas, se destina el apartado §8B2.1. a la determinación de una serie de criterios de eficacia de los programas de *compliance*.

También a nivel nacional nos encontramos con normas de *soft law* que contienen algunas disposiciones acerca de lo que hoy concebimos como *compliance*. Tal acontece con el *Código Olivencia*, el *Informe Aldama* o el *Código Unificado de Gobierno Corporativo de las Sociedades Cotizadas en Bolsa*. En relación con el primero, fue presentado el 26 de febrero de 1998, configurándose como el primer texto que atribuye a los Consejos de Administración funciones expresas de "*identificación de los principales riesgos de la sociedad e implantación y seguimiento de los sistemas de control interno y de información adecuados*", mediante la creación de Comisiones Delegadas de Control con funciones de "*información y control contable; selección de consejeros y altos directivos; determinación y revisión de la política de retribuciones; y evaluación del sistema de gobierno y de la observancia de sus reglas*" [264]. El *Informe Aldama*, de 8 de enero

---

262 Reglamento (UE) 596/2014 del Parlamento Europeo y del Consejo, de 16 de abril de 2014, sobre el abuso de mercado (Reglamento sobre abuso de mercado) y por el que se derogan la Directiva 2003/6/CE del Parlamento Europeo y del Consejo, y las Directivas 2003/124/CE, 2003/125/CE y 2004/72/CE de la Comisión Texto pertinente a efectos del EEE.

263 Disponible en https://www.ussc.gov/sites/default/files/pdf/guidelines-manual/2021/GLMFull.pdf (última consulta: 20 de febrero de 2025) (Traducción propia).

264 Redactado por la por la Comisión Especial para el estudio de un Código Ético de los Consejos de Administración de las Sociedades a petición del Gobierno

de 2003, enuncia la autorregulación basada en la transparencia y en el marco ético de la empresa[265]. Por su parte, el *Código Unificado de Gobierno Corporativo de las Sociedades Cotizadas en Bolsa*, de 22 de mayo de 2006, conmina a las entidades a elaborar un informe anual que detalle el grado de cumplimiento de las recomendaciones en materia de Gobierno Corporativo[266].

No obstante, para atisbar la previsión legal del *compliance* en España, hemos de dirigir la mirada al apartado 5 del artículo 31 bis CP, cuya introducción fue sin duda una de las principales novedades de la reforma del régimen de responsabilidad de las personas jurídicas en el año 2015. Señala el referido precepto que los modelos de organización y gestión, esto es los programas de cumplimiento penal, a que se refieren los apartados 2 y 4 artículo 31 bis CP, han de atender a un total de seis requisitos o condiciones. El objetivo del legislador es dotar de unos parámetros interpretativos en cuanto a la eficacia de los *compliance programs*, que faciliten la valoración de su idoneidad y eficacia a la hora de prevenir delitos en la entidad y, en consecuencia, que permitan sustanciar la exoneración de responsabilidad de aquella[267]. Con ello, se impide que las personas jurídicas traten de eludir

---

Español, disponible en http://www.cnmv.es/Portal_Documentos/Publicaciones/CodigoGov/govsocot.pdf (última consulta: 11 de marzo de 2025).

265 Redactado por la Comisión Especial para el Fomento de la Transparencia y Seguridad en los Mercados y en las Sociedades Cotizadas, disponible en http://www.cnmv.es/Portal_Documentos/Publicaciones/CodigoGov/INFORMEFINAL.PDF (última consulta: 11 de marzo de 2025).

266 Aprobado por Acuerdo del Consejo de la Comisión Nacional del Mercado de Valores. Disponible en su última versión de 2020 en http://www.cnmv.es/DocPortal/Publicaciones/CodigoGov/CBG_2020.pdf (última consulta: 11 de marzo de 2025).

267 Los *compliance programs* son incluso eficaces para evitar la comisión por miembros de la entidad de delitos que, aunque no den lugar a la responsabilidad de esta, pueden ser igualmente prevenidos. Significativas resultan la STS 316/2018, de 28 de junio, ECLI:ES:TS:2018:2498 (*Tol 6660661*), FJ 8º; o la STS 365/2018, de 18 de julio, ECLI:ES:TS:2018:2947 (*Tol 6677017*), FJ 2º, en las que se señalan dos proyecciones de los programas de cumplimiento: la referida a la prevención de delitos *ad extra*, es decir, de los cuales sí puede derivarse la responsabilidad penal de la entidad; y la referida a la prevención delictiva *ad intra*, esto es, a delitos cuya regulación no contempla la responsabilidad de las entidades por su comisión, pero respecto de los cuales un programa de *compliance* puede ser igualmente efectivo para prevenir que miembros de la organización los cometan; en similar

su responsabilidad penal mediante la incorporación de programas de cumplimiento puramente cosméticos (*paper compliance*), que en la práctica no son en absoluto suficientes como mecanismos preventivos[268].

Es importante apuntar que el Código Penal en modo alguno obliga a la incorporación de modelos de *compliance*. Como señalan ORSI y RODRÍGUEZ GARCÍA, "*cuando delinea los requisitos que los modelos de organización y gestión "deberán cumplir" (artículo 31 bis 5 CP), lo hace al solo efecto de fijar las condiciones para que opere la exención total o parcial de pena*" [269]. Sin embargo, las disposiciones ofrecidas ni siquiera merecen ser calificadas como verdadera regulación, puesto que el legislador se ha limitado a enunciar los requisitos de los programas de cumplimiento sin concretar cómo debe materializarse cada uno de ellos. En los apartados que siguen, trataremos de abordar este "vacío" legislativo.

Vaya por delante que no nos detendremos en este momento en analizar las características de los canales de denuncia, el cual aparece referido en el apartado 4 del artículo 31 bis 5. La aprobación de la Ley 2/2023, de 20 de febrero, reguladora de la protección de las personas que informen sobre infracciones normativas y de lucha contra la corrupción, exige un tratamiento pausado. Es por ello que dedicaremos el Capítulo IV de la presente monografía al estudio de las implicaciones que esta normativa ha tenido en materia de *compliance*. Con la entrada en vigor de la Ley, las personas jurídicas con más de 50 trabajadores e incluidas en su ámbito de aplicación, tienen la

---

lógica argumental, la STS 470/2021, de 2 de junio, ECLI:ES:TS:2021:2197 (*Tol 8464072*), FJ 6º, sostiene que los programas de *compliance* no deben limitarse a evitar la responsabilidad penal de la entidad, sino a la comisión de cualquier delito en su seno.

268 Sobre el *paper compliance*, FRAGO AMADA, J.A., "El paper compliance, su detección y tratamiento procesal del mismo", en J. A. Frago Amada. (dr.), *Actualidad* compliance *2018*, op. cit. pp. 317-329.

269 RODRÍGUEZ GARCÍA, N. y GABRIEL ORSI, O., "Las investigaciones defensivas en el compliance penal corporativo", en N. Rodríguez García y F. Rodríguez López (eds.), *"Compliance" y responsabilidad de las personas jurídicas, Tirant lo Blanch, Valencia, 2021, pp. 293-389*, esp. p. 306; también en solitario RODRÍGUEZ GARCÍA, N., "Las investigaciones internas como elemento esencial de los "criminal compliance programs": haciendo de la necesidad virtud", *Revista Penal* 2023, n. 52, pp. 201-223, esp. p. 203.

obligación de contar con un canal de denuncias. Este pasa, por tanto, de ser un elemento potestativo y meramente valorativo de la eficacia del *compliance program* a convertirse en una imposición legislativa. En los Capítulos siguientes, nos centraremos en cuestiones como el denunciante anónimo, el régimen de protección del denunciante, el desarrollo de investigaciones internas a resultas de los hechos denunciados (IV) y, en especial, como esto último puede afectar al derecho de la persona jurídica a no autoincriminarse cuando las averiguaciones pretenden hacerse valer en el proceso penal seguido contra ella (V). Dedicamos los sub-epígrafes siguientes, por lo tanto, al estudio de los restantes elementos del programa de cumplimiento a la luz del artículo 31 bis 5 CP.

## 2. ELEMENTOS DE EFICACIA DE LOS PROGRAMAS DE CUMPLIMIENTO NORMATIVO

### *2.1. Mapa de riesgos*

Comenzamos reproduciendo lo indicado por la Circular 1/2016, de 22 de enero, de la Fiscalía General del Estado, a propósito del requisito del inciso primero del artículo 31 bis 5 CP: "*La persona jurídica deberá establecer, aplicar y mantener procedimientos eficaces de gestión del riesgo que permitan identificar, gestionar, controlar y comunicar los riesgos reales y potenciales derivados de sus actividades de acuerdo con el nivel de riesgo global aprobado por la alta dirección de las entidades, y con los niveles de riesgo específico establecidos. Para ello el análisis identificará y evaluará el riesgo por tipos de clientes, países o áreas geográficas, productos, servicios, operaciones, etc., tomando en consideración variables como el propósito de la relación de negocio, su duración o el volumen de las operaciones*".

Los modelos de cumplimiento penal proyectados han de ser consecuentes con los concretos delitos que con mayor factibilidad se podrán dar en el ámbito de actividad de la persona jurídica[270]. Y es que,

---

[270] ECHEVERRIA BERECIARTUA, E., *Las modalidades de responsabilidad penal de las personas jurídicas en el marco del proceso penal*, op. cit. p. 214; NIETO

es claro que un partido político deberá prestar especial atención a los delitos de financiación ilegal (artículo 304 bis.5 CP); una clínica privada a delitos de tráfico de órganos (artículo 156 bis CP); una industria a delitos medioambientales (artículo 328 CP); una constructora a delitos relacionados con edificaciones no autorizables (artículo 319.4 CP); o una entidad bancaria al blanqueo de capitales (artículo 302 CP). Otros delitos, por su parte, son altamente probables de ser cometidos por las personas jurídicas por el mero hecho de desarrollar estas cualquier tipo de actividad[271], como pudiera ser el caso de delitos contra la Hacienda Pública y contra la Seguridad Social (artículo 310 bis CP) o de delitos contra la propiedad intelectual e industrial, el mercado y los consumidores (artículo 288 CP). Como señalan ORSI y RODRÍGUEZ GARCÍA, el resultado esperable del mapa de riesgos es que "*sirva para identificar ámbitos y actividades vulnerables, calcular riesgos, corregir errores y adoptar las medidas conducentes para que el delito no se produzca*"[272].

Pero establecer un mapa de riesgos que comprenda el cien por cien de los delitos cuya comisión es posible por la entidad es una utopía. Y aun en el hipotético caso de lograrlo, la adopción de mecanismos de reducción de los mismos sería inviable, dado que los recursos económicos de las entidades para ello no son ni mucho menos ilimitados. De hecho, la determinación del mapa de riesgos es tal vez una de las cuestiones más difíciles y comprometidas en la construcción de un programa de cumplimiento, además de una de las más importantes[273].

---

MARTÍN, A., "Código ético, evaluación de riesgos y formación", en A. Nieto Martín (dr.), *Manual de cumplimiento penal en la empresa*, op. cit. pp. 135-163, esp. p. 153.

271 "Delitos transversales" en palabras de AGUILERA GORDILLO, en AGUILERA GORDILLO, R., *Compliance penal en España*, Aranzadi, Cizur Menor, 2018, p. 266.

272 RODRÍGUEZ GARCÍA, N. y GABRIEL ORSI, O., "Las investigaciones defensivas en el *compliance* penal corporativo.

273 La importancia de la valoración del riesgo no se da solo en el ámbito penal. A modo de ejemplo, el art. 16.2.a) Ley 31/1995, de 8 de noviembre, de prevención de Riesgos Laborales, BOE n. 269, de 10 de noviembre de 1995, pp. 3259032611, por el que se establece en relación con la evaluación de los riesgos que "*El empresario deberá realizar una evaluación inicial de los riesgos para la seguridad y salud de los trabajadores, teniendo en cuenta, con carácter general, la naturaleza de la actividad, las características de los puestos de trabajo existentes*

Ello no obstante, ORSI y RODRÍGUEZ GARCÍA no se equivocan al afirmar que "*la identificación de riesgos aporta la posibilidad de desarrollar una política proactiva y sistemática, que no solo ponga el foco operaciones aisladas, sino el contexto de negocios, como metodología para reducir la indeterminación, reconstruir patrones y detectar desvíos*"[274].

FERNÁNDEZ TERUELO insiste en lo apropiado de seguir tres pasos en la constatación de los riesgos más probables: i) identificación, esto es, cuáles son los delitos más estrechamente relacionados con la actividad de la entidad; ii) análisis, es decir, en qué consisten tales delitos y cómo pueden darse en la persona jurídica; iii) valoración o concreción de la probabilidad de comisión de tales delitos[275]. En relación con el último punto, habrá de estarse no solo a la actividad de la entidad, lo cual como hemos indicado es determinante para la fase de identificación del riesgo, sino también a la frecuencia (diaria, semanal, mensual, anual, etc.) con la que se realizan actuaciones intrínsicamente vinculadas al riesgo, las personas y el número de ellas que pueden realizar esa actividad, el volumen de operaciones que implican la práctica de esa actividad, o los incidentes previos. Así el apartado 4.6 de la Norma ISO 37301:2021 se refiere a las actividades, productos, servicios y demás aspectos pertinentes de las operaciones de la entidad.

---

*y de los trabajadores que deban desempeñarlos* (...)"; también el art. 7.1 Ley 10/2010, de 28 de abril, de prevención del blanqueo de capitales y de la financiación del terrorismo, BOE n. 103, de 29 de abril de 2010, pp. 37458-37499, por el cual las empresas deben efectuar y reflejar por escrito un análisis del riesgo de comisión del delito de blanqueo de capitales, siendo ello una manifestación de su diligencia debida; o el art. 28 Ley Orgánica 3/2018, de 5 de diciembre, de Protección de Datos Personales y garantía de los derechos digitales, BOE n. 294, de 6 de diciembre de 2018, pp. 119788-119857, que especifica que los responsables del tratamiento, a fin de garantizar la correcta aplicación de la Ley, habrán de adoptar las medidas necesarias, efectuando con carácter previo un análisis de los riesgos más probables de infracción de la norma.

274 RODRÍGUEZ GARCÍA, N. y GABRIEL ORSI, O., "Las investigaciones defensivas en el *compliance* penal corporativo", op. cit. p. 328.

275 FERNÁNDEZ TERUELO, J.G., *Parámetros interpretativos del modelo español de responsabilidad penal de las personas jurídicas y su prevención a través de un modelo de organización o gestión (compliance)*, op. cit. p. 207.

Misma idea contemplan también las *United Sates Sentencing Commission Guidelines Manual 2021*, por las cuales "*Las empresas deben: (...) Evaluar periódicamente el riesgo de que se produzcan conductas delictivas, incluyendo la evaluación de lo siguiente: i) La naturaleza y gravedad de dicha conducta delictiva; ii) La probabilidad de que puedan producirse determinadas conductas delictivas debido a la naturaleza de la actividad de la organización. Si, debido a la naturaleza de la actividad de una organización, existe un riesgo sustancial de que puedan producirse determinados tipos de conducta delictiva, la organización adoptará medidas razonables para prevenir y detectar ese tipo de conducta delictiva; iii) El historial previo de la organización. El historial previo de una organización puede indicar tipos de conducta delictiva sobre los que deberá tomar medidas para prevenir y detectar*"[276]. Más escueta es la Norma UNE 19601:2017[277], cuyo apartado 6.2.2 se limita a puntualizar que, a la hora de analizar los riesgos penales, la organización debe considerar las causas y motivos de los incumplimientos penales, su probabilidad de ocurrencia y sus consecuencias.

NIETO MARTÍN ofrece un procedimiento más completo, consistente en: i) fijación del objeto, cual es determinar el sector de actividad a analizar; ii) identificación de las posibles infracciones que pueden afectar al antedicho ámbito de actividad; iii) probabilidad del riesgo, teniendo en cuenta factores como el historial delictivo de la entidad y de otras del sector, los controles existentes en la empresa en relación con cada riesgo y opiniones recabadas de los miembros de la organización en cuanto a cuáles son los delitos que con mayor facilidad pueden cometerse; iv) evaluación del riesgo, es decir, valorar la necesidad de actuar frente a un riesgo concreto en comparación con otros, tomando como referencia cuáles son los objetivos estratégicos y/o económicos de la entidad, la importancia del bien jurídico afectado, la probabilidad de descubrimiento del delito o la relación coste-beneficio de la sanción que pudiera imponerse a la persona jurí-

---

276 Apartado §.8.B.2.1. (Traducción propia).

277 Norma UNE 19601:2017, publicada por la Asociación Española de Normalización en mayo de 2017, vista en CASANOVAS YSLA, A., *Compliance penal normalizado. El estándar UNE 19601*, Aranzadi, Cizur Menor, 2017, pp. 243 y ss., donde se recoge como apéndice final la norma íntegra.

dica; v) tratamiento del riesgo, a saber, el establecimiento de criterios o prácticas para su reducción; vi) revisión, actualización periódica del mapa de riesgos[278]. Coincidentemente, ORSI y RODRÍGUEZ GARCÍA abogan por la generación de una matriz de riesgos, a partir de la cual se pueda establecer la necesidad o no de abordar el riesgo, la prioridad de unos riesgos frente a otros, así como el tipo de acciones que han de acometerse para su reducción[279].

Otro de los análisis que consideramos meritorio mencionar es el de ABIA GONZÁLEZ y DORADO HERRANZ, para quienes el primer paso será el profundo conocimiento del entorno organizativo empresarial. Así, no bastará con analizar la actividad desarrollada por la persona jurídica, sino también cuestiones como el tipo de servicios y/o bienes que ofrece, cuáles son sus procedimientos organizativos y de toma de decisiones, cómo se ha estructurado la entidad, cómo es su relación con los *stakeholders* o en qué territorios opera. Junto con ello, ha de conocerse cuál es el entorno normativo o regulatorio que afecta a la empresa, o lo que es lo mismo, qué concretas normas le resultan de aplicación. Coincidiendo con ORSI y RODRÍGUEZ GARCÍA en cuanto a la elaboración de una matriz de riesgos, ABIA GONZÁLEZ y DORADO HERRANZ apuestan por dos criterios para su realización. De un lado, mediante un análisis de probabilidad (en base a antecedentes históricos de comisión de un concreto delito en la entidad, los miembros de la empresa que pueden cometerlo, la posibilidad de que vuelva a cometerse o la frecuencia con la que el delito se ha producido con anterioridad) e impacto (repercusiones económicas del delito en base a la sanción que pueda imponerse, la posibilidad de que vuelva a ocurrir, o el daño reputacional). De otro lado, mediante el denominado "criterio de la puntuación", consistente en valorar el riesgo inherente a la actividad de la empresa en ausencia total de control, para calcular el riesgo residual tras "descontar"

---

278 NIETO MARTÍN, A., "Código ético, evaluación de riesgos y formación", en A. Nieto Martín (dr.), *Manual de cumplimiento penal en la empresa*, op. cit. pp. 154-158, el autor incluso considera que el mapa de riesgos no ha de limitarse a los ilícitos penales, sino incluir también las infracciones administrativas cuya comisión sea probable por la entidad.

279 RODRÍGUEZ GARCÍA, N. y GABRIEL ORSI, O., "Las investigaciones defensivas en el *compliance* penal corporativo", op. cit. p. 329.

el riesgo reducido por los controles preventivos implantados[280]. En sentido similar, ESCUDERO concibe el análisis del riesgo como la combinación de la ocurrencia del mismo y la consecuencia que de ello se desprenda. Para tal fin habrán de tenerse en cuenta los factores de la actividad de la entidad, su situación económica, su historial delictivo, la cultura de cumplimiento o las características de su personal. En adición, los riesgos han de valorarse, siguiendo a la misma autora, en atención a su "impacto", en lo que se incluirán las penas aplicables y el daño reputacional[281].

En fin, fuera ya de las aportaciones doctrinales, resultan una guía de innegable valor las previsiones de las normas de *soft law*. Tal es el caso de la norma ISO/IEC 31010:2019 – Gestión de Riesgos – Técnicas de evaluación de riesgos[282], donde se desarrollan las fases de la elaboración del mapa de riesgos. Remitiéndonos a la norma para su estudio, baste en este momento con la enumeración de las fases indicadas: identificación de riesgos; análisis de riesgos (causas y fuentes del riesgo); valoración de los controles (qué mecanismos de reducción de riesgos existen en la entidad); análisis de las consecuencias (impacto de la materialización del riesgo); estimación de la probabilidad de ocurrencia del riesgo; priorización de riesgos; conocimiento de las incertidumbres existentes en el proceso de análisis del riesgo (en qué puede haber fallado la identificación del riesgo); evaluación del riesgo (si necesita abordarse o no); documentación de los resultados; y revisión periódica de la apreciación del riesgo.

---

280 ABIA GONZÁLEZ, R. y DORADO HERRANZ, G., *Implantación práctica de un sistema de gestión de cumplimiento-Compliance management system*, Aranzadi, Cizur Menor, 2017, pp. 37-47; sobre la matriz probabilidad/impacto, también AGUILERA GORDILLO, R., *Compliance penal en España*, op. cit. pp. 269-273; LORENZO AGUILAR, J., JIMÉNEZ RODRÍGUEZ, F.A. y DE BLAS HERRERO, C., *Compliance. La responsabilidad penal de las personas jurídicas y la mediación organizacional*, Tébar Flores, Madrid, 2018, pp. 244-245.

281 ESCUDERO, M., "Diagnóstico y mapa de riesgos de compliance", en C.A. Sáiz Peña (coord.), *Compliance. Cómo gestionar los riesgos normativos en la empresa*, Aranzadi, Cizur Menor, 2015, pp. 533-564, esp. pp. 535-542.

282 Publicada en junio de 2019, puede consultarse en https://www.academia.edu/41536420/ISO_31010_2019_Risk_management_Risk_assessment_techniques_Management_du_risque_Techniques_dappr%C3%A9ciation_du_risque (última consulta: 13 de marzo de 2025).

## 2.2. *Protocolos de concreción del proceso de formación de la voluntad de la persona jurídica*

Identificados los riesgos penales, el programa de cumplimiento debe diseñar las medidas destinadas a evitar la materialización de los mismos. La formación de la voluntad de la persona jurídica se basa en la adopción y ejecución de decisiones por parte de su personal, de forma tal que para asegurar que la entidad actúa conforme a Derecho, han de crearse estructuras corporativas de toma de decisiones que imposibiliten, o al menos reduzcan sustancialmente, la comisión delictiva. Define GÓMEZ-JARA DÍEZ esta tipología de estructuras internas como "*la organización del personal en la empresa para ejercitar su poder sobre sus negocios y sus intereses*"[283]. Se trata en este sentido de asegurar que las actuaciones de los miembros de la entidad sean plenamente consonantes con las políticas corporativas y los estándares éticos. Así se desprende del apartado 5.1.1. de la Norma UNE 19601:2017, en el cual se incluyen, entre las funciones del órgano de gobierno de la entidad, el asegurar que se establecen procedimientos de formación de voluntad de la persona jurídica que promuevan la política del *compliance* y el respeto a los estándares éticos. Varias medidas pueden adoptarse a tal fin.

En primer lugar, FERNÁNDEZ TERUELO indica que es imprescindible poner de manifiesto las consecuencias delictivas de los comportamientos que, desviándose de lo permitido por la entidad, pueden darse por los miembros de esta[284]. Así, ha de asegurarse la comprensión por parte de quienes actúan en nombre de la empresa de que sus actuaciones pueden resultar ilícitas y dar lugar no solo a su propia responsabilidad, sino también a la de la persona jurídica.

Correlacionado con lo anterior y en segundo lugar, los miembros de la organización han de ser debidamente formados. Entendemos la formación en un doble sentido: por un lado, como la difusión del programa de cumplimiento a lo largo de todo el entramado organi-

---

283 GÓMEZ-JARA DÍEZ, C., "La culpabilidad de la persona jurídica", op. cit. p. 205.

284 FERNÁNDEZ TERUELO, J.G., *Parámetros interpretativos del modelo español de responsabilidad penal de las personas jurídicas y su prevención a través de un modelo de organización o gestión (compliance)*, op. cit. p. 208.

zativo de la entidad, de modo que todos los miembros tengan pleno conocimiento del mismo[285]; por otro lado y en lo que ahora más nos interesa, como la concienciación referente a la influencia que decisiones y comportamientos aparentemente individuales, pueden tener sobre una eventual responsabilidad penal de la persona jurídica[286].

En tercer lugar, debe procurarse que las decisiones más trascendentales en la persona jurídica, y de las cuales pueda derivarse un mayor riesgo delictivo, no sean tomadas de manera individual por un solo sujeto físico, sino de manera colectiva por personas con competencias relevantes en la entidad[287]. Para este fin, es crucial definir quiénes pueden ser las personas con capacidad de toma de decisiones, habiéndose manifestado la Fiscalía General del Estado en la Circular 1/2016, de 22 de enero, en el sentido de que "*además de la obligación de atender a los criterios de idoneidad fijados por la normativa sectorial* (...), *la persona jurídica debe tener muy en consideración la trayectoria profesional del aspirante y rechazar a quienes, por sus antecedentes, carezcan de la idoneidad exigible*".

En cuarto lugar, es conveniente el diseño de un organigrama en el que se relacionen todos los individuos que tienen potestades decisorias y ejecutivas, precisando además las funciones y atribuciones de

---

285 Sobre este punto, en las *United Sates Sentencing Commission Guidelines Manual 2021* se incide sobre la formación del personal de alto nivel, de los mandos intermedios, de los trabajadores y de cualquier agente que se relacione con la entidad, al respecto de las normas, procedimientos y demás aspectos del programa de *compliance* (apartado §.8.B.2.1.4); por su parte, el apartado 7.2.2 de la Norma ISO 37301:2021 indica que en un periodo de tiempo razonable desde su incorporación a la organización, los miembros han de tener acceso a la política de *compliance*, siendo formados al respecto de su aplicación; junto con ello, el apartado 7.2.3 de la misma norma incide en que la formación ha de ajustarse a las características de cada miembro de la organización, al tiempo que se revisa periódicamente.

286 Siguiendo el apartado 6.3 de la Norma ISO 37301:2021, los miembros de la organización deben tomar conciencia de: la política de *compliance*; su contribución a la eficiencia del sistema; las implicaciones de no cumplir con el sistema; los canales para trasladar sus dudas en materia de *compliance*; cómo ajustar su rol en la entidad al cumplimiento con la política de *compliance*; la importancia de formar parte de la cultura de *compliance*.

287 FERNÁNDEZ TERUELO, J.G., *Parámetros interpretativos del modelo español de responsabilidad penal de las personas jurídicas y su prevención a través de un modelo de organización o gestión (compliance)*, op. cit. p. 208,

los mismos. Ello permitirá, según AGUILERA GORDILLO, definir los procesos de toma de decisiones, de forma tal que "*debe quedar constancia de todo el cauce, así como los intervinientes y documentos, desde la primera aparición en el orden del día de un órgano para su toma en consideración* (...), *hasta el órgano que ordena materializar la decisión*"[288]. El mismo autor pasa a continuación a definir el denominado "*modelo de las tres líneas de defensa*", según el cual, existen tres esferas de control de la correcta toma de decisiones en la entidad, de modo que se asegure que el proceso de formación de voluntad de la persona jurídica es acorde a las políticas corporativas y ajustado a Derecho: i) personal operativo, empleados y mandos intermedios que desarrollan materialmente la actividad de la empresa y que, en consecuencia, son más cercanos a los riesgos delictivos que de ella puede derivarse, facilitando su identificación; ii) miembros con facultades de supervisión y control de riesgos, esto es, los *compliance officers*, sobre los que se hace recaer la monitorización de los riesgos penales; iii) auditoría interna, cuya función consiste en controlar las decisiones adoptadas de manera independiente[289]. Todo ello integra una "triple barrera" para evitar, en la medida de lo posible, la materialización de los riesgos con relevancia penal a consecuencia de decisiones de alguno de los miembros de la persona jurídica.

En quinto y último lugar, debe tenerse en consideración que las decisiones sobre las que el control ha de ser más cuidadoso vendrán determinadas por el previo mapa de riesgos que, como hemos indicado en el epígrafe anterior, depende del concreto ámbito de actividad de la persona jurídica. A modo ilustrativo, continuando con los ejemplos referidos con anterioridad, un partido político deberá ser especialmente cuidadoso con las decisiones atinentes a la gestión y percepción de fondos, para reducir el riesgo de financiación ilegal; una clínica privada deberá cuidar los protocolos y toma de decisiones en el ámbito

---

[288] AGUILERA GORDILLO, R., *Compliance penal en España*, op. cit. p. 283, añade además el autor que "*para conocer y mejorar los procesos* (...), *es pertinente realizar una serie de actuaciones consistentes en la observación de su desarrollo, la experimentación con el mismo mediante intervenciones aleatorias, sorpresivas o de incógnito, la realización de cuestionarios sobre las fortalezas y debilidades del proceso a directivos, trabajadores y socios del negocio, etc.*".

[289] *Ibidem*, pp. 286-287.

de los trasplantes, para reducir el riesgo de tráfico de órganos; una industria habrá de ser vigilante con las decisiones referentes a la compra de materias primas y gestión de residuos en el proceso de producción, para reducir el riesgo de delitos medioambientales; una constructora prestará especial atención a las decisiones sobre dónde urbanizar, para evitar un delito de edificación no autorizable; o una entidad bancaria cuidará la toma de decisiones en torno a la gestión de fondos encomendados por sus clientes, para evitar un delito de blanqueo de capitales. Junto con ello, al igual que existen delitos o riesgos transversales, habrá toma de decisiones que, independientemente de la actividad de la persona jurídica, serán susceptibles de derivar en un comportamiento delictivo y, por tanto, tendrán que ser especialmente vigiladas. Es el caso de decisiones referentes a compras, a gestión de subvenciones y demás ayudas públicas o a la participación en el mercado.

### *2.3. Modelos de gestión de recursos financieros*

La condición de eficacia de los programas de cumplimiento introducida por el artículo 31 bis 5 3° CP, es entendida por la doctrina desde un doble punto de vista. Así, mientras que para algunos se traduce en la dotación al modelo de prevención y gestión de los recursos suficientes para su efectividad práctica, otros autores añaden además que el precepto implica una gestión diligente de los recursos financieros de la entidad, en el sentido de que su empleo no derive en prácticas delictivas.

Por cuanto se refiere a la primera de las opiniones, bien es cierto que de nada sirve delinear un mapa de riesgos penales y diseñar mecanismos de control de toma de decisiones para evitar su materialización, si estos últimos no se ejecutan. Para ello, claro está, la persona jurídica ha de destinar fondos suficientes a la efectiva implementación del programa de cumplimiento[290]. Desde luego, la confección de mo-

---

290 Coincidente en este punto, MUÑOZ DE MORALES ROMERO apunta como ejemplo la consideración por los órganos jurisdiccionales italianos acerca de la insuficiencia del programa de cumplimiento, como consecuencia de la falta de recursos económicos destinados a su ejecución, MUÑOZ DE MORALES ROMERO, M., "Programas de cumplimiento "efectivos" en la experiencia comparada", en L. Arroyo Zapatero y A. Nieto Martín (dres.), *El Derecho Penal económico*

delos preventivos que queden en papel mojado ante la insuficiencia de recursos para su ejecución, es un síntoma más que evidente de su carácter cosmético, razón por la cual el legislador ha introducido la dotación económica del programa de *compliance* entre los requisitos que determinan su efectividad de cara a la exoneración de responsabilidad de la persona jurídica.

ECHEVERRIA BERECIARTUA sostiene en este sentido que "*esta dotación presupuestaria del modelo preventivo es un indicio de la seriedad del modelo organizativo y uno de los aspectos más destacados a revisar dentro del marco de un proceso penal contra cualquier entidad*", aventurando además que la cuantía del presupuesto, ante el silencio normativo predominante, se correlacionará con la gravedad de los riesgos detectados y el tamaño de la persona jurídica[291].

A mayores, especifica FERNÁNDEZ TERUELO que ha de efectuarse una valoración regular acerca de la suficiencia de la inversión en las actividades especialmente susceptibles de comisión delictiva, resultando particularmente significativo el gasto destinado en materia de protección de datos, seguridad informática o prevención de riesgos laborales[292].

AGUILERA GORDILLO descarta que el apartado tercero del artículo 31 bis CP tenga por finalidad la descrita por ECHEVERRIA BERECIARTUA y FERNÁNDEZ TERUELO. Para el autor, la dotación de medios al programa de *compliance* es una premisa de la implementación de todo modelo de cumplimiento penal, de modo que

---

*en la era compliance*, op. cit. pp. 211-230, esp. p. 219; de la misma opinión es NIETO MARTÍN, para quien la dotación de recursos adecuados, económicos y humanos, es requisito de eficacia del programa de cumplimiento; ahora bien, advierte el autor que la sobredimensión del departamento de cumplimiento penal, destinando al mismo más recursos de los necesarios, puede conllevar el indeseable resultado de que el personal de cumplimiento, con el fin de justificar su importancia dentro de la entidad, exagere riesgos o lleve a cabo controles innecesarios, que a la larga deslegitimarán el *compliance program*, NIETO MARTÍN, A., "Fundamento y estructura de los programas de cumplimiento normativo", op. cit. p. 134.

291 ECHEVERRIA BERECIARTUA, E., *Las modalidades de responsabilidad penal de las personas jurídicas en el marco del proceso penal*, op. cit p. 216.

292 FERNÁNDEZ TERUELO, J.G., *Parámetros interpretativos del modelo español de responsabilidad penal de las personas jurídicas y su prevención a través de un modelo de organización o gestión (compliance)*, op. cit. pp. 208-209.

forma parte esencial de la eficacia en la ejecución a la que se refiere el artículo 31 bis 2. 1º CP. Sin dotación económica, el programa no podrá ser ejecutado eficazmente, por lo que de entrada nos encontraremos ante la imposibilidad de exceptuar la responsabilidad penal de la entidad, sin necesidad de entrar a valorar si se dan los requisitos del artículo 31 bis 5 CP. Con todo, AGUILERA GORDILLO se detiene en la segunda de las operatividades del precepto penal que nos ocupa, la cual "*conlleva que la persona jurídica se organice de forma que existan mecanismos de control y supervisión sobre la actividad financiera y contable tendentes a evitar riesgos de relevancia penal*"[293]. Ello con tres propósitos fundamentales: i) impedir que los recursos financieros de la entidad se destinen a prácticas delictivas[294]; ii) impedir el blanqueo de capitales; iii) impedir conductas de fraude contra la Hacienda Pública, la Seguridad o cualesquiera Administraciones Públicas[295], incluyéndose el fraude a los intereses financieros de la Unión Europea. A este listado, consideramos que habría de añadirse el objetivo de impedir la falsificación contable, desincentivando el maquillaje de las cuentas anuales, de modo que las mismas den fiel reflejo de sus resultados contables. No en vano el artículo 259 CP, cuyo apartado 1. 6º sanciona a quien incumpla "*el deber legal de llevar contabilidad, lleve doble contabilidad, o cometa en su llevanza irregularidades que sean relevantes para la comprensión de su situación patrimonial o financiera*", puede ser cometido por las personas jurídicas en atención al artículo 261 bis CP.

Abogamos, sin embargo, por una posición a caballo entre las señaladas. La redacción del precepto que nos ocupa permite deducir sin grandes complicaciones que la gestión de recursos financieros se refiere tanto a la dotación al programa de *compliance* de medios suficientes para su ejecución, como al control de las políticas financieras y contables. Ciertamente, la Norma UNE 19601:2017 parece referir ambas finalidades. Así, por un lado, el apartado 6.3 incluye entre los objetivos de *compliance* la determinación de los recursos requeridos para impedir la materialización de los riesgos penales detectados; por

---

293 AGUILERA GORDILLO, R., *Compliance penal en España*, op. cit. p. 291.

294 Como pudiera ser el cohecho, la corrupción, la financiación ilegal de partidos políticos o la financiación de organizaciones criminales y grupos terroristas.

295 AGUILERA GORDILLO, R., *Compliance penal en España*, op. cit. p. 292.

otro lado, el apartado 8.3 señala que la organización ha de contar con controles en los procesos de gestión de sus recursos financieros, de forma tal que se detecten y prevengan riesgos penales en la administración económica de la persona jurídica.

## *2.4. Sistema disciplinario*

Otro de los elementos valorativos del programa de *compliance* es la constitución de un régimen disciplinario interno por el cual los miembros de la entidad que violenten el modelo de prevención y gestión puedan resultar sancionados. Este requisito supone, para AGUILERA GORDILLO, la introducción de una "*bicondicionalidad del cumplimiento*", puesto que se persigue la sanción por incumplimiento de las medidas establecidas en el *compliance program*, pero al mismo tiempo el *compliance* tiene por finalidad la persecución de los incumplimientos[296].

Precisa la Fiscalía General del Estado, en la Circular 1/2016, de 22 de enero, que "*La obligación de establecer un sistema disciplinario adecuado que sancione el incumplimiento de las medidas adoptadas en el modelo, recogida en el quinto requisito, presupone la existencia de un código de conducta en el que se establezcan claramente las obligaciones de directivos y empleados*". Hemos de responder, por tanto, a la cuestión de cómo se define un código de conducta.

Sirva esto para dejar claro que programa de *compliance* y código de conducta (o código ético) no son sinónimos. El programa de cumplimiento penal se erige en un requisito de exención de responsabilidad de las entidades, en tanto que el código ético o de conducta es un mero elemento valorativo de aquel, cuya existencia y atención por parte de los miembros de la organización permitirá graduar la eficacia del *compliance program* y, de esta suerte, valorar si el mismo sirve a efectos de exención o de atenuación de la responsabilidad. Como señala NIETO MARTÍN, "*los códigos éticos son documentos que contienen y establecen los valores de la empresa, desarrollándose un conjunto de reglas destinadas a guiar los comportamientos de sus destinatarios en el interior de la empresa y con los distintos grupos de*

---

[296] *Ibidem* p. 312.

*interés*"[297]. Estos códigos son una manifestación palpable de la capacidad autorregulatoria de la persona jurídica, debiendo venir además revestidos de un carácter vinculante, de forma tal que su infracción dé como resultado la imposición de una sanción. Consecuentemente, el código ético o de conducta coadyuva al respeto por parte de los miembros de la entidad (ya sean directivos o trabajadores) de los valores y principios de esta, no teniendo por qué limitarse al establecimiento de prohibiciones que sean plenamente consonantes con las tipologías delictivas, sino pudiendo ir más allá en el sentido de prevenir y sancionar conductas que, aunque no deriven en un comportamiento criminal, se consideran contrarias a las buenas prácticas de la empresa. Así, por ejemplo, puede restringir la aceptación de regalos, prever conflictos de interés, regular las relaciones con los clientes, limitar el uso de bienes de la persona jurídica en interés propio o prohibir la práctica de actividades contrarias a la imagen de la entidad.

La sanción de los comportamientos contrarios al código de conducta supone reconducir el estudio de la cuestión a la esfera del Derecho Laboral, pues es en ella donde encontramos el poder de dirección del empresario[298] y, por consiguiente, la facultad para castigar a los miembros de la organización. Su fundamento subyace, en última instancia, en la situación de subordinación característica del trabajo asalariado. Por añadidura, el Código Penal no prevé graduación alguna del régimen sancionatorio[299], de forma tal que resulta plenamente aplicable el artículo 58 ET, en virtud del cual, "*Los trabajadores podrán ser sancionados por la dirección de las empresas en virtud de incumplimientos laborales, de acuerdo con la graduación de faltas y sanciones que se establezcan en las disposiciones legales o en el convenio colectivo que sea aplicable*". Critica GÓMEZ-JARA DÍEZ la falta

---

[297] NIETO MARTÍN, A., "Código ético, evaluación de riesgos y formación", op. cit. p. 136.

[298] Vid. art. 20.3 Real Decreto Legislativo 2/2015, de 23 de octubre, por el que se aprueba el texto refundido de la Ley del Estatuto de los Trabajadores (ET), BOE n. 255, de 24 de octubre de 2015, pp. 100224-100308.

[299] Tampoco lo hace la Norma UNE 19601:2017, en cuyo apartado 7.3.2.1 se limita a señalar que, en caso de incumplimiento de las obligaciones de *compliance* por miembros de la organización, se impondrán acciones disciplinarias proporcionales; ni la Norma ISO 37301:2021, cuyo apartado 5.3.1 atribuye a la alta dirección el ejercicio de acciones disciplinarias.

de remisión expresa por el artículo 31 bis 5.5° CP al artículo 58 ET, como sí ocurre por ejemplo con el artículo 29.3 de la Ley 31/1995, de 8 de noviembre, de prevención de Riesgos Laborales[300]. En opinión del autor, sin embargo, es razonable suponer una remisión implícita del Código Penal en este sentido[301].

No entraremos a analizar las peculiaridades del procedimiento sancionatorio laboral, el cual tiene que ser respetuoso con los derechos de los trabajadores. En lo que aquí nos interesa, baste con decir que su implantación es síntoma de la eficacia del programa de cumplimiento, pues como bien hace notar GÓMEZ-JARA DÍEZ, "*si las medidas del modelo son incumplidas y ello no conlleva ninguna consecuencia negativa para el infractor, lo cierto es que difícilmente puede considerarse que el modelo es efectivo*"[302].

En cualquier caso, el procedimiento disciplinario no puede ser arbitrario, sino que el abanico de conductas no permitidas por el código de conducta que puede dar lugar a la imposición de una sanción, ha de ser conforme con las prácticas prohibidas ya sea por la legislación, ya sea por los convenios colectivos aplicables al ámbito de actuación empresarial. La ausencia de previsión normativa, en suma, imposibilita la sanción disciplinaria[303]. Así, si la sanción que pretende ser impuesta es el despido disciplinario, habrá de estar a las causas que para ello regula el artículo 54 ET. Para otra tipología de sanciones, las posibilidades de imposición dependerán de lo establecido en los convenios colectivos. Es por ello que, en la práctica, la sanción por comportamientos contrarios al código ético o de conducta queda desdibujada, toda vez que, afirma NIETO MARTÍN, "*dado el escaso reflejo de los códigos éticos en las sanciones establecidas en los convenios, la mayoría de los códigos en nuestro país suelen pasar de "puntillas" sobre este asunto, incluyendo cláusulas del estilo como*

---

300 Por el cual, "*El incumplimiento por los trabajadores de las obligaciones en materia de prevención de riesgos a que se refieren los apartados anteriores tendrá la consideración de incumplimiento laboral a los efectos previstos en el artículo 58.1 del Estatuto de los Trabajadores* (...)".

301 GÓMEZ-JARA DÍEZ, C., "La culpabilidad de la persona jurídica", op. cit. p. 212.

302 *Ibidem* p. 211.

303 ECHEVERRIA BERECIARTUA, E., *Las modalidades de responsabilidad penal de las personas jurídicas en el marco del proceso penal*, op. cit. p. 234.

*"la vulneración del código supondrá una falta de carácter laboral conforme a la legislación vigente"*[304]. Nos encontramos así en una especie de "círculo vicioso", puesto que la mayoría de los códigos éticos se remiten a los convenios colectivos para la concreción de las conductas sancionables, y a su vez, estos últimos se limitan a señalar que serán sancionables los incumplimientos de los códigos de conducta[305].

Por añadidura, si las sanciones ajustadas al ET y los convenios directivos se basan en el poder de dirección del empresario y, por tanto, tienen como destinatarios a los empleados, ¿qué ocurre cuando el incumplimiento del código de conducta se produce por el propio personal de alta dirección? ¿Dónde encuentra fundamento la sanción en tal supuesto? Para AGUILERA GORDILLO, la respuesta a las preguntas que nos planteamos pasaría por incluir en los contratos mercantiles, que suelen ser los habituales en la relación empresa-alta dirección, las normas concretas del código de conducta de la entidad que pueden ser con mayor probabilidad violentadas por la alta dirección, estableciendo en el propio documento contractual las sanciones a imponer en su caso[306]. En nuestra opinión, si bien es una solución factible, supone un "doble rasero" para la imposición de sanciones en función de si los destinatarios son los trabajadores o los directivos. Y es que, mientras que para los primeros el poder de dirección del empresario queda siempre condicionado por la legislación laboral y sometido al

---

304 NIETO MARTÍN, A., "Código ético, evaluación de riesgos y formación", op. cit. p. 150.

305 Exponemos a modo de ejemplo el código de conducta del Grupo BBVA, el cual se limita a señalar que "*Los incumplimientos de las disposiciones previstas en este Código pueden motivar la adopción de medidas disciplinarias conforme a la regulación interna y la legislación laboral aplicable, aparte de cualesquiera otras posibles responsabilidades legales que puedan resultar de aplicación*", disponible en https://www.bbva.es/content/dam/public-web/bbvaes/documents/legal/informacion-legal/codigo-de-conducta.pdf (última consulta: 4 de marzo de 2025); otro ejemplo es el código ético de Calidad Pascual, por el cual, "*Las sanciones correspondientes a las faltas disciplinarias consistentes en incumplimientos de la Ley, del Código Ético, de los valores, de cualquier otra normativa interna o protocolo de actuación implantado en el Grupo Pascual, se considerarán como leves, graves o muy graves, dependiendo de las circunstancias concretas del caso*", disponible en https://www.calidadpascual.com/wp-content/uploads/2022/11/codigo-etico.pdf (última consulta: 4 de marzo de 2025).

306 AGUILERA GORDILLO, R., *Compliance penal en España*, op. cit. p. 313.

control de los órganos jurisdiccionales del orden social, para los segundos no se contemplan tales garantías.

A resultas de todo lo anterior, no es en absoluto sencillo constatar la eficacia del programa de cumplimiento en base a los sistemas sancionatorios internos. Remitiéndonos de nuevo a NIETO MARTÍN, "*la situación ideal en cuanto al derecho disciplinario relacionado con el código ético, más que una referencia genérica en el convenio colectivo, es que exista una política disciplinaria específica inspirada en los valores del código, que permita sanciones proporcionales y que donde la imposición de la sanción vaya acompañada de un proceso justo*"[307].

## *2.5. Verificación periódica del modelo*

Como último punto clave en la eficacia del *compliance program*, el artículo 31 bis 5 CP asienta en el apartado sexto la conveniencia de efectuar una revisión periódica del mismo, a fin de proceder a su modificación cuando se constaten infracciones de sus disposiciones, así como cuando los cambios en la estructura de la organización o en las actuaciones de esta requieran una actualización del mapa de riesgos. Este precepto ofrece una redacción sustancialmente similar a la del apartado 4.6 de la Norma ISO 37301:2021, según el cual, "*los riesgos de* compliance *deben evaluarse periódicamente y siempre que haya cambios materiales en las circunstancias o el contexto de la organización*". El modelo de cumplimiento ha de ser un sistema vivo, sometido a un proceso de mejora continua[308].

Somos coincidentes, en su análisis de la norma penal española, con lo apuntado por la Fiscalía General del Estado en la Circular 1/2016, de 22 de enero, la cual señala que, "*Aunque el texto no establece plazo ni procedimiento alguno de revisión, un adecuado modelo de organización debe contemplarlos expresamente*". La periodicidad quedará determinada por la peligrosidad de los riesgos penales iden-

---

307 NIETO MARTÍN, A., "Código ético, evaluación de riesgos y formación", op. cit. p. 152.

308 ABIA GONZÁLEZ, R. y DORADO HERRANZ, G., *Implantación práctica de un sistema de gestión de cumplimiento-Compliance management system*, op. cit. p. 69.

tificados y por el tamaño de la persona jurídica[309], pudiendo además tomarse como referencia las prácticas habituales en el sector concreto en el que opere la entidad[310].

Tampoco concreta la norma penal en qué ha de consistir la verificación. De hecho, la redacción literal de la norma puede dar lugar a confusión, pues al incluir un listado de supuestos cuya concurrencia debe derivar en revisión (recordemos, infracción del programa, cambios estructurales en la entidad o modificaciones en la actividad de esta), pudiera llegar a pensarse que el examen de eficacia del modelo se producirá cuando se dé alguna de tales circunstancias, no siendo preciso el establecimiento de una periodicidad concreta, de forma tal que su acometimiento obedezca a criterios causales. Sin embargo, estimamos que tal argumentación no puede ser sostenida. Ciertamente, somos más proclives a interpretar el precepto en el sentido de que, debiendo ser la revisión del programa periódica, será simplemente su modificación o actualización la que quede condicionada a la constatación de alguna de las eventualidades referidas. De esta opinión es AGUILERA GORDILLO, quien sostiene en su interpretación de la norma que la misma establece en realidad dos tipos de revisiones: una ordinaria o periódica, debiendo establecer el *compliance program* el lapso temporal de realización; y otra extraordinaria, a realizar cuando se den alguna de las circunstancias indicadas en el artículo[311].

Sea como fuere, los supuestos de modificación sí quedan definidos por el legislador penal. Por cuanto se refiere a la constatación de "*infracciones relevantes*" de las disposiciones del programa, en este caso la actualización del mismo será resultado de una previa investigación interna[312]. Es por ello que, entendemos, la eficacia de las indagaciones

---

309 ECHEVERRIA BERECIARTUA, E., *Las modalidades de responsabilidad penal de las personas jurídicas en el marco del proceso penal*, op. cit. p. 240.

310 AGUILERA GORDILLO, R., *Compliance penal en España*, op. cit. p. 320, señala el autor que, en las grandes o medianas empresas, lo habitual viene siendo establecer una revisión periódica anual, soliendo ser el lapso temporal superior en las pequeñas empresas.

311 *Ibidem*, p. 320.

312 Así se contempla en las *United Sates Sentencing Commission Guidelines Manual 2021*: "*Una vez detectada la conducta delictiva, la organización adoptará medidas razonables para responder adecuadamente a la conducta delictiva y para prevenir nuevas conductas delictivas similares, incluyendo las modificaciones ne-*

corporativas no se limita única y exclusivamente a la comprobación de si existen en la entidad prácticas delictivas, sino que, en caso de así averiguarse, la investigación habrá de culminar con una renovación del modelo que impida que, en lo sucesivo, acontezcan en la persona jurídica comportamientos similares. Por otro lado, la constatación de "*cambios en la organización, en la estructura de control o en la actividad desarrollada*", requerirá la elaboración de un nuevo mapa de riesgos, ajustado a la nueva idiosincrasia de la persona jurídica. Es precisamente de los nuevos riesgos penales apreciados de los que derivará la necesidad de actualizar el programa de cumplimiento.

Los supuestos de modificación del modelo previstos en el Código Penal no son, sin embargo, *numerus clausus*. Tal aseveración se desprende de las palabras de la Fiscalía General del Estado en la Circular 1/2016, de 22 de enero, al especificarse que "*el modelo deberá ser revisado inmediatamente si concurren determinadas circunstancias que puedan influir en el análisis de riesgo, que habrán de detallarse y que incluirán, además de las indicadas en este requisito, otras situaciones que alteren significativamente el perfil de riesgo de la persona jurídica (por ej., modificaciones en el Código Penal que afecten a la actividad de la corporación)*". Así, para la Fiscalía General del Estado, los casos de revisión asentados por el legislador son meros ejemplos de circunstancias que precisarán de una actualización del modelo, no agotando ni mucho menos las coyunturas en los que esta renovación debe producirse. A modo ilustrativo, señalamos como necesaria la revisión y modificación cuando se produzcan cambios en la estructura de toma de decisiones en la persona jurídica; cuando se presenten quejas formales por parte de miembros de la organización o de personas externas a la misma por las prácticas acometidas o; como no puede ser de otro modo, cuando se produzcan cambios legislativos que contemplen como delitos imputables a las entidades supuestos de hecho hasta el momento no atribuibles a las mismas[313]. Cuando

---

*cesarias en el programa de cumplimiento y ética de la organización*" (Traducción propia) (apartado §.8.B.2.1.7).

313 A modo de ejemplo, indicamos la obligada actualización de los modelos de cumplimiento penal a raíz de la entrada en vigor de la Ley 2/2023, de 20 de febrero, reguladora de la protección de las personas que informen sobre infracciones normativas y de lucha contra la corrupción. Y es que, conforme a la misma, las

no acontezca ningún hecho que exija la modificación, la verificación del modelo valorará aspectos genéricos como la independencia de la función de *compliance*, el grado de cumplimiento de los objetivos del programa, la adecuación de la evaluación de riesgos o la eficacia de los controles de cumplimiento del programa[314].

Con todo, coincidimos con ABIA GONZÁLEZ y DORADO HERRANZ en que la misión de la verificación "*estriba en otorgar un análisis global instantáneo de la situación global de la empresa en un determinado momento, reflejando el estado del* compliance *en la fecha de la auditoría, así como comprobar (...) si el sistema se ha ajustado a los cambios organizativos y legales que hayan podido suceder*"[315].

En fin y en cuanto a la práctica de la verificación, aludimos de nuevo a AGUILERA GORDILLO para enunciar la metodología que puede utilizarse, así, "*entrevistas, encuestas, acopio de información estadística, revisión de expedientes y reclamaciones, estudio de la repercusión del cambio en la labor de monitorización o en el software de control, etc.*"[316]. Similar es el planteamiento introducido por el apartado 9.1.2 de la Norma ISO 37301:2021, donde se indica que la organización buscará y recibirá opiniones acerca del desempeño del programa de *compliance* por cualquier fuente.

Los cambios han de hacerse de forma planificada, siendo claros los criterios asentados por el apartado 6.3 de la Norma ISO 37301:2021, según el cual, la organización valorará el objetivo de las modificaciones y las consecuencias que de ellas pueden derivarse; la eficacia operacional; los recursos disponibles; y la reasignación de responsabilidades o de la facultad de toma de decisiones. El proceso culminará con la redacción por el oficial del cumplimiento de un "informe de verificación", esto es, el "*documento que deberá contener los objeti-*

entidades con 50 o más empleados se ven compelidas a la implantación de canales de denuncia, lo que hasta el momento era una práctica meramente potestativa pero que con la Ley requiere de una actualización obligada de los *compliance programs* para su incorporación.

314 Vid. a estos efectos apartado 9.3.2 de la Norma ISO 37301:2021.

315 ABIA GONZÁLEZ, R. y DORADO HERRANZ, G., *Implantación práctica de un sistema de gestión de cumplimiento-Compliance management system*, op. cit. p. 70.

316 AGUILERA GORDILLO, R., *Compliance penal en España*, op. cit. p. 323.

*vos perseguidos con la revisión, las actuaciones que se han realizado para valorar y evaluar la repercusión de la circunstancia que motivó la revisión, el grado de repercusión sobre los posibles riesgos o incumplimientos previstos en el* compliance *y, si procediera, las medidas correctoras que se proponen adoptar*"[317]. Verdaderamente, el reflejo documental de las actuaciones practicadas es fundamental de cara a su posterior acreditación.

**Figura 1. Requisitos de eficacia de los programas de *compliance***

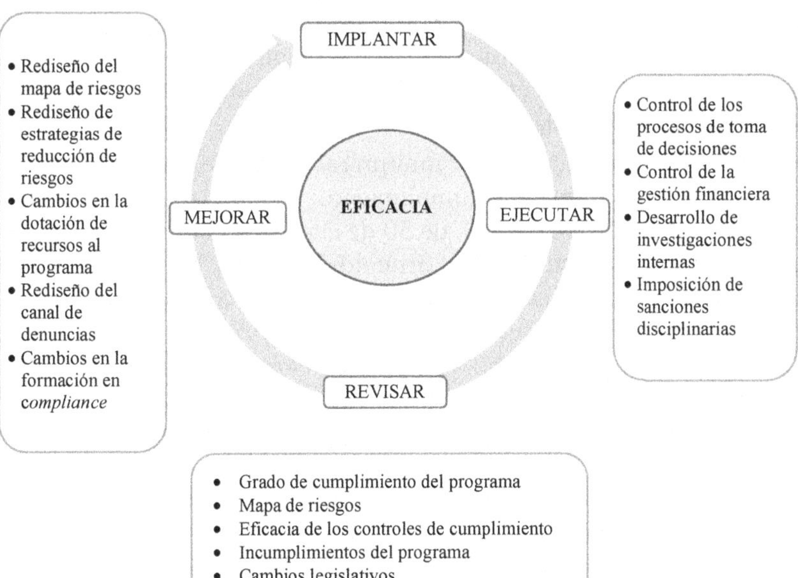


Fuente: elaboración propia.

317 *Ibidem*, p. 323.

## 3. CRITERIOS JURISDICCIONALES DE VALORACIÓN DE LA EFICACIA

Antes de dar por finalizado este Capítulo, aludiremos a las interpretaciones jurisprudenciales al respecto de cómo deben valorarse por el órgano judicial los elementos de eficacia de los *compliance programs* que hemos estudiado. A estos efectos, pueden distinguirse dos criterios de análisis de la consabida eficacia. De un lado, encontramos la perspectiva legalista por la cual nos decantamos, en la que la estimación de la circunstancia eximente exige que el juzgador aprecie la concurrencia de cada uno de los seis requisitos enumerados en el artículo 31 bis 5 CP. Así pues, de advertirse la inoperatividad de alguno de ellos, procedería a lo sumo la estimación de una circunstancia atenuante de la responsabilidad penal en virtud de los apartados 2 y 4 del artículo 31 bis. De otro lado, desde una perspectiva menos formalista, la valoración de la eficacia del programa se realiza por otros órganos jurisdiccionales de forma general, es decir, sopesando la existencia o no de una cultura de cumplimiento en la persona jurídica de manera global, sin entrar a analizar uno por uno los elementos señalados por el legislador penal.

En consonancia con esta "interpretación en conjunto" de la eficacia de los programas de cumplimiento, cabe señalar el Auto de la Audiencia Nacional 36/2023, de 30 de enero, en el que, sin examinar uno por uno los elementos del artículo 31 bis 5 CP, se concluye que tanto CAIXABANK como REPSOL contaban con una "*cultura de cumplimiento, de prevención de delitos y respeto al Derecho*", indicando a en este sentido que "*Para valorar el modelo de cumplimiento de prevención de delitos ha de tenerse en cuenta toda la normativa que incide en ello sin focalizarlo en el incumplimiento de una única y concreta norma, pues para que las actividades de control y cumplimiento cumplan su misión, es preciso que funcionen de una manera colectiva*"[318]. Por vez primera en el examen del artículo 31 bis 5 CP por los órganos jurisdiccionales, asume la Audiencia Nacional que "*ningún modelo es infalible*", de forma que la comisión de un delito por alguno de los miembros de la entidad no implica *per se* que el programa de cumplimiento penal sea contrario a la normativa vigen-

---

[318] AAN 36/2023, de 30 de enero, ECLI:ES:AN:2023:935A (*Tol 9394169*), FJ 7º.

te[319]. En resumidas cuentas, la Audiencia Nacional sostiene que la ineficacia de los modelos de cumplimiento no puede valorarse exclusivamente sobre la base de la desatención a una concreta norma, esto es, sobre la inobservancia de una de las condiciones del artículo 31 bis 5 CP, sino que debe prevalecer un examen colectivo y genérico de toda la documentación aportada por las partes.

En este modelo de "interpretación en conjunto", lo determinante es valorar que no nos hallamos ante un *compliance* puramente cosmético, debiéndose focalizar la atención sobre el mapeo de riesgos. Junto con ello, en atención a las circunstancias del caso concreto, habrá de estarse a la capacidad disuasoria del programa; a su difusión entre todos los miembros de la entidad; a su aptitud para minimizar, neutralizar o reaccionar frente a los riesgos detectados; y/o a la existencia de un sistema sancionatorio interno. Sin embargo, la finalidad del legislador al incluir los requisitos del artículo 31 bis CP no es tanto facilitar la exención de responsabilidad de las personas jurídicas, como compeler a estas a contar con modelos de prevención delictiva que cumplan con unos estándares mínimos. La valoración en conjunto del *compliance program* incrementará las posibilidades de una resolución favorable a la persona jurídica, pero desvirtuará la percepción estricta de los seis elementos legalmente previstos. En efecto, de haberse pretendido por el legislador la valoración "en conjunto", no se hubiese diferenciado entre supuestos de exención y de atenuación de la responsabilidad.

En cualquier caso, pese a las críticas que pueda merecer, la deriva jurisdiccional insinúa la pervivencia futura de la "interpretación en conjunto". En este punto cobran valor indicios de eficacia no específicamente requeridos por el legislador, como las certificaciones oficiales, los informes periciales, las auditorías internas y externas, o la formación a los miembros de la organización[320]. Por añadidura,

---

319 AAN 36/2023, de 30 de enero, op. cit. FJ 8º.

320 La formación es uno de los indicadores más palmarios de la eficacia de los *compliance program*. Los programas de cumplimiento no pueden ser estándar o cosméticos, sino hechos a medida de la empresa e impregnados en cada uno de los trabajadores. Al igual que los trabajadores cada vez están más habituados al respeto de la normativa de riesgos laborales, también se les tiene que transmitir la preocupación por los riesgos de comisión delictiva. Tienen que saber que hay un

observa la Audiencia Nacional en el Auto 179/2022, de 14 de marzo, que deben tenerse en cuenta otros elementos valorativos, tales como la gravedad del delito, su extensión, las personas afectadas o la existencia de sanciones anteriores por hechos de la misma naturaleza[321]. Todos estos extremos son claramente significativos de la existencia en la persona jurídica de una cultura de cumplimiento de la legalidad, debiendo ser así valorados por los órganos jurisdiccionales. Como observa la Audiencia Nacional en el Auto 179/2022, de 14 de marzo, "*los programas de cumplimiento no implican por sí mismos una patente de corso; su mera existencia, ni exime, ni atenúa la responsabilidad penal, sino que debe expresar necesariamente un compromiso corporativo que realmente disuada de conductas criminales*"[322].

En otro orden de ideas, es criterio jurisprudencial que la valoración en conjunto puede hacerse en fase de instrucción, sin necesidad de abrir juicio oral en caso de que la documentación aportada o recabada por las partes permita motivar con suficiencia el dictado de un Auto de sobreseimiento en favor de la entidad *ex* artículos 637.3 y 779.1 LECrim[323]. Volviendo al Auto de la Audiencia Nacional 179/2022, de 14 de marzo, lo cierto es que "*no existe inconveniente alguno, cuando menos legal, desde el punto de vista procesal para que en la fase de instrucción se llegue a la estimación de la existencia de un programa de cumplimiento con eficacia excluyente de la responsabilidad*

---

programa de cumplimiento, que hay un canal de denuncias, qué normas deben regir su comportamiento (por ejemplo, no se pueden recibir regalos). También tiene que haber charlas informativas, por ejemplo, de lo que significa cada delito y los controles que hay sobre los mismos. Si se acredita que ha habido cursos, es una prueba más de la cultura de cumplimiento de la empresa (es fácil acreditarlo, con firma de asistencia o incluso grabándolo). Todo tiene que quedar lo más documentado posible. Además, es conveniente que se implante un canal de consultas, para la resolución de dudas que pueden tener los trabajadores en el cumplimiento del programa.

321 AAN 179/2022, de 14 de marzo, op. cit. FJ 3º.

322 *Ibidem*.

323 Para JIMENO BULNES, la exigencia del art. 640 LECrim conforme al cual, el sobreseimiento libre referido en el art. 637.2 LECrim solo operará en caso de una exención de responsabilidad criminal "indudable", limita las posibilidades de apreciación, pues serán pocas las ocasiones en las que la existencia y eficacia de modelos de gestión resulte incuestionablemente acreditada en esta fase, JIMENO BULNES, M., "La responsabilidad penal de las personas jurídicas y los modelos de compliance: un supuesto de anticipación probatoria", op. cit. p. 52.

*penal de la empresa, se aparte a esta del procedimiento, siguiéndose exclusivamente este frente a las personas físicas responsables, lo que evitaría daños reputacionales innecesarios*" [324]. Ahora bien, si frente a la evidencia del defecto organizacional planteada por la acusación, la defensa de la entidad pretende demostrar la eficacia de su *compliance program* —en atención al modelo de distribución de la carga de la prueba que hemos defendido en el Capítulo anterior—, procederá la apertura de juicio oral para la consiguiente aportación y práctica de prueba en este sentido.

En fin, el Auto de la Audiencia Nacional 179/2022, de 14 de marzo, aborda también los supuestos en los que la eficacia del *compliance program* ya había sido analizada por otro órgano jurisdiccional en un caso previo. A este respecto y como no puede ser de otra manera, la Audiencia Nacional expone que la valoración ha de realizarse de nuevo sin vinculación alguna de los resultados obtenidos en el proceso anterior. La eficacia del programa de cumplimiento debe estudiarse caso por caso, no cabiendo trasladar automáticamente lo probado en un proceso a otro posterior[325]. Por más que las diligencias de investigación y/o las pruebas aportadas puedan ser las mismas, la eficacia de los modelos de gestión y control de riesgos depende de su adecuación al supuesto delictivo concreto que en cada momento se enjuicia[326]. Es más, incluso si el nuevo delito tuviese la misma calificación jurídica que el investigado en el primer proceso, la eficacia del *compliance program* exigiría constatar si se ha producido o no una actualización

---

324 AAN 179/2022, de 14 de marzo, op. cit. FJ 3º.

325 Es criterio doctrinal y jurisprudencial consolidado que no cabe apreciar un efecto positivo prejudicial de la cosa juzgada. Entre la doctrina clásica, CORTÉS DOMÍNGUEZ, V., *La cosa juzgada penal*, Publicaciones del Real Colegio de España, Bolonia, 1975, pp. 182-183; GÓMEZ ORBANEJA, E. y HERCE QUEMADA, V., *Derecho procesal penal*, Madrid, 1972, p. 293. Desde la jurisprudencia, señalamos la STS 930/2004, de 19 de julio, ECLI:ES:TS:2004:5332 (*Tol 514545*), FJ 1º: "*la eficacia positiva de la cosa juzgada material no tiene aplicación en el ámbito del proceso penal, pues cada causa criminal tiene su propio objeto y su propia prueba, y conforme a su propio contenido ha de resolverse, sin ninguna posible vinculación prejudicial procedente de otro proceso distinto, todo ello sin perjuicio de que la prueba practicada en el primero pueda ser traída al segundo proceso para ser valorada en unión de las demás existentes*".

326 AAN 179/2022, de 14 de marzo, op. cit. FJ 4º.

o revisión del mismo con respecto al modelo vigente durante la primera comisión delictiva.

La garantía de *non bis in idem* en estos supuestos, consideramos, viene referida a que sobre una misma persona jurídica recaiga un segundo proceso penal por los mismos hechos. El *idem factum* debe corresponderse con el delito base y no con el hecho propio. Así, una persona jurídica no podrá ser sometida a un segundo proceso penal cuando su responsabilidad se derive del mismo delito base que dio lugar al primero. Pero la valoración del defecto organizacional no generará efecto de cosa juzgada, pues lo contrario nos llevaría al extremo, opinamos, de que una entidad ya juzgada y sobre la que ya se ha declarado probada o no la eficacia del *compliance program*, no podrá ser enjuiciada de nuevo en un proceso en el que, aunque los hechos de referencia sean distintos, lógicamente habrá de volver a valorarse el defecto organizacional.

# Capítulo IV
# EL CANAL DE DENUNCIAS COMO ELEMENTO DE EFICACIA DEL *COMPLIANCE PROGRAM*

Siguiendo la regulación del Código Penal español, el cuarto de los requisitos concluyentes de la efectividad de los programas de cumplimiento normativo es la existencia de cauces internos de comunicación, dados en llamar "canales de denuncia" (*whistleblowing channels*)[327], por los que cualquier miembro de la entidad pueda poner en conocimiento de la persona jurídica los posibles riesgos delictivos e incumplimientos normativos producidos en su ámbito organizativo[328]. La incorporación de este deber en la norma penal es entendida como una suerte de "privatización" de la instrucción en el proceso penal[329],

---

327 BACHMAIER WINTER, L. y MARTÍNEZ SANTOS, A., "El régimen jurídico-procesal del *whistleblower*. La influencia del Derecho europeo", en J.L. Gómez Colomer (dr.) y C.M. Madrid Boquín (coord.), *Tratado sobre compliance penal*, op. cit. pp. 503-549, esp. p. 519; SOTO PATIÑO, F., "La investigación en la empresa, ilicitud de la prueba y uso de datos en el proceso penal", en I. Colomer Hernández (dr.), M.A. Catalina Benavente y S. Oubiña Barbolla (coords.), *Uso de la información y de los datos personales en los procesos: los cambios en la era digital*, Aranzadi, Cizur Menor, 2022, pp. 349-374, esp. p. 351; también desde la literatura clásica, se define el *whistleblowing* como "*la revelación por parte de los miembros de la organización (antiguos o actuales) de prácticas ilegales, inmorales o ilegítimas bajo el control de sus empleadores, a personas u organizaciones que puedan actuar*", MICELO, M.P. y NEAR, J.P., "Organizational dissidence: the case of whistleblowing", *Journal of Business Ethics* 1985, n. 1, pp. 1-16, esp. p. 4 (traducción propia).

328 AGUILERA GORDILLO, R., *Manual de compliance penal en España*, op. cit. pp. 578-579, siguiendo al autor, el requisito de la implantación de canales de denuncia se erige en una obligación para los miembros de la entidad, la cual recaerá tanto sobre los trabajadores como sobre el personal directivo. En consecuencia, el código de conducta aplicable a cualquiera de tales sujetos físicos en su actividad en la organización debe precisar este deber, acompañándolo de una sanción proporcional en caso de incumplimiento y de una política de incentivos.

329 En la misma línea ya nos pronunciamos en VICARIO PÉREZ, A.M., "*Compliance* penal en los partidos políticos. El valor probatorio de las investigaciones internas", op cit. p. 39.

como resulta de la lógica consecuencia de que la complejidad organizativa y operativa de las entidades dificulta a las autoridades públicas la averiguación de las posibles conductas delictivas existentes a lo largo de su estructura[330].

Es así que el Estado promueve la colaboración de las propias personas jurídicas en el desarrollo de investigaciones sobre hechos delictivos de los que pueda derivarse su responsabilidad, viéndose esta cooperación incentivada por medio de las previsiones de la normativa penal, al configurar el canal de denuncias como elemento integrante de los programas de cumplimiento normativo, de forma tal que su existencia se convierte en requisito imprescindible de la exención (artículo 31 bis.5.4° CP en relación con los artículos 31 bis.2.1° y 31 bis.4 CP) o atenuación (artículo 31 quarter b) CP) de su responsabilidad[331]. Consecuentemente, tanto al considerar los canales de denuncia elementos de los programas de *compliance* y, por consiguiente, determinantes de la exoneración de la responsabilidad criminal de la entidad[332], como al prever la atenuación de esta por la colaboración con la investigación penal mediante la aportación de pruebas o informaciones relevantes al proceso, el legislador presupone y promueve la articulación de un sistema de detección de conductas delictivas en el interior de la persona jurídica. En suma, como precisan VILLEGAS GARCÍA y ENCINAR DEL POZO, las empresas, si bien no explícitamente, se encuentran fácticamente compelidas a contar con progra-

---

330 MONTIEL, J. P., "Sentido y alcance de las investigaciones internas en la empresa", *Revista de Derecho de la Pontificia Universidad Católica de Valparaíso* 2013, n. 40, pp. 251-277, esp. p. 253, donde precisa el autor que la privatización del proceso penal encuentra su más palpable manifestación en las investigaciones internas corporativas, las cuales tienen los mismos fines que el proceso penal, esto es, la prevención y la búsqueda de la verdad de los hechos acaecidos.

331 En términos generales MONTIEL, J.P., "Autolimpieza empresarial: *compliance programs*, investigaciones internas y neutralización de riesgos penales", en L. Kuhlen, J.P. Montiel y I. Ortiz de Urbina Gimeno (eds.), *Compliace y teoría del Derecho Penal*, Marcial Pons, Madrid, 2013, pp. 221-244, esp. pp. 221-223.

332 Puntualiza la Fiscalía General del Estado, en la Circular 1/2016, de 22 de enero, sobre la responsabilidad penal de las personas jurídicas conforme a la reforma del Código Penal efectuada por Ley Orgánica 1/2015, que "*la aportación al procedimiento de una investigación interna, sin perjuicio de su consideración como atenuante, revela indiciariamente el nivel de compromiso ético de la sociedad y puede permitir llegar a la exención de la pena*".

mas de cumplimiento penal en los que el canal de denuncias se yergue en requisito fundamental de eficacia[333]. En esta lógica argumental, cabe hablar, como señala AYALA GONZÁLEZ, de "instrucciones corporativas", en tanto en cuanto "*el éxito de las investigaciones criminales depende de la asistencia que las organizaciones involucradas puedan prestar*", siendo que las personas jurídicas "*desarrollan internamente de facto potestades instructoras*"[334].

El planteamiento, por tanto, es el siguiente: se incorpora en el ordenamiento jurídico la responsabilidad penal de las personas jurídicas por hechos delictivos producidos en su ámbito de actividad. Al mismo tiempo se contempla, por un lado, la tenencia de un programa de *compliance* como causa de exoneración, para cuya efectividad, el mismo ha de contar con un sistema de gestión de denuncias internas por el que los miembros de la entidad puedan alertar de posibles hechos ilícitos. Y, por otro lado, se prevé como circunstancia atenuante la aportación de pruebas a lo largo del proceso penal, para lo cual implícitamente se requiere que la persona jurídica disponga de mecanismos de denuncia que den lugar a posteriores investigaciones en su seno[335].

---

333 VILLEGAS GARCÍA, M.A. y ENCINAR DEL POZO, M.A., "Hacia una guía judicial de valoración de los programas de *compliance* para el proceso penal", *La Ley Penal: revista de Derecho Penal, procesal y penitenciario*, 2020, n. 142, disponible en https://revistas.laley.es/. También a título individual precisa VILLEGAS GARCÍA que "*la ausencia o defectuosa implementación en el seno de la organización de los mecanismos necesarios para la denuncia y la sanción de los ilícitos cometidos en ella puede cuestionar la eficacia del programa de cumplimiento normativo y, con ello, la posible exención de responsabilidad penal de la entidad. Desde esta perspectiva, la implementación de canales de denuncia en el seno de las entidades ya no es una opción, sino una necesidad*", VILLEGAS GARCÍA, M.A., "La figura del denunciante. El estatuto del denunciante en la nueva Directiva (UE) 2019/1937", en M. Fortuny Cendra (dr.), *Las investigaciones internas en compliance penal. Factores clave para su eficacia*, Aranzadi, Cizur Menor, 2021, pp. 61-94, esp. pp. 66-67.

334 AYALA GONZÁLEZ, A., "Investigaciones internas: ¿zanahorias legislativas y palos jurisprudenciales?", *InDret* 2020, n. 2, pp. 270-303, esp. pp. 275-277.

335 Es importante no confundir en este punto las investigaciones internas, cuyo fundamento legal es la responsabilidad penal de las personas jurídicas, siendo por tanto sobre las que nos ocupamos en este Capítulo, de aquellas que tienen por objeto la averiguación de comportamientos irregulares por parte de los trabajadores sobre la base del poder de dirección del empresario, las cuales tienen por justificación legal el art. 20.3 ET. Así, las primeras sirven como fundamento de la

Las investigaciones internas[336], consecuentemente, se instituyen en una manifestación del derecho de defensa de las personas jurídicas.

De este modo, en el presente Capítulo IV analizaremos en primer lugar los aspectos generales y las características propias del establecimiento de canales de denuncia en la persona jurídica; y en segundo lugar, las peculiaridades de las investigaciones internas desarrolladas por la propia entidad como resultado de las informaciones recibidas. Ello sentará las bases para examinar, en el quinto y último Capítulo de este trabajo, la posible afectación al derecho de la entidad a la no autoincriminación a raíz de la obligatoriedad de los canales de denuncia con la entrada en vigor de la Ley 2/2023, de 20 de febrero, reguladora de la protección de las personas que informen sobre infracciones normativas y de lucha contra la corrupción, así como el valor probatorio de los resultados de las investigaciones internas en el proceso penal seguido contra la organización.

## 1. DENUNCIA INTERNA COMO FORMA DE INICIO DE LA INVESTIGACIÓN CORPORATIVA

Dedicamos este primer apartado al estudio de la transposición en España de la Directiva (UE) 2019/1937 del Parlamento Europeo y del Consejo, de 23 de octubre de 2019, relativa a la protección de las

---

exención de responsabilidad penal de la entidad por los delitos cometidos en su seno, siendo así que en su desarrollo habrá de atenderse a la salvaguarda de los derechos de la propia persona jurídica. Pueden definirse como parte esencial de los programas de cumplimiento normativo, esto es, como "*mecanismos indagatorios para detectar una eventual comisión delictiva en el seno social.* (…) *Estas sirven principalmente para determinar lo sucedido, analizar el posible impacto que ello pueda tener y definir la estrategia a seguir por parte de la organización que la ha llevado a cabo*", AYALA GONZÁLEZ, A., "Investigaciones internas: ¿zanahorias legislativas y palos jurisprudenciales?", op. cit. p. 275. Por su parte, las investigaciones manifestadoras del poder de dirección del empresario se circunscriben al descubrimiento de comportamientos ilícitos determinantes de delito de los propios trabajadores, de forma tal que en este caso son los derechos de tales personas físicas los que deben ser analizados y respetados.

336 DEL ROSAL BLASCO, B., "Las investigaciones internas en las empresas como estrategia preprocesal de defensa penal corporativa", *Diario la Ley* 18 de abril de 2018, n. 9180, disponible en https://diariolaley.laleynext.es.

personas que informen de infracciones del Derecho de la Unión[337]. De este modo, analizaremos las disposiciones de la mencionada Ley 2/2023, de 20 de febrero, referentes a la figura del denunciante interno o *whistlebower*, como principal mecanismo de conocimiento por la entidad de las conductas criminales desarrolladas en su organización. El estudio se centra así en tres aspectos fundamentales, cuales son, primero, los incentivos previstos por el legislador español a la denuncia por parte de los miembros de la entidad; segundo, la posibilidad prevista por la Ley 2/2023, de 20 de febrero, de que las denuncias internas sean anónimas, en cuanto que principal remedio o forma de evitación de represalias; tercero, cuáles son los mecanismos previstos para la protección del denunciante, en aras de no desincentivar el recurso al canal de denuncias por temor a las consecuencias que su empleo pueda derivar para los *whistlebowers*.

### *1.1. El whistleblowing como elemento de* compliance

La obligación de denunciar en caso de conocimiento de un hecho delictivo no es en absoluto una institución novedosa en nuestro ordenamiento jurídico. Baste con dirigir la mirada a los artículos 259 y siguientes LECrim para atisbar la imposición por el legislador de este deber cívico para la ciudadanía, civismo que se erige también en el contexto en que debe ser entendido el preceptivo establecimiento de canales de denuncia en las entidades. La naturaleza de la delación en el ámbito de las personas jurídicas tiene, sin embargo, una finalidad o fundamentación que va más allá del mero compromiso social. Siguiendo el planteamiento de VELASCO NÚÑEZ, la afectación de las conductas ilícitas a la imagen y patrimonio de la entidad, unida a la responsabilidad penal de la persona jurídica que puede derivarse de ellas, motivan el elevado grado de interés en el conocimiento de tales comportamientos delictivos, ya sea para redirigir la actuación organizativa en aras de evitar su reiteración en el futuro, ya sea para lograr la exención o atenuación de responsabilidad[338].

---

337 DOUE n. L 305, de 26 de noviembre de 2019, pp. 17-56.

338 VELASCO NÚÑEZ, E., "Investigaciones internas corporativas: denuncias de delitos ocurridos en la empresa", *Revista Foro Galego* 2019, n. 207, pp. 9-37, esp. pp. 11-12.

Son estas peculiaridades las causantes de la necesidad de una regulación específica de la figura del denunciante, alertador o delator (*whistleblower*[339]) en la persona jurídica. Definido por HERSH como el miembro actual o pasado de la organización que revela deliberadamente información acerca de actividades peligrosas, ilegales, inmorales o que de cualquier forma constituyen una infracción del ordenamiento jurídico en el desarrollo de su actividad[340], el *whistleblowing* se presenta como un fenómeno con larga tradición en Estados Unidos[341], siendo por el contrario su incorporación al ordenamiento jurídico español ciertamente novedosa e influenciada por la normativa europea. Ciertamente, la regulación de los canales de denuncia en el marco legislativo de la Unión Europea tiene lugar por medio de la

---

339 Término en inglés procedente de "whistle" (silbato) y "blower" (soplón). Utilizado históricamente en sentido peyorativo como sinónimo de "chivato", su utilización en el ámbito de los alertadores de infracciones empresariales comienza a generalizarse en la década de los 70 en Estados Unidos. Vid. CALVO CABEZAS, P., "Whistleblowing ante la miseria moral de instituciones y organizaciones", en V. Meseguer Sánchez, M. Avilés Hernández (dres.), J.J. Nicolás Guardiola y C.A. Giner Alegría (coords.), *Empresas, Derechos Humanos y RSC. Una mirada holística desde las Ciencias Sociales y Jurídicas*, Aranzadi, Cizur Menor, 2016, pp. 135-153, esp. p. 140. Sobre la disyuntiva entre la consideración del denunciante como "héroe" o "traidor", véase PÉREZ TRIVIÑO, J.L, "Whistleblowing", *Eunomía. Revista en Cultura de la Legalidad* 2018, n. 14, pp. 285-298, esp. pp. 287-290; HERSCH, M.A., "Whistleblowers - Heroes or Traitors? Individual and Collective Responsibility for Ethical Behaviour", *Annual Review in Control* 2002, n. 26, pp. 243-262, esp. p. 243.

340 HERSCH, M.A., "Whistleblowers - Heroes or Traitors? Individual and Collective Responsibility for Ethical Behaviour", op. cit. p. 243.

341 Ya durante el mandato de Lincoln se promulgó la *False Claim Act* de 1863, norma por la que se estipulaban recompensas a favor de los denunciantes de contratos fraudulentos de mercancía militar. Vid. NYRERÖD, T. y SPAGNOLO, G., "A Fresh Look at Whistleblower Rewards", *Stockholm Institute of Transition Economics* 2021, n. 56, pp. 1-25, esp. pp. 4-6; SCHULTZ, D. y HARUTYUNYAN, K., "Combating corruption: The development of whistleblowing laws in the United States, Europe, and Armenia", *International Comparative Jurisprudence* 2015, n. 1, pp. 87-97, esp. p 89. Con posterioridad, ha de aludirse al *Whistleblowing Protection Act* de 1998, al *Sarbanes Oxley Act* de 2002 y al *Dodd-Frank Act* de 2010, ampliamente en LEIFER, S.C., "Protecting Whistleblower Protections in the Dodd-Frank Act", *Michigan Law Review* 2014, n. 113, pp. 121-150; REID, S.L. y DAVID, S.B., "The evolution of the SEC Whistleblower: from Sarbanex-Oxley to Dodd-Frank", *Banking Law Journal* 2012, n. 129, pp. 907-915.

Directiva 2019/1937 del Parlamento Europeo y del Consejo, de 23 de octubre de 2019, relativa a la protección de las personas que informen sobre infracciones del Derecho de la Unión[342].

Finalizado el plazo de transposición de la Directiva[343], el 21 de febrero de 2023 se publicó en el BOE la Ley 2/2023, de 20 de febrero, reguladora de la protección de las personas que informen sobre infracciones normativas y de lucha contra la corrupción. Conforme a la misma, se contemplan dos posibilidades de presentación de denuncias por parte de los alertadores: canales internos (Título II de la Ley) y canales externos de información (Título III de la Ley).

La obligación para las personas jurídicas de contar con un canal interno de denuncias, que como ya se ha comentado se desprende del

---

342 Por su parte, en el ámbito internacional, un primer antecedente lo encontramos en la Convención de las Naciones Unidas contra la Corrupción de 31 de octubre de 2003, cuyo art. 8.4, en relación con los códigos de conducta de los funcionarios públicos, reza que cada Estado considerará la posibilidad de establecer medidas de denuncia de actos de corrupción de los que tengan conocimiento en el ejercicio de sus funciones. Disponible en https://treaties.un.org/doc/source/RecentTexts/Corruption_S.pdf (última consulta: 2 de septiembre de 2024).

343 Con la excepción del establecimiento de canales de denuncia interna en empresas con entre 50 y 249 trabajadores, el plazo de trasposición de la Directiva 2019/1937 finalizó el 17 de diciembre de 2021, tal y como se puntualiza en el art. 26.1 de la norma europea. La tardanza en el acometimiento de esta transposición dio lugar al dictado de sentencias ciertamente incomprensibles en cuanto a su fundamento. Nos referimos a la STS 359/2023, de 20 de julio de 2023, ECLI:ES:TS:2023:3426 (*Tol 9661477*), FJ 2º, por la que se niega la protección a un funcionario denunciante de corrupción ante la autoridad judicial, aduciéndose para ello que la Directiva 2019/1937, que todavía no había sido incorporada al ordenamiento español, no configura un estatuto de protección a quienes revelen información ante la propia autoridad judicial. No podemos más que criticar esta resolución en base a tres motivos: primero, porque encontramos un contrasentido en el no otorgamiento del estatuto de denunciante a quien realiza la denuncia a que se refiere la Directiva 2019/1937, con independencia de que los hechos se pusieran directamente en conocimiento de la autoridad judicial; segundo, porque aunque la Ley 2/2023, de 20 de febrero, todavía no había sido aprobada, los principios de la norma europea debían ser considerados, pues las Directivas tienen efecto directo si no han sido transpuestas en plazo por el Estado miembro (STJUE de 4 de diciembre de 1974, asunto C-41/74, *Van Duyn c. Home Office*, ECLI:EU:C:1974:133 (*Tol 10112920*), para. 12); tercero, porque carece de lógica una sentencia que limita la aplicación del estatuto del denunciante precisamente en el momento en que su aprobación en España estaba siendo tramitada con una finalidad de protección integral.

artículo 31.bis.5. 4º CP, queda establecido en la Ley 2/2023, de 20 de febrero, en su artículo 4.2 inserto en el Título II, el cual refiere tal obligación[344] respecto de las entidades incluidas en el ámbito de aplicación de la norma. Las personas jurídicas obligadas a estos efectos son aquellas que cuenten con al menos cincuenta trabajadores; las referidas a la esfera de los actos de la Unión Europea en materia de servicios, productos y mercados financieros, prevención del blanqueo de capitales o de financiación del terrorismo, seguridad del transporte y protección del medio ambiente; los partidos políticos, sindicatos y patronales; los grupos de sociedades; y las entidades del sector público (artículos 10-13 Ley 2/2023, de 20 de febrero).

En cuanto que manifestación del "autocontrol de riesgos" de las organizaciones[345], el canal interno de denuncias tiene la consideración de preferente respecto al sistema de comunicación externa, lo cual queda justificado en el Preámbulo de la Ley 2/2023, de 20 de febrero, por estimarse que una actuación diligente y eficaz de la entidad ante el conocimiento de hechos ilícitos producidos en su seno, puede ser suficiente para paralizar y revertir las consecuencias perjudiciales desprendidas de las actuaciones objeto de delación[346]. En esta consideración, el *whistleblowing* interno permite a la entidad la obtención de datos e informaciones clave para el correcto funcionamiento de su programa de cumplimiento penal, advirtiendo los puntos débiles y desviaciones y manteniéndose informada acerca de hechos que pudieran derivar en su responsabilidad penal, de cara a la preparación de su defensa en el eventual proceso que se incoe contra ella[347].

---

344 La cual recae sobre el órgano de gobierno o de administración de cada entidad (art. 5.1 Ley 2/2023, de 20 de febrero).

345 GARCÍA-MORENO, B., *Del whistleblower al alertador: la regulación europea de los canales de denuncia*, Tirant lo Blanch, Valencia, 2020, p. 35.

346 Ello no obstante, la decisión en torno al canal de comunicación empleado se deja al arbitrio del denunciante, en atención a las circunstancias particulares del caso y el riesgo de posibles represalias que perciba.

347 En cuanto a los hechos susceptibles de denuncia, la opinión doctrinal mayoritaria parece decantarse no por un listado cerrado de conductas objeto de delación, sino por la posibilidad abierta de poner en conocimiento cualesquiera hechos delictivos y/o que contravengan el Código ético o de conducta de la persona jurídica, GARCÍA MORENO, B., "Whistleblowing y canales institucionales de denuncia", en A. Nieto Martín (dr.), *Manual de cumplimiento penal en la empresa*, op. cit. pp. 205-230, esp. p. 219.

Por cuanto se refiere a su gestión[348], para cuyo encargo se nombrará a un "Responsable del Sistema interno de información"[349], la Ley 2/2023, de 20 de febrero, detalla en el artículo 5.2.b) que su papel deberá ser tal que garantice la confidencialidad de la identidad de los delatores, con especial atención al respeto de la normativa en materia de protección de datos. De igual forma, concreta que las denuncias podrán efectuarse tanto por escrito como verbalmente por medio de distintos canales de comunicación[350], que se darán a conocer debidamente a los miembros de la entidad, asegurándose en cualquier caso el tratamiento efectivo de la información por el responsable del sistema en el desarrollo de la investigación interna a que se dé lugar.

En fin, pese a la referida preferencia por las denuncias internas, sobre las cuales centramos la atención en el presente Capítulo, consideramos procedente aludir someramente a la existencia de investigaciones externas. En efecto, la Ley 2/2023, de 20 de febrero, regula las comunicaciones ante la Autoridad Independiente de Protección del Informante o ante la Autoridad autonómica competente. Estas son concebidas como entes de derecho público a las que toda persona física podrá informar de la comisión de cualesquiera acciones u omisiones incluidas en el ámbito de aplicación de la Ley, "*ya sea directamente o previa comunicación a través del correspondiente canal interno*" (artículo 16.1 la Ley 2/2023, de 20 de febrero). Tras la denuncia, la propia Autoridad será la encargada de comprobar la verosimilitud de los hechos alertados, así como de proceder, en su caso, a la tramitación de la investigación interna, pudiendo a continuación

---

348 Es reseñable que el *whistleblowing* interno en el sector privado encuentra buena parte de su regulación en el *soft law*, como es el caso de las *Good Practice Guidance on Internal Controls, Ethics, and Compliance* presentadas por la OCDE el 18 de febrero de 2010, disponible en https://www.oecd.org/daf/anti-bribery/44884389.pdf (última consulta: 3 de agosto de 2023); la ya referida norma ISO 37301:2021; o la *Guidelines on Whistleblowing* 2022 de la Cámara Internacional de Comercio, disponible en https://iccwbo.org/publication/icc-2022-guidelines-on-whistleblowing/ (última consulta: 3 de marzo de 2025).

349 Vid. art. 9 Ley 2/2023, de 20 de febrero.

350 Por correo postal o cualquier medio electrónico habilitado en el primer supuesto; y mediante llamada telefónica o mensajería de voz en el segundo. En cualquier caso, debe facilitarse la presentación de denuncias anónimas. Sobre los canales para comunicar la denuncia, GARCÍA MORENO, B., "Whistleblowing y canales institucionales de denuncia", op. cit. p. 218.

bien archivar el expediente, bien remitirlo al Ministerio Fiscal en caso de apreciarse indicios de criminalidad[351].

## *1.2. El sujeto denunciante y las denuncias anónimas*

El término "denunciante" se define en la Directiva (UE) 2019/1937 del Parlamento Europeo y del Consejo, de 23 de octubre de 2019, relativa a la protección de las personas que informen sobre infracciones del Derecho de la Unión, como "*una persona física que comunica o revela públicamente información sobre infracciones obtenida en el contexto de sus actividades laborale*s" (artículo 5.7). La Ley 2/2023, de 20 de febrero, opta ante la misma definición por la noción de "informante", al considerarse menos peyorativa. Desde la práctica forense, también las empresas son conscientes de las connotaciones del lenguaje, siendo no pocas las entidades en las que el canal no se denomina "canal de denuncias", sino "canal ético o de integridad", de cara a evitar la renuencia a su uso que puede derivar de la estigmatización del "chivato"[352].

Sea cual sea el término utilizado, el concepto de denunciante, informante, alertador o *whistleblower* alberga el más amplio abanico posible de personas con acceso privilegiado a la información sobre violaciones legislativas ocurridas en la actividad empresarial[353]. Según el artículo 4 Directiva 2019/1937, se incluyen los trabajadores, asalariados y no asalariados, los accionistas y personas pertenecientes al órgano de administración, dirección o supervisión de la entidad, los

---

351 Para el análisis de los canales de comunicación externa, nos remitimos a VICENTE ANDRÉS, R., *La protección del informante en el marco del compliance*, Sepín, Madrid, 2023, pp. 181-187.

352 Entrevista a Ingrid Matos realizada por vía *Teams* el 9 de febrero de 2023. Ingrid Matos es responsable del Área de Ética y Compliance de QGMI desde 2016. Es además Profesional de *Compliance* Certificada por la *SCCE-Society of Corporate Compliance and Ethics* (EEUU) y por la *International Compliance Association* (Reino Unido).

353 GEORGIADOU, G., "The European Commission's Proposal for Strengthening Whistleblower Protection", *Eucrim. The European Criminal Law Association´s Forum* 2018, n. 3, pp. 166-169, esp. p. 167; WHITE, S. "A Matter of Life and Death. Whistleblowing Legislation in the EU", *Eucrim. The European Criminal Law Association´s Forum* 2018, n. 3, pp. 170-177, esp. p. 172.

trabajadores en prácticas y, en general, cualquier persona que preste sus servicios bajo la supervisión y la dirección de contratistas, subcontratistas y proveedores. Idéntico planteamiento parece ser el adoptado por el legislador español[354]. En este sentido, la Ley 2/2023, de 20 de febrero, delimita su ámbito personal de aplicación en su artículo 3 en los siguientes términos: "*a) las personas que tengan la condición de empleados públicos o trabajadores por cuenta ajena; b) los autónomos; c) los accionistas, partícipes y personas pertenecientes al órgano de administración, dirección o supervisión de una empresa, incluidos los miembros no ejecutivos; d) cualquier persona que trabaje para o bajo la supervisión y la dirección de contratistas, subcontratistas y proveedores*"[355].

El ámbito subjetivo de aplicación tanto de la Directiva 2019/1937 como de la Ley 2/2023, de 20 de febrero, permite conjugar, siguiendo

---

354 Un primer antecedente lo encontramos en la Ley 10/2010, de 28 de abril, de prevención del blanqueo de capitales y de la financiación del terrorismo, cuyo art. 26.1 dispone que "*Los sujetos obligados establecerán procedimientos internos para que sus empleados, directivos o agentes puedan comunicar, incluso anónimamente, información relevante sobre posibles incumplimientos de esta ley, su normativa de desarrollo o las políticas y procedimientos implantados para darles cumplimiento, cometidos en el seno del sujeto obligado*". En el mismo sentido, en materia de acoso sexual, fija la Ley Orgánica 3/2007, de 22 de marzo, para la igualdad efectiva de mujeres y hombres, BOE n. 71, de 23 de marzo de 2007, pp. 12611-12645, en el art. 48 que "*Las empresas deberán promover condiciones de trabajo que eviten el acoso sexual y el acoso por razón de sexo y arbitrar procedimientos específicos para su prevención y para dar cauce a las denuncias o reclamaciones que puedan formular quienes hayan sido objeto del mismo*". En fin la Ley Orgánica 3/2018, de 5 de diciembre, de Protección de Datos Personales y garantía de los derechos digitales, contempla en su art. 24.1 que "*Será lícita la creación y mantenimiento de sistemas de información a través de los cuales pueda ponerse en conocimiento de una entidad de Derecho privado, incluso anónimamente, la comisión en el seno de la misma o en la actuación de terceros que contratasen con ella, de actos o conductas que pudieran resultar contrarios a la normativa general o sectorial que le fuera aplicable. Los empleados y terceros deberán ser informados acerca de la existencia de estos sistemas de información*".

355 Se incluye además en el apartado segundo una alusión específica a "*voluntarios, becarios, trabajadores en periodos de formación con independencia de que perciban o no una remuneración, así como a aquellos cuya relación laboral todavía no haya comenzado*". Vid. LEÓN ALAPONT, J., *Canales de denuncia e investigaciones internas en el marco del compliance penal corporativo*, op. cit. pp. 293-294.

a AGUILERA GORDILLO, la existencia de un "canal cerrado" de comunicación, correspondiente con el personal "interno" de la organización y sobre el cual esta podrá ejercer una mayor influencia coactiva para instar las denuncias, con un "canal abierto" en el que se amplía el deber de denuncia a sujetos vinculados con la entidad, como proveedores, empresas asociadas o subcontratistas, sobre los que la capacidad de persuasión para promover la denuncia es más limitada y que actuarán no tanto por el riesgo a ser sancionados sino bajo el fundamento de la "diligencia debida"[356].

En la medida en que las denuncias darán lugar a las correspondientes investigaciones internas cuyos resultados podrán hacerse valer en el proceso penal seguido contra la entidad, una de las cuestiones más problemáticas se centra en la posibilidad de aceptar la intervención de denunciantes anónimos. Y es que, el hecho de que la protección del *whistleblower* se considere como una de las premisas básicas del correcto funcionamiento del canal de denuncias, permite la puesta en conocimiento de hechos delictivos a las autoridades competentes en la organización por parte de sujetos que no revelan su identidad[357]. Se indica así en el artículo 7.3 Ley 2/2023, de 20 de febrero, que "*Los canales internos de información permitirán incluso la presentación y posterior tramitación de comunicaciones anónimas*", considerándose por lo demás como infracción muy grave la comisión por parte de la entidad de "*cualquier acción u omisión tendente a revelar la identidad del informante cuando este haya optado por el anonimato, aunque*

---

[356] AGUILERA GORDILLO, R., *Manual de compliance penal en España*, op. cit. pp. 578-581, añade además el autor la conveniencia de incluir en el entramado de sujetos denunciantes a los "clientes" o "beneficiarios finales" del producto o servicio ofrecido por la persona jurídica, configurando un elenco de gratificaciones o recompensas en aras de incentivar su colaboración.

[357] Sobre la "anonimización" y el valor de las informaciones aportadas sin identificación del comunicante, resulta interesante el documento "Orientaciones y garantías en los procedimientos de anonimización de datos" de la Agencia Española de Protección de Datos a fecha de 11 de octubre de 2016. Se precisa en la misma que "*además de evitar la identificación de las personas, los datos anonimizados deben garantizar que cualquier operación o tratamiento que pueda ser realizado con posterioridad a la anonimización no conlleva una distorsión de los datos reales*", disponible en https://www.aepd.es/sites/default/files/2019-12/guia-orientaciones-procedimientos-anonimizacion.pdf (última consulta: 1 de marzo de 2025).

*no se llegue a producir la efectiva revelación de la misma*" (artículo 63.1.c))[358].

Para los profesionales, la mejor forma de asegurar al miembro de la organización que su denuncia será anónima es que "haya una empresa intermedia entre el denunciante y el *compliance officer*, una empresa experta en *reporting* con personas entrenadas para recibir las denuncias y redirigirlas al *compliance officer*. Por tanto, es imposible que una denuncia llegue directamente a este, pues la empresa intermedia le remite el relato de forma anonimizada. Incluso si la denuncia se formula contra el propio *compliance officer* hay protocolos, como que la información se haga llegar a una persona superior jerárquicamente, que estará previamente determinada. Es un sistema imparcial, que trasmite la seguridad de que la denuncia va a integrarse en un sistema anónimo. Además, cada relato se analiza por grupos muy reducidos de personas, firmando cada miembro un contrato de confidencialidad. También se encriptan los nombres, correos, etc., y se forma a los empleados para que sepan que hay un canal de comunicación seguro y para que lo usen de forma responsable (no para quejarse del jefe o del compañero). Es preferible que el denunciante venga con datos, con fechas, con elementos que permitan el desarrollo de la investigación interna. Hay que detallar la sospecha, pues una investigación supone un gran coste económico para la entidad. El canal ha de presentarse a los trabajadores como una oportunidad de mejora continua. La empresa es como un individuo, es imperfecto y está sujeto a mejoras"[359].

---

358 Ello en consonancia con el art. 6.3 Directiva 2019/1937, por el cual, "*Sin perjuicio de la obligación vigente de disponer de mecanismos de denuncia anónima en virtud del Derecho de la Unión, la presente Directiva no afectará a la facultad de los Estados miembros de decidir si se exige o no a las entidades jurídicas de los sectores privado o público y a las autoridades competentes aceptar y seguir las denuncias anónimas de infracciones*".

359 Entrevista a Ingrid Matos realizada por vía *Teams* el 9 de febrero de 2023. Nos detalla además esta profesional los tres medios por los que se puede efectuar la denuncia en su empresa: "i) Por la página web, a través de la empresa intermediaria. El enlace aparece en la primera pantalla de la página web de la empresa; ii) por teléfono, a la empresa intermediaria. No se usan correos electrónicos, por el riesgo de poder perseguirse los datos personales del informante; iii) de manera verbal a la gente del departamento de *compliance* directamente, pues hay trabajadores que así se sienten más cómodos. En estos casos, la política interna

No obstante el fomento de su utilización, las denuncias anónimas de las que se deriva la posterior incoación de un proceso entran en colisión con el derecho de defensa del investigado, al privársele del conocimiento de una cuestión que pudiera ser determinante para el correcto desarrollo de la causa penal. Consciente de esta cuestión, la Ley 2/2023, de 20 de febrero, señala en su artículo 33.3 que la preservación de la identidad del informante tendrá como excepción su comunicación a la autoridad jurisdiccional o al Ministerio Fiscal que la soliciten en el marco de un proceso judicial. De este modo, la confidencialidad que alienta a los potenciales alertadores quebrará ante la Justicia, surgiendo así la doble necesidad de garantizar aquella al tiempo que se salvaguardan las debidas garantías procesales de las partes[360].

La antedicha previsión legislativa entronca con el artículo 528.6 ALECrim, el cual propone que "*Cuando la noticia de la comisión de un delito cometido en el seno de una entidad del sector público o privado la hubiese dado un funcionario o empleado a través de un procedimiento de denuncia interna, la comunicación del hecho delictivo a las autoridades podrá realizarla el responsable del canal de denuncia sin revelar la identidad del alertador, salvo que fuese especialmente*

---

es que ese relato verbal se registra y se anonimiza". En el mismo sentido, nos señala Pedro Lois Cigarrán, *compliance officer* de Grupo MASMOVIL, que en la actualidad su empresa opta por el correo electrónico como forma de presentación de denuncias, si bien opina que "con el uso de este medio la empresa tiene la capacidad técnica de averiguar quien ha mandado ese correo. Con la nueva Ley, tal vez tengamos que establecer una especie de buzón externo, en el que una empresa ajena sea la que reciba la denuncia y la remita al *compliance officer*". Entrevista realizada vía *Teams* el 10 de febrero de 2023.

360 GIMENO BEVIÁ, J., "Whistleblowing y proceso penal: una lectura desde las garantías procesales", en I. Olaizola Nogales, E. Sierra Hernaiz, H. López López (dres.), I. Molina Álvarez y L. Alemán Aróstegui (coords.), *Análisis de la Directiva UE 2019/1937 Whistleblower desde las perspectivas penal, procesal, laboral y administrativo-financiera*, Aranzadi, Cizur Menor, 2021, pp. 161-178, esp. p. 164, en su comentario al art. 16.2 Directiva 2019/1937, transpuesta por el art. 33.3 Ley 2/2023, de 20 de febrero; sobre este último precepto, el autor llega a la misma conclusión en su ponencia "La ley 2/2023, de 20 de febrero, desde las garantías procesales", en el *Simposio La Ley 2/2023, de 20 de febrero, reguladora de la protección de personas que informen sobre infracciones normativas y de lucha contra la corrupción. Análisis y valoración crítica*, Universidad de Alicante, 20 de julio de 2023.

*requerido para hacerlo*". Por tanto, la opción apuntada por el legislador para afrontar la problemática procesal anunciada, consiste en que la persona jurídica que pone en conocimiento de las autoridades la comisión delictiva detectada en su seno gracias a la denuncia de uno de sus miembros, sea quien tenga en el proceso penal la consideración de denunciante, no así el concreto sujeto físico que alertó de la conducta criminal a nivel interno corporativo. Ahora bien, como apunta GIMENO BEVIÁ, la excepción final del artículo nos sitúa ante una protección de la identidad aparente, toda vez que, en caso de requerimiento por los órganos jurisdiccionales, la identidad del informante habrá de ser revelada[361], volviendo en consecuencia al punto de partida del artículo 33.3 Ley 2/2023, de 20 de febrero. Por lo demás, consideramos que la atribución de la condición de denunciante a la propia entidad podría tener sentido y fundamento cuando el sujeto sometido al proceso penal sea un miembro de la organización; pero nos preguntamos cómo encajar el precepto proyectado cuando el proceso recaiga sobre la propia persona jurídica ¿supondría en tales casos el artículo 528.6 ALECrim admitir implícitamente que la persona jurídica está obligada a autodenunciarse?[362] En cualquier caso, y siendo dudosa la tramitación del ALECrim, no hallamos de *lege data* una solución al acostumbrado debate garantías vs. eficiencia.

Pese a lo anterior, la viabilidad de las denuncias anónimas como forma de inicio de investigaciones que deriven en ulteriores procesos penales viene siendo admitida *de facto* por la jurisprudencia. Destacable es, en particular, la STS 35/2020, de 6 de febrero, por la que se analiza el valor de la denuncia interna anónima[363], concluyéndose que

---

361 GIMENO BEVIÁ, J., "Whistleblowing y proceso penal: una lectura desde las garantías procesales", op. cit. p. 165; en el mismo sentido, LEÓN ALAPONT, J., *Canales de denuncia e investigaciones internas en el marco del compliance penal corporativo*, op. cit. p. 240.

362 Sobre la afectación del derecho a la no autoincriminación de las personas jurídicas por la Ley 2/2023, de 20 de febrero, véase *infra* Cap.V.1.

363 Señala el Alto Tribunal que "*la implantación de este canal de denuncias, forma parte integrante de las necesidades (...) del programa de cumplimiento normativo, ya que con el canal de denuncias quien pretenda, o planee, llevar a cabo irregularidades conocerá que desde su entorno más directo puede producirse una denuncia anónima que determinará la apertura de una investigación que cercene de inmediato la misma*", STS 35/2020, de 6 de febrero, ECLI:ES:TS:2020:272 (*Tol 7744188*), FJ 2°.

el anonimato no debe impedir por sí solo el inicio de una investigación ni viciar a la misma de invalidez[364]. En efecto, tanto si la denuncia es presentada de forma anónima como si no, el desarrollo de la investigación vendrá precedido de un examen de verosimilitud de los hechos informados que permita deducir la existencia de una sospecha razonable como causa justificadora de las posteriores indagaciones[365]. De igual modo, la STS 235/2024, de 11 de marzo, viene a señalar que la incoación de un proceso penal a partir de una denuncia anónima no constituye por sí una violación del derecho de defensa del acusado, toda vez que aquella no es más que la aportación de un relato que demanda la necesidad de comprobar su verosimilitud a través de la práctica de determinadas diligencias de investigación que puedan, o no, confirmarla, de forma tal que "(l)a *existencia de esas informaciones confidenciales puede sumarse al resto de indicios que se hayan recabado durante esa investigación y que vengan a confirmar su fiabilidad*"[366]. Cuestión distinta es que la simple denuncia anónima se estime suficiente para la adopción de medidas restrictivas de derechos fundamentales, en cuyo caso sí podría hablarse de una conculcación del derecho de defensa[367]. Igualmente destacable es la STS 215/2023,

---

364 GIMENO BEVIÁ, J., "Valor procesal de las fuentes de prueba obtenidas en el marco de investigaciones internas", en M. Fortuny Cendra (dr.), *Las investigaciones internas en compliance penal. Factores clave para su eficacia*, op. cit. pp. 139-159, esp. pp. 147-148; MAGRO SERVET, V., "¿Por qué es recomendable un canal de denuncias interno en la empresa?" *Diario La Ley* 18 de febrero de 2020, n. 9586, disponible en https://diariolaley.laleynext.es; RODRÍGUEZ CELADA, E., "La Directiva desde la perspectiva del Derecho Penal", en D. Martínez Saldaña (coord.), *La protección del whistleblower*, Tirant lo Blanch, Valencia, 2020, pp. 72-89, esp. p. 82.

365 De reputarse la denuncia falsa y/o infundada, se dará la investigación interna por terminada, SOTO PATIÑO, F., "La investigación en la empresa, ilicitud de la prueba y uso de datos en el proceso penal", op. cit. pp. 355-358. De abrirse la investigación, los recursos que deben destinarse a su desarrollo han de ser los mismos con independencia de que su origen haya sido o no una denuncia anónima, LIPMAN, F.D., *WhistleblowersIncentives, Disincentives, and Protection Strategies*, John Wiley & Sons, Inc., New Jersey, 2012, p. 117.

366 STS 235/2024, de 11 de marzo, ECLI:ES:TS:2024:1345 (*Tol 9949708*), FJ 1º.

367 La propia STS 235/2024 señala como ejemplo que "*Una información confidencial en la que permanezca anónima la fuente no constituye nunca una base suficiente por sí sola para acordar una intervención telefónica puesto que el juez al decidir no puede hacer dejación de las funciones que le atribuye la Constitución*

de 23 de marzo, conforme a la cual, es claro que el conocimiento de la identidad de quien acusa es clave desde la perspectiva de las garantías procesales del investigado; pero en la medida en que el denunciante anónimo no está actuando con acusador y, por ende, no ejercita la acción penal, su no conocimiento por la parte contraria no es óbice para el correcto desarrollo del proceso[368].

Se sigue con ello la línea jurisprudencial marcada por la anterior STS 318/2013, de 11 de abril, por la que se aparta la información obtenida anónimamente del concepto estricto de denuncia propugnado por los artículos 266 y siguientes LECrim para reconducirla al ámbito de la *notitia criminis*[369]. Se precisa por tanto que "*la lógica prevención frente a la denuncia anónima no puede llevarnos a conclusiones contrarias al significado mismo de la fase de investigación. Se olvidaría con ello que el artículo 308 LECrim referido al sumario ordinario, obliga a la práctica de las primeras diligencias «inmediatamente que los Jueces de instrucción (...) tuvieren conocimiento de la perpetración de un delito». Es indudable que ese conocimiento puede serle proporcionado por una denuncia en la que no consta la identidad del denunciante. Cuestión distinta es que ese carácter anónimo de la denuncia refuerce el deber del Juez instructor de realizar un examen anticipado, provisional y, por tanto, en el plano puramente indiciario, de la verosimilitud de los hechos delictivos puestos en su conocimien-*

---

*para ser él quien pondere la suficiencia de los indicios haciéndolas descansar en el puro criterio policial*". Ahora bien, "Esas informaciones sí que pueden ser el desencadenante de una investigación policial en la que se recaben datos que permitan contrastar la fiabilidad de la fuente", de forma que "*Cuando esos datos parecen confirmar lo apuntado por la fuente confidencial, podrá surgir una base indiciaria suficiente para la medida*".

368 STS 215/2023, de 23 de marzo, ECLI:ES:TS:2023:1226 (*Tol 9487927*), FJ 2º: "*Está fuera de duda que la identidad de quien acusa resulta relevante desde el punto de vista del derecho de defensa, aunque solo fuera debido a que en el marco de la valoración de su testimonio no puede siempre prescindirse de las relaciones previas que mantuviera con el acusado y, en suma, de las razones últimas que pudieran estar impulsando sus manifestaciones. Muy distinto es el caso de que las primeras informaciones sugerentes de la posible comisión de un hecho delictivo se hagan llegar a los encargados de su investigación de manera anónima. En este supuesto no es quien así se conduce, cualquiera que fuese su identidad, quien sostiene la acusación*".

369 Sobre la denuncia anónima como *notita criminis*, véase MONTERO AROCA, J., *Ensayos de Derecho Procesal*, J. M. Bosch, Barcelona, 1996, p. 610-611.

*to. Ante cualquier denuncia —sea anónima o no— el Juez instructor puede acordar su archivo inmediato si el hecho denunciado "... no revistiere carácter de delito" o cuando la denuncia "... fuera manifiestamente falsa" (artículo 269 LECrim). Nuestro sistema no conoce, por tanto, un mecanismo jurídico que habilite formalmente la denuncia anónima como vehículo de incoación del proceso penal, pero sí permite, reforzadas todas las cautelas jurisdiccionales, convertir ese documento en la fuente de conocimiento que, conforme al artículo 308 de la LECrim, hace posible el inicio de la fase de investigación*"[370]. En similares términos se pronuncia el Tribunal Constitucional en la STC 184/2003, de 23 de octubre, puntualizando que el carácter anónimo de la denuncia requiere de un mayor esfuerzo en cuanto a la corroboración de los hechos delictivos informados[371].

Pues bien, extrapolando tales resoluciones a las investigaciones internas corporativas, puede concluirse que, en caso de que de una denuncia anónima se desprenda una investigación en la que se adviertan hechos delictivos, la misma no puede estar afectada por vicio alguno de cara a su posterior incorporación a un eventual proceso penal, al fundamentarse este no en las informaciones vertidas anónimamente, sino en los resultados de las averiguaciones internas aportadas por la entidad[372]. El valor probatorio de las investigaciones internas en el posterior proceso penal no dependerá, en suma, del carácter anónimo

---

370 STS 318/2013, de 11 de abril, ECLI:ES:TS:2013:1825 (*Tol 3536586*), FJ 2º.

371 STC 184/2003, de 23 de octubre, ECLI:ES:TC:2003:184 (*Tol 528614*), FJ 11º. En el mismo sentido, la Instrucción 3/1993, de 16 de marzo, sobre el Ministerio Fiscal y la defensa de los derechos de los ciudadanos a la tutela judicial efectiva y a un proceso público sin dilaciones indebidas —Su deber de velar por el secreto del sumario— La denuncia anónima: su virtualidad como "noticia criminis", disponible en https://www.boe.es/buscar/abrir_fiscalia.php?id=FIS-I-1993-00003.pdf (última consulta: 3 de marzo de 2025): "*Nada parece impedir que ese conocimiento directo, que puede tener por origen variadas fuentes, pueda apoyarse en una denuncia anónima no subsanada. Si bien esta adolecerá de idoneidad para integrar conceptualmente lo que por denuncia en sentido jurídico-formal deba entenderse, su capacidad para transmitir una sospecha generadora de investigación preparatoria debe estar fuera de duda*".

372 LEÓN ALAPONT, J., *Canales de denuncia e investigaciones internas en el marco del compliance penal corporativo*, op. cit. p. 248; VILLEGAS GARCÍA, M.A., "La figura del denunciante. El estatuto del denunciante en la nueva Directiva (UE) 2019/1937", op. cit. pp. 90-94.

o no de la denuncia que las hubiera provocado, sino de que en su desarrollo se respeten las garantías procesales del investigado[373].

Por último, creemos conveniente hacer alusión en este punto a la STS 312/2021, de 13 de abril, por la cual se matiza que el derecho a la información "*se proyecta sobre la totalidad de las pruebas materiales, a favor o en contra; si bien no abarca al conocimiento de las fuentes o el origen de la investigación* (...)". Y es que, la Directiva 2012/13/UE relativa al derecho a la información en los procesos penales, transpuesta en nuestro ordenamiento por medio del artículo 118 LECrim, señala que la autoridad judicial puede denegar el acceso a determinados materiales o informaciones en la medida en que se cumplan dos condicionantes: primero, que ello no suponga un menoscabo al derecho a un proceso equitativo; segundo, que exista riesgo de perjudicar el desarrollo de la investigación. Concluye así el Alto Tribunal que el debido proceso "*En modo alguno abarca conocer el contenido de la investigación preprocesal* (salvo existencia de indicios evidentes de posible quebramiento de derecho procesales en su desarrollo), *cuyo resultado final, al tener valor de denuncia o de mero objeto de la prueba (art. 297 LECrim), solo sirve para el arranque del proceso penal y se materializa como referencia inaugural para el ejercicio del derecho de defensa en la forma procesalmente prevista*"[374]. Inferimos, en suma, que la preservación del anonimato del alertador no supone una conculcación automática del derecho al debido proceso correspondiente al investigado en el proceso penal, habida cuenta de que la información revelada por aquel no constituye el sustrato material de la investigación, sino que simplemente se presenta como el medio por el que las autoridades adquieren conocimiento de la posible comisión delictiva en el seno de la entidad, cuya constatación requerirá de mayores esfuerzos probatorios.

---

373 Sobre el particular, la STS 958/2016, de 19 de diciembre, ECLI:ES:TS:2016:5468 (*Tol 5916827*), FJ 2º: "*El origen de la información inicial es irrelevante, en la medida en que no consta ninguna vulneración constitucional que pudiera viciar la obtención de la prueba*"; también la STS 676/2019, de 23 de enero, ECLI:ES:TS:2020:270 (*Tol 7740730*), FJ 1º: "*No es la denuncia anónima la que puede viciar o dar lugar a la nulidad de una investigación, sino la vulneración de las normas reguladoras de la prueba*".

374 STS 312/2021, de 13 de abril, ECLI:ES:TS:2021:1388 (*Tol 8409579*), FJ 1º.

### *1.3. Régimen jurídico de protección del denunciante*

Siendo tónica imperante en el ámbito corporativo la reticencia de los miembros de la organización a actuar como *whistleblowers* por temor a las posibles represalias que puedan ser adoptadas frente a ellos, es indubitado que el correcto funcionamiento de los canales de denuncia pasará por el incentivo a alertar sobre los eventuales delitos percibidos. Más aún, los estímulos que el sistema de cumplimiento brinde a los delatores son una muestra de su correcto diseño e implementación, constituyendo una evidencia más de que no se trata de un mero supuesto de *cosmetic compliance*. Así pues, un canal de denuncias que no garantice la involucración de los miembros de la organización se tornará en ineficaz y, a la postre, desvelará la inexistencia de una auténtica cultura de cumplimiento penal[375].

Como afirma RAGUÉS I VALLÈS, tres son los posibles mecanismos de incentivo al delator: planteamiento de la denuncia como un deber con la consiguiente imposición de sanciones en caso de incumplimiento; fijación de un sistema de recompensas en favor del denunciante; y establecimiento de mecanismos para garantizar una suficiente protección a los alertadores[376].

Comenzando por el reforzamiento de los deberes de denuncia, la previsión normativa se circunscribe al artículo 259 LECrim al establecer, en una redacción no menos que anacrónica, una obligación de poner en conocimiento de la autoridad judicial la perpetración de cualquier delito público que se presencie, bajo apercibimiento de multa de 25 a 250 pesetas, deber que se extiende particularmente a los funcionarios por los delitos de los que conozcan en sus cometidos en virtud del artículo 262 LECrim. Junto a ello, el artículo 264 del mismo cuerpo normativo determina que quienquiera que tenga conocimiento de la comisión de un delito perseguible de oficio, deberá denunciarlo ante el Ministerio Fiscal, la autoridad judicial competente o

375 GARCÍA MORENO, B., "Whistleblowing y canales institucionales de denuncia", op. cit. p. 207.

376 RAGUÉS I VALLÈS, R., "¿Héroes o traidores? La protección de los informantes internos (whistleblowers) como estrategia político-criminal", *InDret Revista para el análisis del Derecho* 2006, n. 364, pp. 11-19, esp. pp. 8-9.

la autoridad policial. Varias consideraciones caben hacerse al respecto de esta regulación.

En primer lugar, dejando al margen lo irrisorio del régimen sancionatorio previsto, el descubrimiento y persecución de estas omisiones comunicativas es verdaderamente complicado, toda vez que, consideramos, requeriría, a su vez y de forma paradójica, la colaboración de la persona jurídica, de forma que ante la constatación por esta de un delito habido en su seno, ponga en conocimiento de las autoridades judiciales la falta de denuncia por parte de los miembros de su organización que fueran conocedores del mismo. En segundo lugar, es ciertamente frecuente que los miembros de la entidad que conocen de una conducta ilícita hayan participado en ella, no siendo en estos supuestos penalmente exigible que se proceda a denunciar delitos propios, de forma tal que la amenaza de sanción prevista por el legislador queda vacía de contenido[377]. Estimamos que el éxito de esta vía, en consecuencia, quedaría vinculado no a la posible sanción penal por la no comunicación de infracciones, sino más bien a la incorporación en el programa de cumplimiento normativo de la empresa de un régimen de sanciones por la no denuncia de infracciones ante el *compliance officer*. Ahora bien, ni siquiera en este ámbito empresarial consideramos oportuna la introducción de una delación obligatoria, toda vez que, siguiendo a GOÑI, ello "*conduciría a resultados poco satisfactorios, a un diseño cuasi-policial de empresa, poco acorde con el máximo respeto a los derechos del trabajador, a su libertad y digni-*

---

377 *Ibidem* p. 8; el propio autor señala, en otro trabajo en este caso junto con BELMONTE PARRA, que la opción por un sistema de sanciones basado en el deber de contribuir al mejor funcionamiento de la justicia no es verdaderamente posible en Estados que se presentan como liberales, siendo a tales efectos precisa una remodelación de los deberes de la ciudadanía fundamentados en la solidaridad. Así, razonan los autores, "*si quisiera llevarse realmente a la práctica un modelo que sancionara con severidad el incumplimiento del deber de denuncia, la consecuencia más probable sería un Derecho Penal en general mucho más severo, pues, para evitar el sinsentido que supondría imponer castigos similares a quien comete una infracción y a quien solo deja de denunciarla, la pena del primero debería incrementarse sensiblemente*", RAGUÉS I VALLÈS, R. y BELMONTE PARRA, M., "El incentivo de las denuncias como instrumento de prevención y persecución penal: presente y futuro del *whistleblowing* en Chile", *Política Criminal* 2021, n. 31, pp. 1-29, esp. p. 4.

*dad, dado que el trabajador se convierte en guardián y confidente del empresario*"[378].

Por cuanto se refiere al segundo de los mecanismos de incentivo, esto es, el establecimiento de un sistema de beneficios para el delator, la recompensa económica en favor del alertador es percibida con recelo en nuestro sistema jurídico[379], pues es considerada como una forma de promoción de las denuncias infundadas y malintencionadas[380], disminuyéndose notablemente la credibilidad de la alerta e incluso

---

378 GOÑI SEIN, J.L. "Criminalidad de empresa, mecanismos de denuncia o "whistleblowing" y protección de datos", en J. Álvarez-Sala Walther (coord.), *Derecho de la empresa y protección de datos, Aranzadi, Cizur Menor, 2008, pp. 21-65, esp. p. 40.*

379 Clara diferencia con el sistema estadounidense, en el que la remuneración económica a quienes adviertan de conductas ilícitas en el ámbito organizacional es una práctica habitual, VILLEGAS GARCÍA, M.A. y ENCINAR DEL POZO, M.A., *Lucha contra la corrupción, compliance e investigaciones internas. La influencia del Derecho estadounidense*, Aranzadi, Madrid, 2020, p. 211; ampliamente sobre el sistema de recompensas económicas estadounidense, FELDMAN, Y. y LOBEL, O., "The Incentives Matrix: The Comparative Efectiveness of Rewards, Liabilities, Duties, and Protection for Reporting Illegality", *Texas Law Review* 2010, n. 87, pp. 1-49. Resulta significativo que existan previsiones legislativas europeas que permiten a los Estados miembros el establecimiento de incentivos económicos, como es el caso del art. 32.4 Reglamento (UE) 596/2014 del Parlamento Europeo y del Consejo, de 16 de abril de 2014, sobre el abuso de mercado, y que sin embargo ningún país de la Unión Europea lo haya incorporado a la fecha en su ordenamiento jurídico.

380 Una opinión en contra de este argumento la encontramos en CALLAHAN, E.S. y DWORKIN, T.M., "Go Good and Get Rich: Financial Incentives for Whistleblowing and the False Claims Act", *Villanova Law Review* 1992, n. 37, pp. 273-336, esp. pp. 289-294, para quienes un sistema de recompensas monetarias adecuadas puede conducir al resultado deseable de incrementar el número de sujetos dispuestos a informar sobre conductas ilícitas, reduciendo el número de alertadores potenciales e incrementando el de los reales, pues la remuneración propiciará la comunicación de comportamientos que de otro modo no serían puestos en conocimiento de las autoridades. En el estudio se distingue además entre dos tipos de motivaciones para denunciar por parte de los miembros de la organización: una motivación intrínseca consistente en la lealtad a la entidad; y una motivación extrínseca, consistente en la búsqueda de un beneficio. Ello ha de ser valorado por la persona jurídica pues, en el primer caso, la recompensa que inducirá a alertar será de índole reputacional (reconocimientos, progresión en la carrera profesional, etc.), mientras que en el segundo caso la remuneración económica sí operará como impulso al potencial *whistleblower*.

incrementándose el riesgo de propiciar la comisión de infracciones para su posterior denuncia[381].

En este orden de ideas, las recompensas al delator en el ordenamiento español se delimitan a la concreción de una suerte de "Derecho premial del arrepentido", concebido como el conjunto de beneficios procesales para aquellos denunciantes que participaron en la comisión de los delitos sobre los que ahora alertan. Fuera de la esfera del arrepentimiento, nuestro ordenamiento jurídico no contempla previsión alguna al respecto de la delación por quien no haya formado parte de los hechos delictivos[382]. En efecto, pese a castigar el artículo 464 CP como autor de un delito de obstrucción a la justicia a quien "*con violencia o intimidación intentare influir directa o indirectamente en quien sea denunciante*", este precepto aparece en estricto referido a la denuncia como forma de iniciación de un proceso penal, no a la acontecida en el interior de la persona jurídica para dar lugar a una investigación corporativa[383].

La noción de "Derecho Penal premial"[384] no es en absoluto extraña en nuestro ordenamiento jurídico, pudiendo señalarse cuantiosos

---

381 Aunque no referido al ordenamiento español, sobre las reticencias a las recompensas económicas puede consultarse el documento *Financial Incentives for Whistleblowers* de la *Financial Conduct Authority y de la Prudential Regulation Authority for the Treasury Select Committee* de Reino Unido, publicado en julio de 2014 al objeto de valorar la posible aplicación en dicho país de los sistemas de recompensas existentes en Estados Unidos. En dicho informe se aprecian riesgos tales como que "*algunos participantes en el mercado pueden intentar "atrapar" a otros, por ejemplo, en una conspiración de información privilegiada, con el fin de denunciar y beneficiarse económicamente*"; o que "*los incentivos financieros podrían llevar a más acercamientos de oportunistas y desinformados que transmiten rumores especulativos o información pública*" (traducción propia), disponible en https://www.fca.org.uk/publication/financial-incentives-for-whistleblowers.pdf (última consulta: 23 de febrero de 2025).

382 ORTIZ PRADILLO, J. C., *Whistleblowing, colaboración eficaz con la justicia y proceso penal*, La Ley, Madrid, 2024, p. 32.

383 La solución pase tal vez por acudir al tipo penal de coacción, cuando se impidiera al miembro de la entidad la denuncia mediante el uso de violencia *ex* art. 172.1 CP.

384 Sobre sus ventajas e inconvenientes, NEIRA PENA, A.M., "Los privilegios del delincuente de cuello blanco en el proceso penal", en N. Rodríguez García, A. Carrizo González Castell, F. Rodríguez López (eds.), J. Sánchez Bernal, A.E. Carrillo del Teso y S. Calaza López (coords.), *Corrupción, compliance, represión y*

ejemplos en los que el legislador toma en consideración la conducta del sujeto posterior a la comisión del delito para graduar la pena que sobre el mismo resulte de aplicación[385]. La traslación de este Derecho premial a la persona del delator implica, sin embargo, un salto de lo sustantivo a lo procesal, pues ya no se toma en consideración el comportamiento del sujeto tras la comisión de los hechos, sino su actuación en cuanto que colaborador con la justicia en el desarrollo del proceso. El Derecho Penal premial constituye a estos efectos un avance desde la primigenia recompensa del arrepentido hacia la promoción de la delación como forma de cooperación eficaz con las autoridades en el esclarecimiento de los hechos delictivos[386], pudiendo hablar como precisa ORTIZ PRADILLO de "delación premial" en tanto que herramienta de política criminal en la obtención de información para la causa delictiva[387].

Nos servimos en aras de expresar esta postura de la reflexión de BENÍTEZ ORTÚZAR, para quien la cooperación del culpable mediante la denuncia de los hechos resulta una destacable contribución

---

*recuperación de activos*, Tirant lo Blanch, Valencia, 2019, pp. 71-100, esp. pp. 84-88.

385 Algunos de estos ejemplos son la imposición de la pena inferior en grado para el secuestrador que dé libertad al encerrado en los tres días siguientes a su detención (art. 163.2 CP); la exención de pena para el progenitor sustractor del menor si da cuenta de su localización en el plazo de veinticuatro horas (art. 225 bis.4 CP); o la exención de pena para quien haya prestado falso testimonio en causa criminal y se retracte en tiempo y forma (art. 462 CP).

386 Así la STS 240/2012, de 26 marzo, ECLI:ES:TS:2012:2206 (*Tol 2509443*), FJ 3º: "*el fundamento de la atenuación en la confesión (...) radica, una vez superada la anterior concepción de la atenuación basada en motivaciones pietistas o de arrepentimiento, en razones de política criminal, pues la confesión ahorra esfuerzos de investigación y facilita la instrucción de la causa criminal*".

387 ORTIZ PRADILLO, J.C., "*Compliance* y clemencia en el proceso penal de la persona jurídica investigada", en N. Rodríguez García, A. Carrizo González Castell, F. Rodríguez López (eds.), J. Sánchez Bernal, A.E. Carrillo del Teso y S. Calaza López (coords.), *Corrupción, compliance, represión y recuperación de activos*, op. cit. pp. 381-404, esp. p. 386. Del mismo autor, *Whistleblowing, colaboración eficaz con la justicia y proceso penal*, op. cit. p. 29, donde concibe como "justicia premial" la "*regulación de incentivos y recompensas —principalmente, rebajas punitivas o exenciones penales— como instrumentos igualmente utilizables para la promoción de conductas loables en pos de la prevención general del delito y la reparación del daño*".

a la conformación de pruebas procesales, precisando que "*la expectativa de premio no aparece ahora como contraprestación a una conducta del sujeto contraofensiva al bien jurídico directamente ofendido por el sujeto, sino que surge como consecuencia de una actuación positiva en el proceso, consistente en la colaboración con la autoridad policial o judicial, con la que la Administración de Justicia trata de conseguir aquello que no ha conseguido con lo que podrían llamarse medios de investigación regulares*"[388]. Se trataría, de este modo, de introducir en favor del *whistleblower* un mecanismo equivalente a los programas de clemencia característicos del Derecho de la competencia[389], los cuales no existen en el ámbito penal en tanto en cuanto la confesión tiene la consideración de circunstancia atenuante y no de eximente de la responsabilidad.

La voluntad del legislador de excluir la posibilidad de clemencia en el ámbito penal resulta indubitada en la medida en que la Ley 2/2023, de 20 de febrero, sí establece en el artículo 40 un sistema de clemencia para la persona delatora que hubiera participado de la *infracción administrativa* que se denuncia, pudiendo quedar exenta de la sanción administrativa que le correspondería en caso de haber cesado en la comisión de aquella con anterioridad a la denuncia, haber cooperado en el proceso de investigación interna, haber proporcionado información útil y veraz o haber procedido a la reparación del daño[390]. Ninguna previsión en este sentido se recoge, sin embargo, si la parti-

---

388 BENÍTEZ ORTÚZAR, I.F., *El colaborador con la justicia*, Dykinson, Madrid, 2004, p. 36.

389 Vid. arts. 65 y 66 Ley 15/2007, de 3 de julio, de Defensa de la Competencia, BOE n. 159, de 4 de julio de 2007, pp. 28848-28872; NIETO MARTIN, A., "Investigaciones internas, *whistleblowing* y cooperación: la lucha por la información en el proceso penal", *Diario la Ley* 5 de julio de 2013, n. 8120, disponible en https://diariolaley.laleynext.es.

390 Art. 40 Ley 2/2023, de 20 de febrero: "*Cuando una persona que hubiera participado en la comisión* de la infracción administrativa *objeto de la información sea la que informe de su existencia mediante la presentación de la información y siempre que la misma hubiera sido presentada con anterioridad a que hubiera sido notificada la incoación del procedimiento de investigación o sancionador, el órgano competente para resolver el procedimiento, mediante resolución motivada, podrá eximirle del cumplimiento de la sanción administrativa que le correspondiera siempre que resulten acreditados en el expediente los siguientes extremos* (...)" (destacado propio).

cipación del delator fue no en una infracción administrativa, sino en un hecho delictivo.

Matiza RODRÍGUEZ CELADA que la inexistencia de programas de clemencia en el ámbito criminal y la consideración de la confesión como atenuante y no como eximente conlleva el preceptivo ejercicio de la acción penal contra el *whistleblower* por parte del Ministerio Fiscal[391]. A este respecto, ya existen voces doctrinales que advierten la conveniencia de abogar por el principio de oportunidad, de forma tal que la Fiscalía pueda disponer de cierto margen de decisión en torno al ejercicio o no de la acción penal contra el delator que, habiendo participado del delito por el que se persigue a la persona jurídica, decide colaborar con la Justicia[392].

Con todo, vemos cómo el legislador no ha optado ni por la instauración de una obligación de denuncia ni por un sistema de delación premiada en el ámbito penal, resultando que la forma de incentivo a los *whitleblowers* por la que se apuesta en nuestro ordenamiento es el aseguramiento a aquellos de medidas contra posibles represalias. En estos términos se pronuncia la Fiscalía General del Estado que, a raíz de la incorporación de la responsabilidad penal de la persona jurídica en el ordenamiento español y la modificación del Código Penal en 2015, declaró en su Circular 1/2016, de 22 de enero, que "*La existencia de unos canales de denuncia de incumplimientos internos o de actividades ilícitas de la empresa es uno de los elementos clave de los modelos de prevención*". Ahora bien, continúa, "*para que la obligación impuesta pueda ser exigida a los empleados resulta imprescindible que la entidad cuente con una regulación protectora específica del denunciante (whistleblower), que permita informar sobre incumplimientos varios (…) sin riesgo a sufrir represalias*".

Efectivamente, en su transposición de la Directiva 2019/1937, tal es el objeto de la Ley 2/2023, de 20 de febrero, ocupándose el Título VII de las correspondientes medidas de protección. Comienza la regulación por medio del artículo 35 estableciendo las condiciones

---

391 RODRÍGUEZ CELADA, E., "La Directiva desde la perspectiva del Derecho Penal", op. cit. p. 86.

392 CRIADO ENGUIX, J., "Retos en la transposición de la Directiva *whistleblowing*", *Revista General de Derecho Europeo* 2022, n. 57, pp. 384-420, esp. pp. 401-402, disponible en https://www.iustel.com/.

por las que los denunciantes tendrán derecho a protección, cuales son la existencia de motivos razonables de veracidad de la información aportada[393] y que su revelación se haya efectuado conforme a los requerimientos previstos por la propia norma[394]. Sobre estas premisas, el artículo 36.2 Ley 2/2023, de 20 de febrero, ofrece una definición de lo que debe entenderse por "represalias" al concebirlas como "*cualesquiera actos u omisiones que estén prohibidos por la ley, o que, de forma directa o indirecta, supongan un trato desfavorable que sitúe a las personas que las sufren en desventaja particular con respecto a otra en el contexto laboral o profesional, solo por su condición de informantes, o por haber realizado una revelación pública*"[395].

Frente a las represalias y junto con su prohibición, queda asentado un escenario de medidas de protección conformado por la nulidad de pleno derecho de los actos en que aquellas hubieran consistido[396],

393 Siguiendo la redacción de la Directiva 2019/1937 (art. 6.1.a)), el legislador español se refiere a "*motivos razonables para pensar que la información referida es veraz*" (art. 35.1.a)), no utilizando la noción de "actuación de buena fe" por poder esta ser interpretada en el sentido de que el delator no solo ha de creer en la veracidad de la información, sino además actuar de forma absolutamente altruista, VILLEGAS GARCÍA, M.A., "La figura del denunciante. El estatuto del denunciante en la nueva Directiva (UE) 2019/1937", op. cit. p. 73. Sobre la relevancia de los motivos altruistas o no para denunciar, GARCÍA-MORENO, B., *Del whistleblower al alertador: la regulación europea de los canales de denuncia*, op. cit. pp. 71-74.

394 En consonancia con ello, el art. 18.2.a) Ley 2/2023, de 20 de febrero, establece que las comunicaciones serán inadmitidas cuando sean manifiestamente inverosímiles, no sean constitutivas de infracción del ordenamiento jurídico, carezcan de fundamento o se trate de informaciones reiterativas.

395 Se incluyen expresamente como tales la afectación al contrato de trabajo (suspensión, extinción o modificación), la imposición de medidas disciplinarias, el perjuicio a la carrera profesional, los daños reputaciones y económicos, la evaluación negativa del desempeño laboral, el dificultar el acceso a un nuevo puesto de trabajo, la anulación de licencias o permisos, la denegación de formación o la discriminación (art. 36.3 Ley 2/2023, de 20 de febrero, en consonancia con el art. 19 Directiva 2019/1937)

396 No en balde, la adopción de represalias por la entidad supone la comisión de una infracción muy grave con multas que oscilan entre 600.001 y 1.000.000 euros en atención al régimen sancionatorio de la Ley 2/2023, de 20 de febrero (arts. 60 y ss.).

dándose lugar al posible establecimiento de deberes de readmisión[397] y/o indemnización del perjudicado[398]. En adición, se construye un entramado de medidas consistentes en asesoramiento, asistencia y apoyo financiero y psicológico tendentes a disminuir los efectos de las represalias[399]. Estos mecanismos, sostienen BACHMAIER WINTER y MARTÍNEZ SANTOS, no deben limitarse a los miembros de la organización en cuanto que alertadores, sino que la protección frente a posibles represalias debe extenderse a los supuestos en que tales denunciantes intervengan con posterioridad en el proceso penal contra la entidad en calidad de testigos[400].

---

397 La opción por la readmisión en caso de despido del trabajador como forma de represalia requeriría, a nuestro juicio, de una revisión de la normativa laboral, toda vez que la readmisión obligatoria solo opera en caso de nulidad del despido por vulneración de derechos fundamentales. En el resto de supuestos, es decir de considerarse el despido como improcedente, el empresario puede optar entre la readmisión o la indemnización (arts. 55.6 y 56.1 ET).

398 Vid. art. 36.5 Ley 2/2023, de 20 de febrero. Además, en virtud del art. 38.4 Ley 2/2023, de 20 de febrero, en los procedimientos seguidos ante la jurisdicción laboral como consecuencia de la adopción de represalias contra el delator, una vez que por él se haya demostrado que reveló información de la entidad, corresponderá a esta la prueba de que las medidas laborales que se hubieran dado no obedecían a una represalia por la actuación del *whistleblower*, en lo que constituye una inversión de la carga de la prueba.

399 Para advertir la posible adopción de represalias, Fernando Lacasa nos señala que el departamento de *compliance officer* debe comunicarse con el de recursos humanos, para ser informado a la mayor premura de cuantos cambios se den en la relación laboral del alertador con la entidad (despidos, evaluaciones negativas de rendimiento, etc.) y, con ello, poder determinar si los mismos son consecuencia de la denuncia. Si el riesgo se da entre compañeros, será el supervisor inmediato de estos trabajadores quien deba informar al *compliace officer* de cualquier actuación constitutiva de represalias. Entrevista efectuada a través de *Teams* el 14 de febrero de 2023. Fernando Lacasa es Socio responsable del departamento de Forensic en Grant Thornton España, dedicado a la realización de investigaciones por fraude o irregularidades en empresas, así como a la implantación de modelos de prevención penal. Ha sido igualmente profesor en el Curso Superior de *Compliance Officer* Penal de la Universidad Rey Juan Carlos.

400 Lo cual en la actualidad encuentra como única previsión la Ley Orgánica 19/1994, de 23 de diciembre, de protección a testigos y peritos en causas criminales, BOE n. 307, de 24 de diciembre de 1994, pp. 38669-38671, más bien referida a la protección personal del testigo y no a la prohibición de represalias en el ámbito laboral, BACHMAIER WINTER, L. y MARTÍNEZ SANTOS, A., "El régimen jurídico-procesal del *whistleblower*. La influencia del Derecho europeo", op. cit. pp. 536-539.

Por otro lado, se dispone de otra tipología de garantías, consistente en que no se considerará que el denunciante, de cumplirse las condiciones antes indicadas, haya infringido restricción alguna de revelación de secretos. Así lo dispone el artículo 38.1 Ley 2/2023, de 20 de febrero, al indicar que "*No se considerará que las personas que comuniquen información sobre las acciones u omisiones recogidas en esta ley o que hagan una revelación pública de conformidad con esta ley hayan infringido ninguna restricción de revelación de información* (...)". Sin embargo, si proseguimos con la lectura del precepto, vemos cómo matiza el último inciso del mismo que la medida de no atribución de responsabilidad por las informaciones destapadas "*no afectará a las responsabilidades de carácter penal*". ¿Quiere esto decir que el delator podrá ser condenado por un delito de descubrimiento y revelación de secretos? Tal parece ser lo dispuesto en la redacción final de la Ley 2/2023, de 20 de febrero, más si cabe cuando en el artículo 38.2 incide de nuevo sobre esta posibilidad, al establecer que el informante no incurrirá en responsabilidad por la adquisición o el acceso a la información "*siempre que dicha adquisición o acceso no constituya un delito*". A nuestro juicio, esta redacción tendría que haber sido revisada antes de la aprobación de la Ley, pues la posibilidad de que el delator sea investigado por la comisión de un delito de los artículos 197 y siguientes CP, hará decaer en la práctica todo el sistema de incentivos a la figura del *whistleblower*.

La inclusión de una "inmunidad penal" por obtención y revelación de información encontraría cabida en la transposición de la Directiva 2019/1937, pues el artículo 21.3 de esta última precisa que "*en el caso de que la adquisición o el acceso constituya de por sí un delito, la responsabilidad penal seguirá rigiéndose por el Derecho nacional aplicable*", en correlación con lo dispuesto en el Considerando 92 de la norma europea, por la cual, "*deben ser los órganos jurisdiccionales nacionales los que evalúen la responsabilidad del denunciante a la luz de toda la información objetiva pertinente y teniendo en cuenta las circunstancias particulares del caso, incluida la necesidad y la proporcionalidad de la acción u omisión en relación con la denuncia* o *revelación pública*"[401]. Así pues y en atención a las circunstancias del caso concreto, cabría en la legislación española una exención de responsabilidad del delator por la revelación de información[402]. Un posible criterio valorativo ha sido introducido ya por el TEDH en el asunto *Halet c. Luxemburgo*, de 14 de febrero de 2023, conforme al cual, la revelación de información por el denunciante no será penalmente reprensible en tanto en cuanto los datos proporcionados sean de interés público en cada supuesto particular[403].

## 2. INVESTIGACIONES INTERNAS EN EL SENO DE LAS PERSONAS JURÍDICAS

Incorporada al canal de denuncias la información referente a potenciales hechos ilícitos, ya sea de forma manifiesta o anónima, el cumplimiento del tenor literal del artículo 31 bis.5. 4º CP implica que aquella ha de ser transmitida a quien haga las veces de *compliance officer* en cuanto que organismo encargado de controlar el correcto

---

401 Y de acuerdo igualmente con la cláusula de no regresión del art. 25.1 Directiva 2019/1937, por la cual los Estados miembros están facultados para introducir en sus ordenamientos medidas de protección de los derechos de los denunciantes más favorables que las previstas en la norma comunitaria.

402 Es ejemplificativo el caso de la STS 778/2013, de 22 octubre, ECLI:ES:TS:2013:5700 (*Tol 4032029*), FJ 1º, por la que se absuelve a un cirujano que informó sobre la estafa en la calidad de prótesis mamarias implantadas a las pacientes de la clínica en la que prestaba sus servicios de ambos delitos de descubrimiento y revelación de secretos, por estimar el Tribunal que se dio un error de prohibición invencible "*pues el acusado se asesoró, acudiendo a fuentes de su máxima solvencia para desvanecer el error, y actuó en defensa de su propio derecho al ejercicio de su profesión sin el temor de una responsabilidad exigible, y en la creencia, errónea, de que la denuncia que formulaba requería una previa indagación de los hechos*".

403 STEDH de 14 de noviembre de 2023, asunto *Halet c. Luxemburgo*, ECLI:CE:ECHR:2023:0214JUD002188418 (*Tol 9393971*), para. 202. Por la misma, se cambia de criterio con respecto a la anterior STEDH de 11 de mayo de 2021, asunto *Halet c. Luxemburgo*, ECLI:CE:ECHR:2021:0511JUD002188418 (*Tol 8416509*), en la que se condenaba al *whistleblower* por la revelación de secretos sin atender a la relevancia pública del asunto y bajo la argumentación del daño causado al empleador; en el Voto Particular, se menciona lo paradójico de dictar una sentencia en contra de la protección del alertador al tiempo que se tramitaba la aprobación de la Directiva 2019/1937 (para. 10).

funcionamiento y observancia del modelo de cumplimiento penal en la entidad[404]. Sobre la base de tal comunicación tendrá lugar el correspondiente desarrollo de una investigación interna de cara a la averiguación de los hechos denunciados[405], tal y como se desprende del artículo 9 Ley 2/2023, de 20 de febrero, el cual utiliza el eufemismo "procedimiento de gestión de informaciones" para referirse al procedimiento de investigación interna[406]. Esta, siguiendo a AGUILERA GORDILLO, culminará con una serie de conclusiones sobre las que el órgano directivo o de administración de la persona jurídica adoptará las decisiones que estime oportunas[407], pudiendo consistir en la imposición de una sanción interna de conformidad con el régimen disciplinario incorporado al sistema de *compliance*; en el reajuste del modelo de cumplimiento de cara a evitar reiteraciones delictivas en el futuro; o, en lo que aquí y ahora nos interesa, en la aportación de la información al eventual proceso penal incoado contra la entidad para acreditar su exención de responsabilidad por la efectiva incorporación de un modelo de cumplimiento o, en su caso, su atenuación por la colaboración con la autoridad judicial.

### *2.1. Tipología de investigaciones internas*

Sobre la base de las utilidades otorgadas a los descubrimientos obtenidos como resultado de la actividad investigadora de la entidad, conviene distinguir la tipología de investigaciones internas en que pueden clasificarse las indagaciones efectuadas por la persona jurídica.

---

404 Vid. *infra* Cap.IV.2.2.

405 Como señala NIETO MARTÍN, las investigaciones internas pueden servir tanto para averiguar hechos delictivos que redunden en responsabilidad penal de la entidad, como para esclarecer delitos cometidos en su perjuicio y demás infracciones de su Código de conducta que no impliquen una comisión delictiva, NIETO MARTÍN, A., "Investigaciones internas", en A. Niėto Martín (dr.), *Manual de cumplimiento penal en la empresa*, op. cit. pp. 231-270, esp. pp. 231-232. Nos centramos en este estudio en el primer supuesto.

406 LIÑÁN LAFUENTE, A., "La Ley 2/2023, de protección del informante, vs. el derecho a la no autoincriminación de la persona jurídica", *La Ley Penal* 2023, n. 162, pp. 1-11, esp. p. 3.

407 AGUILERA GORDILLO, R., *Manual de compliance penal en España*, op. cit. p. 592.

Seguimos a tal efecto la clasificación presentada por FORTUNY CENDRA, para quien una primera categorización de las investigaciones corporativas pasa por la diferenciación entre las preventivas y las reactivas[408]. Las investigaciones preventivas tienen por finalidad el cumplimiento por parte de la persona jurídica de su deber de garantizar un correcto funcionamiento del *compliance program*, lo cual tiene lugar gracias a una revisión continuada de las actividades desarrolladas a lo largo de su estructura organizativa para prevenir o evitar comisiones delictivas. Es por ello que, para autores como COLOMER HERNÁNDEZ, esta tipología de investigaciones no debería recibir en puridad la denominación de "investigación", dado que "*Su finalidad esencial es verificar que las medidas de control aplicadas son efectivas y se adecúan a las peculiaridades de estructura, organización y actividad de la persona jurídica*" precisando en adición que "*en estas investigaciones preventivas no hay, pues, ninguna intención de verificar o comprobar la posible comisión de un delito en el seno de la persona jurídica, sino solo el correcto funcionamiento de las medidas y controles establecidos.* (...)"[409]. En similar lógica argumental, sostiene NIETO MARTÍN que estas investigaciones internas pueden recibir la denominación de "auditorías" pues, ya sean llevadas a cabo por órganos internos o externos de la entidad, tienen por función "*comprobar el grado de funcionamiento del sistema* (de cumplimiento penal), *sin que existan sospechas de que se ha cometido algún tipo de irregularidad*"[410]. Y es que, su objeto no es tanto efectuar una labor indagatoria de cara a informar sobre riesgos e incumplimientos delictivos (artículo 31 bis.5. 4° CP), como realizar una verificación periódica del modelo de cumplimiento (artículo 31 bis.5. 6° CP)[411]

---

408 FORTUNY CENDRA, M., "Las investigaciones internas en el marco de un modelo de prevención de delitos", en M. Fortuny Cendra (dr.), *Las investigaciones internas en compliance penal. Factores clave para su eficacia*, op. cit. pp. 21-60, esp. pp. 28-30.

409 COLOMER HERNÁNDEZ, I., "Derechos fundamentales y valor probatorio en el proceso penal de las evidencias obtenidas en investigaciones internas en un sistema de compliance", en J.L. Gómez Colomer (dr.) y C.M. Madrid Boquín (coord.), *Tratado sobre compliance penal*, op. cit. pp. 610-652, esp. p. 612.

410 NIETO MARTÍN, A., "Investigaciones internas", op. cit. p. 232.

411 VICARIO PÉREZ, A.M., "*Compliance* penal en los partidos políticos. El valor probatorio de las investigaciones internas", op. cit. p. 40.

con una finalidad eminentemente informativa frente al *compliance officer*, para que este pueda cumplir su deber de supervisar el modelo de prevención.

Por su parte y como su denominación parece advertir, las investigaciones reactivas sí se corresponden con aquellas que tienen lugar a consecuencia del previo conocimiento por la entidad de hechos en apariencia delictivos, gracias a la *notitia criminis* derivada del canal de denuncias incorporado en la persona jurídica. Es por tanto esta clase de investigaciones la que se corresponde con la materialización del requisito de los programas de cumplimiento a que se refiere el artículo 31.bis.5. 4º CP. Continuando con el estudio ofrecido por FORTUNY CENDRA, las investigaciones reactivas pueden subdividirse en dos tipos, cuales son las confirmatorias y las defensivas[412], también conocidas como pre-judiciales y para-judiciales[413].

Las primeras son fruto del conocimiento por el órgano de *compliance* de hechos potencialmente delictivos que pudieran dar lugar a la apertura de un proceso penal contra la persona jurídica. El propósito es por tanto el acometimiento de labores de información tendentes a esclarecer los hechos acontecidos, permitiendo que la persona jurídica llegue a la conclusión, siquiera de forma indiciaria, de si ha tenido o no lugar un delito en su seno y, en su caso, que pueda proceder a denunciarlo ante las autoridades competentes en atención al deber de colaboración con la Justicia que al respecto de los delitos

---

412 FORTUNY CENDRA, M., "Las investigaciones internas en el marco de un modelo de prevención de delitos", op. cit. p. 29.

413 LEÓN ALAPONT, J., *Canales de denuncia e investigaciones internas en el marco del compliance penal corporativo*, op. cit. p. 351; del mismo autor, *Compliance penal: especial referencia a los partidos políticos*, Tirant lo Blanch, Valencia, 2020, pp. 225-226. Por su parte RODRÍGUEZ GARCÍA no distingue entre investigaciones internas reactivas y defensivas, empleando en su lugar la terminología de "investigaciones defensivas preliminares" e "investigaciones defensivas complementarias", en RODRÍGUEZ GARCÍA, N., "Las investigaciones internas corporativas", en J.M. Roca Martínez (dr.), *Procesos y prueba prohibida*, Dykinson, Madrid, 2022, pp. 191-226, esp. pp. 198-200; también RODRÍGUEZ GARCÍA, N., "Las investigaciones internas como elemento esencial de los "criminal compliance programs": haciendo de la necesidad virtud", op. cit. pp. 207-208.

públicos establece el artículo 259 LECrim[414]. Así pues, estas investigaciones se encuentran todavía desvinculadas del proceso penal, siendo en su ámbito, además, donde se manifiesta el ejercicio de la potestad disciplinaria que incumbe al empresario a que se refiere el artículo 31 bis.5. 5° CP[415].

Las segundas, es decir las investigaciones reactivas defensivas, son las desarrolladas de forma paralela al curso de un proceso penal ya incoado en cuanto que reflejo de la estrategia defensiva de la persona jurídica. Para COLOMER HERNÁNDEZ, la finalidad defensiva de las investigaciones internas se traduce en dos grandes propósitos por cuanto se refiere a la introducción de evidencias probatorias en el proceso penal: de un lado, la colaboración con el órgano jurisdiccional mediante la aportación de elementos de prueba sobre los delitos cometidos por miembros de la entidad, lo que derivaría en la atenuación de responsabilidad penal de la misma *ex* artículo 31 quarter b) CP; de otro lado, demostrar que la conducta delictiva se llevó a cabo por el miembro de la entidad pese a la efectiva implementación de modelos de *compliance* y, de esta suerte, conseguir su exoneración de responsabilidad penal en virtud del artículo 31 bis.2 y 4 CP[416]. Añade en este mismo sentido ESTRADA CUADRAS que "*el recurso a una investigación interna ante la existencia de sospechas fundadas de delito forma parte del deber de diligencia de un ordenado empresario, así como del deber de cuidado inherente a los tipos penales que se pueden haber realizado. Cumplir con este deber puede evitar su responsabilidad penal individual. En todo caso, la entrega de los resultados de la investigación interna también podría atenuarla si equivale a una confesión (artículo 21.4° CP) o supone una colaboración a la que*

---

414 COLOMER HERNÁNDEZ, I., "Derechos fundamentales y valor probatorio en el proceso penal de las evidencias obtenidas en investigaciones internas en un sistema de compliance", op. cit. p. 619.

415 FORTUNY CENDRA, M., "Las investigaciones internas en el marco de un modelo de prevención de delitos", op. cit. p. 30.

416 COLOMER HERNÁNDEZ, I., "Derechos fundamentales y valor probatorio en el proceso penal de las evidencias obtenidas en investigaciones internas en un sistema de compliance", op. cit. p 613; igualmente en COLOMER HERNÁNDEZ, I., "Régimen de exclusión probatoria de las evidencias obtenidas en las investigaciones del compliance officer para su uso en un proceso penal", *Diario la Ley* 14 de noviembre de 2017, n. 9080, disponible en https://diariolaley.laleynext.es.

*el Juez o Tribunal confieren efectos penológicos análogos a los de la confesión (artículo 21.7º CP)*"[417].

En suma, son las investigaciones reactivas defensivas las que suponen la obtención y aportación por la persona jurídica de evidencias probatorias que pueden surtir efecto en el proceso penal[418]. A su desarrollo destinamos los apartados siguientes del presente Capítulo.

## 2.2. Compliance officer *como órgano encargado de las investigaciones internas*

Es necesario, en este punto, realizar una aproximación a la noción de *compliance officer*, a efectos de determinar si es a este órgano a quien debe corresponder el desarrollo de las investigaciones internas. Y es que, la Ley 2/2023, de 20 de febrero, señala que en cada entidad se nombrará un "responsable del Sistema Interno de Información", el cual cuidará del diseño y funcionamiento del canal de denuncias y de las posteriores investigaciones corporativas a que dé lugar. Nos preguntamos así, ¿en qué medida el "responsable del Sistema Interno de Información" puede corresponderse con el *compliance officer*?

---

417 ESTRADA CUADRAS, A., "Confesión o finiquito: el papel del derecho a no autoincriminarse en las investigaciones internas", *Indret Revista para el análisis del Derecho* 2022, n. 4, pp. 226-272, esp. p. 230.

418 Para MARTÍNEZ SANTOS, sin embargo, las investigaciones internas desarrolladas de forma paralela al transcurso de un proceso penal no son en puridad investigaciones de *compliance*, pues la imparcialidad requerida en estas últimas no predicará respecto de aquellas, en las que las indagaciones no tendrán tanto por finalidad el descubrimiento de los hechos realmente acontecidos sino la búsqueda de una posición exculpatoria para la entidad; sin embargo, el propio autor reconoce que, en la práctica, la distinción entre unas y otras tiende a difuminarse, en MARTÍNEZ SANTOS, A., "La garantía de la confidencialidad del abogado en las investigaciones internas de compliance de las personas jurídicas", en L. Bachmaier Winter (coord.), *Investigación penal, secreto profesional del abogado, empresa y nuevas tecnologías. Retos y soluciones jurisprudenciales*, Aranzadi, 2022, pp. 243-287, esp. pp. 254-255. Nos mostramos en esta monografía, en suma y como se viene sosteniendo en el presente apartado, partidarios de la consideración de las investigaciones internas reactivas defensivas como una tipología más de investigaciones corporativas de *compliance*, junto con las preventivas y las reactivas confirmatorias.

La figura del oficial de cumplimiento en las organizaciones obedece al artículo 31 bis 2.2° CP, en el cual se establecen los requisitos para la exoneración, o en su caso atenuación, de responsabilidad penal a la persona jurídica por conductas ilícitas cometidas por sus miembros apicales. Así, junto con la implantación de un programa de *compliance*, es necesario que su supervisión y correcto funcionamiento se confíe "*a un órgano de la persona jurídica con poderes autónomos de iniciativa y de control o que tenga encomendada legalmente la función de supervisar la eficacia de los controles internos de la persona jurídica*". No se prevé exigencia similar para los supuestos en los que el delito base haya sido cometido por alguna de las personas incardinadas en el apartado b) del artículo 31 bis 1 CP. Sin embargo, al establecerse en tales casos la necesidad de contar igualmente con un programa de cumplimiento, se infiere la conveniencia de atribuir su supervisión a un órgano específico de la entidad[419]. En el mismo sentido, y dentro de los elementos de eficacia del *compliance program* enunciados en el artículo 31 bis 5 CP, se señala en el apartado 4° que la apreciación de posibles riesgos e infracciones legales observadas por los miembros de la organización será puesta en conocimiento del "*organismo encargado de vigilar el funcionamiento y observancia del modelo de prevención*".

Ninguno de estos preceptos ofrece una definición de *compliance officer*, siendo así que hemos de dirigir la mirada al esfuerzo interpretativo llevado a cabo por la doctrina. Para GONZÁLEZ CUSSAC, una de las notas características es la independencia del órgano respecto de la administración o dirección de la persona jurídica que lo ha nombrado, lo cual precisa de la concreción de garantías laborales, dotación económica adecuada para el ejercicio de sus funciones e independencia operativa[420]. En esta lógica, incide LEÓN ALAPONT en la delimitación de poderes autónomos de iniciativa y control, de modo que tenga capacidad para decidir la suspensión temporal de una actividad; para iniciar una investigación interna; para acceder a cualquier tipo de información en la entidad; o para dar instrucciones en

---

419 GONZÁLEZ CUSSAC, J. L., *Responsabilidad penal de las personas jurídicas y programas de cumplimiento*, Tirant lo Blanch, Valencia, 2020, p. 184.

420 *Ibidem* p. 186.

cuanto a la eficiente implementación del programa[421]. Junto con ello, en su Circular 1/2016, de 22 de enero, la Fiscalía General del Estado puntualiza que "*para conseguir los máximos niveles de autonomía, los modelos deben prever los mecanismos para la adecuada gestión de cualquier conflicto de interés que pudiera ocasionar el desarrollo de las funciones del oficial de cumplimiento, garantizando que haya una separación operacional entre el órgano de administración y los integrantes del órgano de control que preferentemente no deben ser administradores, o no en su totalidad*".

Otra especialidad, siguiendo a DE LA MATA BARRANCO, consiste en que el oficial de cumplimiento pueda ser un órgano unipersonal o colegiado, pero en todo caso perteneciente a la propia persona jurídica, de forma tal que no cabe su externalización[422]. Esta última aseveración debe ser matizada, sobre todo en los casos en los que la función de *compliance officer* se hace recaer sobre varias personas. En estos supuestos, lo importante es que quien asuma "la dirección" de todas las personas encargadas de velar por el programa de cumplimiento pertenezca a la entidad, no existiendo impedimento para que alguna de las funciones del órgano colegiado se delegue mediante contratación externa[423]. Traemos a colación de nuevo en este punto la Circular 1/2016, de 22 de enero, de la Fiscalía General del Estado, donde se señala que "*Carecería de sentido y restaría eficacia al modelo imponer a una multinacional la realización y control interno de todas las tareas que integran la función de cumplimiento normativo. Lo verdaderamente relevante a los efectos que nos ocupan es que la persona jurídica tenga un órgano responsable de la función de cumplimiento normativo, no que todas y cada una de las tareas que integran dicha función sean desempeñadas por ese órgano*".

---

421 LEÓN ALAPONT, J., "Criminal Compliance: análisis de los arts. 31 bis 2 a 5 CP y 31 quater CP", *Revista General de Derecho Penal* 2019, n. 31, pp. 1-36, esp. p. 20, disponible en https://www.iustel.com/.

422 DE LA MATA BARRANCO, N. J., "El órgano de cumplimiento en la exención de responsabilidad penal de las personas jurídicas: indefiniciones y precisiones", en A.A.V.V., *Liber amicorum. Estudios jurídicos en homenaje al profesor doctor Juan Ma. Terradillos Basoco*, Tirant lo Blanch, Valencia, 2018, pp. 457-469, esp. pp. 465-466.

423 AGUILERA GORDILLO, R., *Compliance Penal en España*, Aranzadi, Cizur Menor, 2018, pp. 172-173.

En cuanto a las funciones del oficial de cumplimiento, se corresponden con la supervisión y control del programa, no así con su aprobación. Ciertamente, la confección e implantación del *compliance program* corresponde al órgano de dirección de la persona jurídica, limitándose el oficial de cumplimiento a asegurar su efectiva ejecución. Se señala, entre los profesionales, que la falta de una regulación expresa de las funciones de los *compliance officers* facilita que existan empresas en las que se concibe como tal a un mero órgano de gestión y supervisión, habiendo incluso entidades que atribuyen a la misma persona la creación y la ejecución del programa, lo cual es una contradicción[424]. Sobre esta cuestión, matiza NIETO MARTÍN que el oficial de cumplimiento puede participar en la confección del programa, elaborando propuestas cuya aprobación definitiva corresponderá en todo caso al Consejo de administración de la entidad[425].

Por consiguiente, pueden señalarse dos cometidos fundamentales del oficial de cumplimiento: primero, asegurar la difusión del contenido del programa a todos los niveles de la organización; segundo, vigilar el respeto del programa por parte de todos los miembros. Matiza sobre la cuestión DE LA MATA BARRANCO que la supervisión hace referencia "*por una parte, a la comprobación de la actualidad normativa del protocolo, su adecuación a la actividad empresarial y su vigencia en relación con la distribución de funciones y la estructura orgánica de la persona jurídica; por otra, al modo en que se implementan mecanismos de actuación dentro de cada departamento para su correcto funcionamiento*"[426].

Es así que, centrándonos en la gestión del desarrollo de investigaciones internas, una vez acreditada la verosimilitud de la denuncia, la competencia para acordar la apertura de la investigación corporativa,

---

424 Entrevista a Fernando Lacasa, efectuada el 14 de febrero de 2023.

425 NIETO MARTÍN, A., "La institucionalización del sistema de cumplimiento", en A. Nieto Martín (dr.), *Manual de cumplimiento penal en la empresa*, op. cit. pp. 187-204, esp. p. 200; también RAMOS BARSELÓ, F., "Funciones del compliance officer empresarial", en I. Giménez Zuriaga (dr.), *Manual práctico de compliance*, op. cit. pp. 147-167, esp. pp. 161-163; o el apartado 5.1.2. de la norma UNE 19601:2017.

426 DE LA MATA BARRANCO, N. J., "El órgano de cumplimiento en la exención de responsabilidad penal de las personas jurídicas: indefiniciones y precisiones", op. cit. p. 468.

consideramos, corresponderá al *compliance officer* de la persona jurídica en cuanto que órgano sobre el que recae el deber de control del programa de cumplimiento[427].

De igual forma se atribuirá a aquel la gestión de la investigación, en atención al mencionado artículo 31 bis.2.2º CP por el que se le encomienda la función de supervisar la eficacia de los controles internos de la persona jurídica y del artículo 8 Ley 2/2023, de 20 de febrero, el cual recalca la independencia y autonomía en sus actuaciones del que denomina "Responsable del Sistema Interno de Información"[428].

La posibilidad de externalizar parte de las funciones del *compliance officer*, exige con respecto a la gestión de las investigaciones internas una puntualización. Incide FORTUNY CENDRA en que la opción por un oficial de cumplimiento interno o externo a la entidad vendrá determinada, en no pocas ocasiones, por la gravedad de los ilícitos investigados, siendo que se prefiere la externalización cuando, tratándose de investigaciones defensivas, pueda cuestionarse la imparcialidad del *compliance officer*[429]; de igual forma, la complejidad de la investigación y/o la falta de recursos para el acometimiento de la misma por órganos internos de la entidad, puede conllevar la conveniencia de su desarrollo por medios externos[430]. En cualquier caso, el desarrollo externo de las investigaciones no empece la colaboración

---

427 AGUILERA GORDILLO, R., *Compliance Penal en España*, op. cit. p. 300; MARTÍNEZ DE LA FUENTE, J., "Investigaciones internas en el seno de los programas de *compliance*", en E. Ortega Burgos, R. Ochoa Marco (dres.), J. Andújar Urrutia y otros (coords.), *Derecho Penal 2021*, Tirant lo Blanch, Valencia, 2021, pp. 451-471, esp. p. 458.

428 Independencia que no es más que aparente, pues el Responsable del Sistema Interno de Información es, a la postre, un empleado retribuido por la propia persona jurídica cuya criminalidad está llamado a investigar. Para un análisis de los elementos del Sistema, véase RAGUÉS I VALLÈS, R., "La Ley 2/2023 de protección de informantes: una primera valoración crítica", *La Ley compliance penal* 2023, n. 13, disponible en https://revistas.laley.es/; también VELASCO NÚÑEZ, E., *El canal de denuncias: sector privado y público*, La Ley, Madrid, 2023, pp. 98-99.

429 FORTUNY CENDRA, M., "Las investigaciones internas en el marco de un modelo de prevención de delitos", op. cit. p. 51.

430 MARTÍNEZ DE LA FUENTE, J., "Investigaciones internas en el seno de los programas de *compliance*", op. cit. p. 459.

en su desarrollo con los miembros internos del órgano de cumplimiento[431].

Con respecto a las características que debe revestir el oficial de cumplimiento, ya sea en su consideración como órgano unipersonal o colegiado, a la autonomía, neutralidad e imparcialidad debe añadirse la capacitación para el desarrollo de la investigación interna. En palabras de VELASCO NÚÑEZ, quien se encargue de la investigación debe contar con "*la oportuna formación, experiencia y conocimiento del sector, como para saber exponer aquellas medidas constructivas y de enmienda que fueran precisas para que la empresa no repita o, en su caso, reduzca riesgos como los que se hayan puesto en evidencia*" [432]. Más aún, puede ser deseable la constitución de un equipo de investigación que, bajo la dirección del oficial de cumplimiento, englobe a personal informático, contable, de riesgos laborales, etc., en atención a la gravedad y tipología de la infracción investigada[433].

Desde la práctica forense, se argumenta también la multidisciplinariedad del oficial de cumplimiento, de manera que la persona o personas nombradas como tal aglutinen conocimientos técnicos a la par que de Derecho mercantil, penal y procesal-penal. No en vano, la investigación debe servir tanto para conocer las infracciones cometidas en el seno de la empresa como para preparar la defensa de la entidad en eventuales procesos penales seguidos contra ella[434]. Más todavía, se incide en que puede ser necesario que las investigaciones derivadas de denuncias que no sean sobre hechos estrictamente penales se atribuyan a otras personas distintas del *compliance officer*, pues este se circunscribe a la esfera de las infracciones penales y los nuevos canales de denuncias pueden tener un ámbito mucho más amplio[435].

---

431 MOOSMAYER, K., "Investigaciones internas: una introducción a sus problemas esenciales", en L. Arroyo Zapatero y A. Nieto Martín (dres.), *El Derecho Penal económico en la era compliance*, op. cit. pp. 137-144, esp. p. 142.

432 VELASCO NÚÑEZ, E., "Investigaciones internas corporativas: denuncias de delitos ocurridos en la empresa", op. cit. p. 23.

433 Ampliamente, PUYOL MONTERO, J., *El funcionamiento práctico del canal de compliance "whistleblowing"*, Tirant lo Blanch, Valencia, 2017, pp. 216-220.

434 Entrevista a Ignacio Vegas Nieto, abogado experto en *corporate compliance*, efectuada el 20 de julio de 2023.

435 Entrevista a Fernando Lacasa, efectuada el 14 de febrero de 2023.

### 2.3. *En especial, las investigaciones internas reactivas defensivas*

Analizada la competencia de los *compliance officers* en las investigaciones corporativas, pueden distinguirse tres etapas en el proceso de investigación interna reactiva defensiva: fase preliminar; desarrollo de la investigación; y comunicación de los resultados o conclusiones. Recordemos que se trata de las investigaciones que se dan en el seno de la persona jurídica simultáneamente al transcurso del proceso penal, de cara a la obtención de información que pueda ser aportada a las autoridades judiciales.

#### 2.3.1. Fase preliminar

Encontrándonos en el supuesto de investigaciones de origen reactivo, la apertura de la investigación interna tiene lugar como consecuencia del conocimiento por los órganos encargados del control del cumplimiento penal de conductas presumiblemente delictivas, como resultado de las informaciones proporcionadas por los miembros de la organización a través del canal de denuncias interno[436]. Ahora bien, ¿toda denuncia dará lugar a un proceso de investigación interna? La respuesta ha de ser necesariamente negativa.

Para que la información advertida por el delator, anónimamente o no, derive en una subsiguiente investigación por la entidad, se requiere un previo juicio de suficiencia, entendiendo por tal una investigación preliminar que permita asegurar la verosimilitud de los hechos denunciados.

Así se desprende de las previsiones normativas sobre el particular, bastando con remitirnos a la Directiva 2019/1937 para reparar en que, a la hora de ofrecer una noción de "denuncia", el legislador europeo se expresa en términos de "*información, incluidas las sospechas razonables, sobre infracciones reales o potenciales*" (artículo 5.2

[436] En efecto, las denuncias internas son la principal fuente de obtención de información por parte de la persona jurídica para la posterior investigación de la comisión de delitos por sus miembros, pero también pueden señalarse otras formas de inicio de las investigaciones, como noticias de prensa, reclamaciones de los consumidores y/o usuarios o escándalos públicos.

Directiva 2019/1937). Pues bien, la mera comunicación de unos hechos por parte de un delator no puede elevarse automáticamente a la categoría de "sospecha razonable", siendo preciso que por el órgano responsable en la entidad se proceda al análisis en profundidad de los detalles de la denuncia para la determinación de su veracidad, como precisa en España la Ley 2/2023, de 20 de febrero, al concebir como causa de inadmisión de la denuncia la notoria falta de verosimilitud de la comunicación (artículo 18.2.a.1º Ley 2/2023, de 20 de febrero).

Este análisis se denomina, en la práctica forense, como "fase de análisis de las evidencias", desarrollada con el objetivo de determinar "qué equipo de investigación se crea (de ser una denuncia ligera, se lleva a cabo por un equipo interno formado por personas relacionadas con la materia; pero si es algo más grave, se externaliza), si hay sospechas suficientes para abrir la investigación, si esta ha de ser interna o externo o si se necesitan adoptar medidas preventivas (por ejemplo, si se ha denunciado un acoso sexual, habría que separar a la posible víctima del victimario de forma sutil, por ejemplo ordenando a uno de los dos hacer un curso formativo en otro lugar). Con ello se hace un plan de investigación, basado en las políticas internas y en la experiencia previa. Este documento se firma por el equipo de investigación, e incluye una matriz de plazos para realizar las indagaciones en función de la gravedad de los hechos. Si es un hecho muy complejo, la prórroga del plazo ha de ser autorizado por el Comité de Ética. Tras esta fase preliminar, tiene lugar la investigación en sentido estricto, con entrevistas, análisis de documentos, comparación de documentos, verificación de contratos, entrevistas con personal externo a la empresa, análisis de informes, etc."[437].

No pretendemos afirmar, sin embargo, que el *whistleblower* deba aportar con su denuncia pruebas suficientes de las actuaciones ilícitas

437 Entrevista a la *compliance officer* Ingrid Matos, realizada el 9 de febrero de 2023. También el *compliance officer* Pedro Lois Cigarrán nos indica que antes de efectuar una investigación se debe realizar un análisis previo: "Cuando llega una denuncia a través del canal ético, la norma del Estatuto del *Compliance Officer* de la empresa establece que el *compliance officer* ha de convocar al Comité de Ética. Este es un órgano interno de cinco miembros, y basta con el voto de uno de ellos para que se abra la investigación". Entrevista realizada vía *Teams* el 10 de febrero de 2023.

de la persona jurídica. Como señala NIETO MARTÍN, el grado de verosimilitud de la denuncia preciso para abrir la investigación interna "*debe ser en cualquier caso significativamente más bajo al que determina por ejemplo la apertura de una investigación penal*"[438]. Ello resulta de la lógica consecuencia de la imposibilidad de atribuir a la persona jurídica el ejercicio del *ius puniendi* que corresponde al Estado, de forma tal que los estrictos límites de esta potestad no operan en el ámbito del poder de dirección del empresario[439].

Siguiendo el planteamiento de SOTO PATIÑO, la efectiva atención a estas consideraciones pasa por subdividir la fase preliminar en dos estadios[440]. El primero consistiría en un análisis de los detalles de la denuncia, enfocada a la determinación de su veracidad y en la que resultan de aplicación por analogía las conclusiones propias de la conocida como "doctrina Barbulescu II"[441], de forma tal que esta primera indagación debe llevarse a cabo con las mayores exigencias al juicio de proporcionalidad en la actuación indagatoria del órgano de cumplimiento, puesto que todavía no hay una sospecha fundada de comportamiento delictivo. De este modo, en su investigación previa acerca de la suficiencia de las informaciones proporcionadas por el alertador, la persona jurídica ha de prestar especial atención a la salvaguarda del derecho a la intimidad de los miembros de la organización sobre los que recaerá su indagación.

---

438 NIETO MARTÍN, A., "Investigaciones internas", op. cit. p. 236; en adición, precisa el autor, exigir a los denunciantes un elevado grado de seguridad en torno a los hechos en que se basa la información que aportan puede desincentivar la delación, NIETO MARTIN, A., "Investigaciones internas, *whistleblowing* y cooperación: la lucha por la información en el proceso penal", op. cit.

439 En este sentido, se precisa en el Preámbulo de la Ley 2/2023, de 20 de febrero, que "*aunque las denuncias deben en principio cumplimentar los requisitos previstos en la Ley de Enjuiciamiento Criminal para ser tenidas como tales, el incumplimiento de alguno de ellos no ha de llevar a su inadmisión si se están poniendo de manifiesto hechos constitutivos de delito perseguibles de oficio con visos de verosimilitud*".

440 SOTO PATIÑO, F., "La investigación en la empresa, ilicitud de la prueba y uso de datos en el proceso penal", op. cit. pp. 357-358.

441 STEDH de 5 de septiembre de 2017, asunto *Barbulescu c. Rumanía*, ECLI:CE:ECHR:2017:0905JUD006149608 (*Tol 6409212*); en ella se debate acerca de la procedencia del despido de un trabajador por hacer uso personal de la cuenta de correo electrónico facilitada por la empresa, tras haber accedido el empresario a los mensajes remitidos y recibidos por aquel.

El segundo estadio vendría determinado por la decisión en torno a la apertura de la investigación corporativa sobre la base de los resultados del análisis de verosimilitud de la denuncia. Así, en caso de haberse comprobado su falsedad y falta de fundamento, se pondrá término al proceso de investigación[442]; por el contrario, de considerarse la denuncia fundada, se continuará con las siguientes fases de la investigación interna, a las que se atribuirán ya criterios más flexibles propios de la doctrina "López Ribalda II"[443], por la cual, el poder de dirección del empresario justifica una mayor injerencia en la intimidad de los trabajadores a la hora de inquirir sobre irregularidades percibidas y sobre las que existen indicios evidentes.

### 2.3.2. Desarrollo de la investigación

La falta de regulación en lo tocante a las investigaciones internas faculta a las personas jurídicas a su libre confección por medio de

442 Incide además el NIETO MARTÍN en que, de apreciarse la presentación de denuncias infundadas con mala fe, el resultado de la investigación preliminar no debe limitarse a no desarrollar una posterior investigación corporativa, sino que además ha de valorarse la conveniencia de sancionar internamente al delator malintencionado, NIETO MARTÍN, A., "Investigaciones internas", op. cit. p. 235.

443 STEDH de 17 de octubre de 2019, asunto *López Ribalda y otros c. España*, EC LI:CE:ECHR:2018:0109JUD000187413 (*Tol 6465919*), sobre el derecho a la intimidad de los trabajadores por el sistema de videovigilancia utilizado por el empleador ante las sospechas de robo por parte de alguno de los empleados. En ella se valora con mayor laxitud la afectación al antedicho derecho por las averiguaciones de la entidad cuando las mismas son tendentes a la confirmación de sospechas fundadas y en ejercicio del poder de dirección empresarial. Vid. sobre la resolución, HENRÍQUEZ TILLERÍA, S., "Protección de datos, videovigilancia laboral y doctrina de la sentencia López Ribalda II: un peligroso camino hacia la degradación de la obligación de información", *IUSLabor* 2019, n. 3, pp. 55-80, esp. pp. 69-77; ESTEBAN ROS, I., "Derecho laboral e investigaciones internas", en M. Fortuny Cendra (dr.), *Las investigaciones internas en compliance penal. Factores clave para su eficacia*, op, cit. pp. 201-235, esp. p. 219; MIGUEL BARRIO, R., "El juicio de proporcionalidad en la prueba de videograbación oculta a las personas trabajadoras. Análisis de la situación ante la reciente jurisprudencia", *Revista de Trabajo y Seguridad Social* 2021, n. 461-462, pp. 99-141, esp. pp. 114-118; del mismo autor, *La prueba tecnológica en el proceso laboral: tendencias y desafíos*, Dykinson, Madrid, 2023, pp. 217-223.

los protocolos de *compliance*[444], los cuales, en palabras de la Fiscalía General del Estado en su Circular 1/2016, de 22 de enero, han de ser "*claros, precisos y eficaces y, desde luego, redactados por escrito*"[445]. Ni siquiera las normas de *soft law* ofrecen una regulación detallada de la forma de desarrollo de las actuaciones, siendo que la Norma ISO 37301:2021 se limita a establecer en su apartado "8.4. Procesos de investigación" que "*la organización debe desarrollar, establecer, implementar y mantener procesos para valorar, evaluar, investigar y cerrar los informes sobre casos supuestos o reales de no cumplimiento de compliance. Estos procesos deben asegurar que la toma de decisiones es justa e imparcial*" y deben efectuarse "*de forma independiente y sin ningún conflicto de intereses por parte del personal competente*"[446].

---

444 Así como ejemplo práctico en la experiencia profesional de Beatriz Goena Vives las fases de una investigación interna son: "i) Determinar la naturaleza de la investigación (preventiva o reactiva); ii) delimitar cuál es el objeto de la investigación (es mejor hacerlo por escrito, para que luego sirva de acreditación de que el *compliance* "está vivo"); iii) establecer los plazos; iv) adopción de posibles medidas cautelares, como intervenir correos, etc. (para ello todo lo anterior tiene que estar recogido por escrito, para justificar la adopción de la medida cautelar); v) fijar la metodología de trabajo, por ejemplo, planificar interrogatorios, determinar cómo se van a asegurar las garantías procesales en esas investigaciones internas (es conveniente que el interrogado acuda con abogado y que se le informe sobre el objeto de la investigación; vi) en vista de los resultados, adoptar las medidas necesarias (cada vez más se aconseja que las conclusiones de la investigación interna no estén por escrito, para que luego no sean requeridas)". Entrevista realizada vía *Teams* el 21 de abril de 2023. Beatriz Goena Vives es Doctora por la Universidad de Navarra con la tesis "Modulación de sanciones penales a personas jurídicas. Reinterpretación desde la teoría de la pena" (2014, dirigida por Jesús María Silva Sánchez y Pablo Sánchez-Ostiz Gutierrez). Es coordinadora de la revista *La Ley Compliance Penal* y entre 2015-2022 trabajó como *compliance officer* en la firma Molins Defensa Penal.

445 Sobre la mención a la necesaria redacción escrita del protocolo, lo consideramos acertado toda vez que facilitará la posterior demostración de su existencia en el trascurso del proceso penal.

446 Norma ISO 37301:2021, apartado 8.4. En su análisis sobre la misma, CASANOVAS YSLA opina que el proceso de investigación debe venir revestido de las suficientes garantías, si bien es cierto que no pueden confundirse estas indagaciones con las propias de la autoridad judicial; en cualquier caso, deben procurarse aquellas garantías sobre las que no existan motivos legales de restricción, CASANOVAS YSLA, A., *Guía práctica de compliance según la Norma ISO 37301:2021*, op. cit. pp. 277-278.

A este respecto, la Ley 2/2023, de 20 de febrero, podría haber proporcionado una regulación más concisa del proceso investigador, pero por el contrario se ha limitado, en su artículo 9, al establecimiento de cuestiones genéricas como el hacer partícipe al denunciante del avance de la investigación, la garantía de la confidencialidad de este o la duración máxima del procedimiento (tres meses como regla general, ampliable a seis meses en casos complejos). Es más, el apartado 2.j) del mismo artículo 9 establece la obligación de comunicar a la Fiscalía los indicios de criminalidad percibidos. Pues bien, al margen de las implicaciones que en materia del derecho a la no autoincriminación se desprenden de este precepto y a las que nos referiremos más adelante[447], ¿significa esto que, ante los primeros indicios de comisión delictiva, la entidad debe abstenerse de proseguir con la investigación interna poniendo el asunto en manos de Fiscalía?

En nuestra consideración, una respuesta positiva podría impedir a la entidad atender a los requisitos de eficacia de los *compliance program* del artículo 31 bis 5 CP, y es que, ¿cómo se procederá a una revisión periódica y, en su caso, a una modificación del modelo de cumplimiento, si conociendo la comisión delictiva, no se investigan internamente sus causas? Podría darse la paradójica situación de que la persona jurídica cumpla con la obligación de información impuesta por el artículo 9.2.j) Ley 2/2023, de 20 de febrero, pero que, sin embargo, el órgano jurisdiccional encargado del enjuiciamiento considere que no se dan las circunstancias necesarias para apreciar la eficacia del programa de cumplimiento por no haberse desarrollado la investigación interna, no descargándose así de responsabilidad penal a la entidad. Vuelve a ponerse sobre la mesa la conveniencia de una valoración "en conjunto" de la eficacia del *compliance*, de forma que la desatención al artículo 31 bis 5.6° CP no suponga por sí misma la apreciación de su inexistencia, sino que se lleva a cabo por el órgano judicial una apreciación genérica de los elementos del programa. Ahora bien, ya señalamos en el Capítulo III que de esta interpretación "en conjunto" de la prueba del *compliance* no predica la seguridad jurídica deseable[448].

---

447 Vid. *infra* Cap.V.1.1.

448 Vid. *supra* Cap.III.3.

Al margen de las dudas anteriores, teniendo en cuenta que el objetivo será que las evidencias obtenidas puedan ser incorporadas en el posible proceso penal, sería desde luego propicia una legislación que dotase a las investigaciones corporativas de las garantías inherentes a la instrucción penal[449], si bien con las particularidades derivadas de su acometimiento por una entidad privada y no por una autoridad pública revestida de *ius puniendi*. Así, algunas de las cuestiones que todo protocolo de investigación que pretenda ser eficaz ha de contener, son las concernientes a la salvaguarda de los derechos de las personas implicadas, entre los que ocupan un lugar primordial el derecho al honor y a la intimidad, a la protección de datos, a la presunción de inocencia y el derecho de defensa del trabajador investigado.

Se trata, en consecuencia, de que las personas jurídicas se doten de una "auto-regulación procesal interna"[450], por la que se delimiten extremos tales como las diligencias o medios de investigación[451]; el de-

---

449 En lo que ESTRADA CUADRAS denomina "*investigaciones internas en las que se observan los estándares exigidos a las autoridades públicas*"; ESTRADA CUADRAS, A., "Confesión o finiquito: el papel del derecho a no autoincriminarse en las investigaciones internas", op. cit. p. 243: "*Cuando los responsables de la investigación interna hacen suyo el sistema de derechos y garantías reconocido al ciudadano en el marco de un procedimiento penal público, la naturaleza privada de la investigación no presenta más problemas que los inherentes a la circunstancia de que un particular con intereses evidentes en el asunto recopile material probatorio e incluso llegue a condicionar, con su actuación, la reconstrucción de los hechos encargada a autoridades públicas imparciales y expresamente capacitadas para ello*".

450 MONTIEL, J. P., "Sentido y alcance de las investigaciones internas en la empresa", op. cit. p. 266.

451 RODRÍGUEZ GARCÍA hace alusión a documentos internos; inspecciones; datos internos; informes; recursos abiertos; entrevistas; cuestionarios; o fuentes técnicas, en RODRÍGUEZ GARCÍA, N., "Las investigaciones internas corporativas", op. cit. pp. 214-217; por su parte, señala LEÓN ALAPONT como posibles el registro de dependencias de la persona jurídica; la interceptación de comunicaciones telefónicas o por medios electrónicos; video-vigilancia; entrevistas o interrogatorios; acceso a los contenidos de equipos informáticos; o acceso a documentación, LEÓN ALAPONT, J., "Retos jurídicos en el marco de las investigaciones internas corporativas: a propósito de los *compliances*", *Revista Electrónica de Ciencia Penal y Criminología* 2020, n. 22-4, pp, 1-34, esp. p. 11; VELASCO NÚÑEZ considera que quedan excluidas las diligencias especialmente restrictivas de derechos fundamentales, como es el caso de las intervenciones corporales o el uso de técnicas de geolocalización, VELASCO NÚÑEZ,

ber de colaboración por los miembros de la organización; la adopción de medidas cautelares[452]; o la duración de las actuaciones[453]. En todo caso, esta autorregulación debe velar por que, pese a no poder asegurarse las garantías del debido proceso con la misma extensión que en el proceso penal, las mismas no sean por entero dejadas al margen.

### 2.3.3. Comunicación de resultados o conclusiones

Finalizada la práctica de las diligencias propias de la investigación corporativa, la misma culminará con la emisión de un informe firmado por quien la haya dirigido[454]. En él se hará constar cuál ha sido el objeto de la indagación, así como el alcance de esta, concretando las actuaciones efectuadas y los resultados obtenidos de las mismas, esto es, si se considera acreditada la existencia o no de irregularidades en el proceder de la persona jurídica y, en su caso, a qué persona o personas físicas resultan atribuibles[455].

No nos detenemos en este momento en la posibilidad de que tales resultados puedan ser incorporados al proceso penal abierto contra la persona jurídica, pues de ello nos ocuparemos con especial detenimiento en el apartado 4 del presente Capítulo. Baste en este punto

---

E., "Investigaciones internas corporativas: denuncias de delitos ocurridos en la empresa", op. cit. p. 28; en fin, sobre los interrogatorios o entrevistas internas tuvimos ocasión de pronunciarnos en VICARIO PÉREZ, A.M., "La Directiva Whistleblowing. Un paso más en la privatización del proceso penal. Especial referencia a las entrevistas en las investigaciones internas", *Revista Brasileña de Derecho Procesal Penal* 2023, vol.9, n. 2, pp. 689-722, esp. pp. 702-713.

452 De naturaleza y finalidad similar a las que pudieran adoptarse en un proceso penal, a fin de evitar la destrucción de pruebas o la continuación de la conducta delictiva investigada. En esta visión, NIETO MARTÍN, A., "Investigaciones internas", op. cit. p. 257.

453 En relación con ello, resulta conveniente la previa elaboración de un plan de trabajo, por el que se concreten los objetivos, las actuaciones a practicar o el cronograma de la investigación. Así, LEÓN ALAPONT, J., *Compliance penal: especial referencia a los partidos políticos*, op. cit. p. 229.

454 FORTUNY CENDRA, M., "Las investigaciones internas en el marco de un modelo de prevención de delitos", op. cit. p. 57; RODRÍGUEZ GARCÍA, N., "Las investigaciones internas como elemento esencial de los "criminal compliance programs": haciendo de la necesidad virtud", op. cit. p. 219.

455 LEÓN ALAPONT, J., *Compliance penal: especial referencia a los partidos políticos*, op. cit. p. 230.

con señalar que la apreciación de una ilegalidad podrá dar lugar a la correspondiente imposición de sanción de conformidad con el régimen disciplinario interno, del que como sabemos también ha de estar dotada la entidad en atención al artículo 31.bis.5.5° CP[456]. De igual forma, a resultas de la investigación se adoptarán las modificaciones pertinentes en el *compliance program* penal de cara a evitar reiteraciones delictivas, en consonancia con el deber de supervisión del programa *ex* artículo 31.bis.5.6° CP.

Desde una perspectiva práctica, se incide en que "Recabadas las evidencias, el equipo de *compliance* analiza todo el material y realiza un informe de recomendaciones con acciones preventivas o disciplinarias. Si se concluye que ha habido un delito hay dos opciones: si es leve, el propio departamento de *compliance* aplica las sanciones que correspondan; si es más grave, se pasa el asunto al Comité de Ética. También se pone en conocimiento de los distintos departamentos la necesidad de que cambien alguno de sus protocolos de actuación de cara a futuras prevenciones delictivas"[457].

---

456 Matiza AGUILERA GORDILLO que la decisión sancionatoria corresponderá habitualmente al órgano de administración o de alta dirección de la persona jurídica, AGUILERA GORDILLO, R., *Compliance Penal en España*, op. cit. p. 310.

457 Entrevista a Ingrid Matos realizada el 9 de febrero de 2023.

# Capítulo V
# PROBLEMAS PROCESALES DERIVADOS DE LA OBLIGATORIEDAD DEL *WHISTLEBLOWING*

Analizadas las características de las denuncias internas y las consiguientes investigaciones corporativas a que obliga la Ley 2/2023, nos ocupamos en el presente Capítulo de las implicaciones procesales desprendidas. Abordaremos dos principales puntos de interés, cuales son, primero, en qué medida pueden verse afectadas las garantías procesales de las personas jurídicas que, habiendo cumplido con la obligación de incorporar un canal de denuncias, se ve con posterioridad sometidas a un proceso penal por ilícitos cometidos en su ámbito de actividad; segundo, si las informaciones recabadas en el curso de las investigaciones internas pueden ser aportadas al proceso penal seguido contra la entidad y, en su caso, cuál es su valor probatorio.

## 1. DERECHOS DE LAS PERSONAS JURÍDICAS AFECTADOS EN EL DESARROLLO DE LAS INVESTIGACIONES INTERNAS REACTIVAS DEFENSIVAS

Las investigaciones internas, como ya hemos apuntado *ut supra*, se erigen en una suerte de privatización del proceso penal alentada por el Estado, corriéndose el consecuente riesgo de que la introducción en el mismo de las averiguaciones obtenidas se convierta, en palabras de NIETO MARTÍN, en un "fraude de etiquetas" por el que las autoridades judiciales se sirvan de tales informaciones para obtener pruebas sin las rígidas exigencias propias de las actuaciones ante los órganos jurisdiccionales[458]. Es por ello que el apartado que sigue lo dedicamos

---

[458] NIETO MARTÍN, A., "Investigaciones internas", op. cit. p. 234.

al análisis de aquella garantía de la persona jurídica investigada que puede verse en mayor medida conculcada con la aportación obligada por esta al proceso penal de los resultados de las investigaciones corporativas, cual es el derecho a la no autoincriminación[459].

Dividimos para ello este apartado en dos sub-epígrafes: en el primero, estudiaremos el ámbito objetivo del derecho en cuestión, en particular desde el punto de vista de las implicaciones que para la defensa procesal de las personas jurídicas pueden tener los requerimientos por la autoridad judicial de informaciones derivadas de investigaciones internas; en el segundo, abordaremos el ámbito subjetivo de tal garantía procesal, es decir, sobre qué personas físicas debe materializarse el respeto al derecho a no autoincriminarse de las entidades. Pese a que esta no es la metodología habitual en el estudio del Derecho Procesal, donde generalmente se abordan en primer lugar los aspectos subjetivos y en segundo lugar los objetivos, consideramos más oportuno para nuestro propósito invertir el orden. Ello porque la determinación de en qué concretas personas físicas se materializa el derecho a la no autoincriminación de las entidades, precisa que previamente se haya estudiado la inclusión de estas en el ámbito de aplicación de tal derecho y cómo el mismo puede verse afectado por la realización de investigaciones internas.

---

459 En cuanto al bien jurídico protegido por el derecho de las personas jurídicas a no autoincriminarse, afirma SERRANO ZARAGOZA que "*parece claro que la sanción penal impuesta a la persona jurídica no puede lesionar una libertad ni una dignidad humana de la que la persona jurídica carece. Pero no cabe duda de que la imputación y posterior sanción penal a la persona jurídica lesionará intereses de la misma dignos de protección tales como su honor, capacidad competitiva e incluso patrimonio, intereses cuya lesión a su vez afectaría a la actividad para la que la persona jurídica ha sido constituida, lo que a su vez podría llevar incluso a afectar o imposibilitar la realización de los fines que motivaron su creación en cuanto exigencia de la dignidad humana en su dimensión social o colectiva*", en SERRANO ZARAGOZA, O., "Contenido y límites del derecho a la no autoincriminación de las personas jurídicas en tanto sujetos pasivos del proceso penal", *Diario la Ley* 6 de noviembre de 2014, n. 8415, disponible en https://diariolaley.laleynext.es/.

### *1.1. La introducción en el proceso penal del resultado de investigaciones corporativas y su afectación al derecho a la no autoincriminación de las personas jurídicas*

El desarrollo de investigaciones internas forma parte inherente del derecho de defensa de la persona jurídica[460], toda vez que, de un lado, le permite dotarse de la información suficiente para presentar la versión de los hechos que más convenga a sus intereses; y de otro lado, le permite beneficiarse de las causas de exención o atenuación de responsabilidad previstas por el legislador, si considera oportuna la aportación de los resultados obtenidos al proceso penal incoado contra ella. Ahora bien, ¿puede obligarse a la persona jurídica a la realización de tal aportación, o ha de ser una colaboración puramente voluntaria?

Agrupados en el principio *nemo tenetur se ipsum accusare*, los derechos a guardar silencio, a no confesar contra uno mismo y a no confesarse culpable, se encuentran indisociablemente vinculados[461]. En efecto, puntualiza ARANGÜENA FANEGO, el primero permite al investigado negarse a declarar en absoluto o parcialmente sin que de ello se derive consecuencia negativa alguna para su defensa, de forma tal que el recurso a este "silencio inocuo" determina que no haya lugar a los otros dos derechos, que operan de forma sucesiva desde un punto de vista cronológico y que suponen la no obligación de declarar sobre hechos que puedan redundar en la incriminación del sujeto[462]. Tal y como señala la autora, aunque desde un punto de vista teórico estos derechos puedan apreciarse de forma diferenciada, todos

---

460 NIETO MARTÍN, A., "Investigaciones internas, *whistleblowing* y cooperación: la lucha por la información en el proceso penal", op. cit.; RODRÍGUEZ GARCÍA, N. y GABRIEL ORSI, O., "Las investigaciones defensivas en el *compliance* penal corporativo", op. cit. p. 312.

461 GOENA VIVES, B., "Responsabilidad penal de las personas jurídicas y *nemo tenetur*: análisis desde el fundamento material de la sanción corporativa", *Revista Electrónica de Ciencia Penal y Criminología* 2021, n. 23-22, pp. 1-52, esp. p. 6.

462 ARANGÜENA FANEGO, C., "El derecho al silencio, a no declarar contra uno mismo y a no confesarse culpable", en J.L. Gómez Colomer (dr.) y C.M. Madrid Boquín (coord.), *Tratado sobre compliance Penal. Responsabilidad penal de las personas jurídicas y modelos de organización y gestión*, Tirant lo Blanch, Valencia, 2019, pp. 439-472, esp. p. 463; sobre la imposibilidad de derivar consecuencias desfavorables del silencio, GÓMEZ TOMILLO, M., *Instrumentos jurídicos*

se reconducen a una única garantía de defensa, cual es el derecho a la no autoincriminación.

El reconocimiento del derecho a la no autoincriminación de las personas jurídicas en el ordenamiento español[463] se contempla en los artículos 409 bis y 786 bis LECrim, ambos bajo la cobertura constitucional del derecho al debido proceso promulgado por el artículo 24 CE[464].

La plasmación del derecho a obtener la tutela judicial efectiva tiene lugar en el apartado primero del precepto constitucional, del cual se desprende que el órgano jurisdiccional debe entrar a conocer el caso y resolver el mismo en atención al principio *iura novit curia.* En este sentido, indica LUPÁRIA que la incorporación de informaciones previamente elaboradas puede llegar a generar un "enanismo" del tribunal llamado a conocer del delito de la persona jurídica, entendiéndose por tal una cierta influencia en la plenitud de la libertad judicial

---

*de tutela y ejecución de las potestades de inspección y supervisión administrativa de sociedades que operan en los mercados*, Aranzadi, Cizur Menor, 2019, p. 95.

463 Ello a diferencia de lo que ocurre con la normativa de la Unión Europea, donde la Directiva (UE) 2016/343 del Parlamento Europeo y del Consejo, de 9 de marzo de 2016, por la que se refuerzan en el proceso penal determinados aspectos de la presunción de inocencia y el derecho a estar presente en el juicio (DOUE n. L 65, de 11 de marzo de 2016, pp. 1-11) refiere expresamente a las personas físicas en su ámbito de aplicación subjetivo, no así a las jurídicas. Sobre la cuestión, VICARIO PÉREZ, A.M., *Cooperación judicial en la Unión Europea frente a la criminalidad de personas jurídicas*, op. cit. pp. 262-272.

464 En este sentido, la STC 161/1997, de 2 de octubre, ECLI: ES:TC:1997:161 (*Tol 80785*), FJ 5º, indica que "*Nuestra Constitución sí menciona específicamente los derechos "a no declarar contra sí mismo y a no confesarse culpable", estrechamente relacionados, en efecto, con el derecho de defensa y con el derecho a la presunción de inocencia, de los que constituye una manifestación concreta*", añadiendo por lo demás que "*en el proceso penal acusatorio el imputado ya no es objeto del proceso penal, sino sujeto del mismo, esto es, parte procesal y de tal modo que declaración, a la vez que medio de prueba o acto de investigación, es y ha de ser asumida esencialmente como una manifestación o un medio idóneo de defensa. En cuanto tal, ha de reconocérsele la necesaria libertad en las declaraciones que ofrezca y emita, tanto en lo relativo a su decisión de proporcionar la misma declaración, como en lo referido al contenido de sus manifestaciones*"; también la STC 23/2014, de 13 de febrero, ECLI: ES:TC:2014:23 (*Tol 4129146*), FJ 4º; la STC 54/2015, de 16 de marzo, ECLI: ES:TC:2015:54 (*Tol 4945892*), FJ 7º; o la STC 181/2020, de 14 de diciembre, ECLI: ES:TC:2020:181 (*Tol 8441204*), FJ 2º.

a la hora de la valoración probatoria, pues siquiera inconscientemente puede darse validez a los resultados de las investigaciones previas[465]. Es decir, podría resultar cuestionada la libre apreciación de la prueba si se introduce en el proceso penal el resultado de las investigaciones internas sin condicionante alguno.

Por otro lado, en lo que a nosotros ahora más nos interesa, del apartado segundo del artículo 24 CE, en el que se contempla el derecho "*a no declarar contra sí mismos, a no confesarse culpables y a la presunción de inocencia*", se desprende la prohibición de obligar a la entidad o los miembros de esta a colaborar activamente en el proceso. Afirma a este respecto GONZÁLEZ LÓPEZ que "*al investigado o procesado se le pueden imponer deberes* (...) *positivos* in faciendo, *siempre que no impliquen riesgo de autoincriminación,* (...) y *también positivos* in patendo, *sin que ello entrañe vulneración del derecho a la no colaboración*"[466].

Pues bien, retomando la pregunta formulada al inicio del presente apartado, el hecho de que las personas jurídicas sean requeridas a aportar los resultados de las investigaciones corporativas por las autoridades judiciales, ¿podría suponer una injerencia injustificada en su derecho a la no colaboración activa en el proceso? No estando prevista la cuestión por el legislador ni en la LECrim ni en la Ley 2/2023, de 20 de febrero, la respuesta a tal problemática pasa por la atención a la

---

465 LUPÁRIA, L., "Processo penale e reati societari: fisionomía di un modelo "invisibile"", op. cit. p. 1127; del mismo autor, LUPÁRIA, L., "L´accertamento dei reati societari tra diritto e proceso penale", en G. Canzio y L. Lupária (coords.), *Diritto e procedura penale delle societá*, Giuffré, Milán, 2022, pp. XI-XXXIV, esp. pp. XX-XXI.

466 GONZÁLEZ LÓPEZ, J.J., "Imputación de personas jurídicas y derecho a la no colaboración activa", *Revista Jurídica de Castilla y León* 2016, n. 40, pp. 35-66, esp. p. 48; sobre la diferencia entre unos y otros deberes, el mismo autor señala que el deber positivo *in faciendo* implica requerir a la empresa a realizar una determinada conducta, como la aportación de documentación, mientras que el deber positivo *in patendo* significa que la entidad no obstaculice la investigación desarrollada por las autoridades, en GONZÁLEZ LÓPEZ, J.J., "Los deberes de colaboración de las empresas en la prevención e investigación de delitos: algunas consideraciones" en J. Pérez Gil y R. de Román Pérez (coords.), *Estudios jurídicos sobre la empresa y los negocios: una perspectiva multidisciplinar,* Servicio de Publicaciones de la Universidad de Burgos, Burgos, 2011, pp. 339-353, esp. pp. 342-343.

jurisprudencia acerca de los requerimientos de información obtenida de procedimientos administrativos previos al penal, de forma tal que podamos extrapolar análogamente sus conclusiones a los supuestos en que los datos derivan de una investigación interna acometida por la propia entidad.

Comenzando con carácter genérico con la jurisprudencia del TEDH, este viene entendiendo que en el proceso penal la presunción de inocencia del investigado ha de ser desvirtuada sin que por los órganos jurisdiccionales pueda recurrirse a elementos probatorios aportados por el sujeto pasivo de forma coactiva, señalándose en el asunto *J.B. c. Suiza*, de 3 de mayo de 2001, que "*aunque no se mencionan específicamente en el artículo 6 CEDH, el derecho a guardar silencio y el privilegio de no autoinculparse son normas internacionales generalmente reconocidas que se encuentran en el centro de la noción de un procedimiento justo en virtud del artículo 6.1. El derecho a no autoinculparse, en particular, presupone que las autoridades tratan de probar su caso sin recurrir a pruebas obtenidas mediante métodos de coacción u opresión, desafiando la voluntad de la persona acusada*"[467]. En el mismo sentido se ha pronunciado nuestro Tribunal Constitucional en la STC 67/2001, de 17 de marzo, por la cual, los derechos a no declarar contra uno mismo y a no confesarse culpable constituyen "*garantías o derechos instrumentales del genérico derecho de defensa, al que prestan cobertura en su manifestación pasiva, esto es, la que se ejerce precisamente con la inactividad del sujeto sobre el que recae o puede recaer una imputación, quien, en consecuencia, puede optar por defenderse en el proceso en la forma que estime*

---

[467] STEDH de 3 de mayo de 2001, *asunto J.B. c. Suiza*, ECLI: CE:ECHR:2001:0503JUD003182796, para. 64 (traducción propia); también la STEDH de 8 de abril de 2004, asunto *Weh c. Austria*, ECLI: CE:ECHR:2004:0408JUD003854497 (*Tol 9087841*), para. 39, añadiéndose además que, "*en este sentido el derecho* (a no autoincriminarse) *está estrechamente vinculado a la presunción de inocencia recogida en el artículo 6, apartado 2 CEDH*" (traducción propia); la STEDH de 25 de febrero de 1993, asunto *Funke c. Francia*, ECLI: CE:ECHR:1993:0225JUD001082884, para. 44; la STEDH de 4 de octubre de 2005, asunto *Shannon c. Reino Unido*, ECLI: CE:ECHR:2005:1004JUD000656303 (*Tol 9084420*), para. 32; o la STEDH de 24 de octubre de 2013, asunto *Navone c. Mónaco*, ECLI: CE:ECHR:2013:1024JUD006288011 (*Tol 9060060*), para. 71.

*más conveniente para sus intereses, sin que en ningún caso pueda ser forzado o inducido, bajo constricción o compulsión alguna, a declarar contra sí mismo o a confesarse culpable*”[468].

Tal coercitividad no se da, sin embargo, cuando la información que se proporciona ha sido introducida en un anterior procedimiento administrativo, siempre que se cumpla con dos premisas básicas. Primera, que la aportación al procedimiento administrativo no fuese bajo apercibimiento de sanción pues, como señala GASCÓN INCHAUSTI, “*puede considerarse proporcionada la obtención coactiva de información y documentos si se pretende cubrir unos objetivos* (añadimos, en referencia al deber de colaboración con la Administración cuando esta desempeña sus potestades en aplicación de la normativa sectorial inspectora), *y al mismo tiempo resultar desproporcionada si el objetivo es sostener el castigo de la persona requerida* (añadimos, en alusión a la fundamentación de una condena penal en documentos o informaciones obtenidas coactivamente en un procedimiento administrativo previo)”[469].

Ciertamente, en procedimientos administrativo-sancionadores tales como los concernientes al fraude fiscal o al blanqueo de capitales, la persona jurídica se encuentra positivamente compelida a declarar cuantos datos sean necesarios para el desarrollo de la investigación por la autoridad competente y que pueden servir de fundamento de ulteriores sanciones administrativas[470]. Así lo ha establecido el TJUE en el asunto *DB c. Consob*, de 2 de febrero de 2021, puntualizando que en el ámbito de un proceso administrativo-sancionador en materia de competencia, la persona investigada puede ser obligada a aportar la documentación que obre en su poder y de la que pueda derivarse su responsabilidad[471]. Ahora bien, matiza el Tribunal, cuestión distinta es que las pruebas obtenidas en dicho procedimiento

---

468 STC 67/2001, de 17 de marzo, ECLI: ES:TC:2001:67 (*Tol 81438*), FJ 6º.

469 GASCÓN INCHAUSTI, F., *Proceso penal y persona jurídica*, op. cit. p. 135.

470 ARANGÜENA FANEGO, C., “Proceso penal frente a persona jurídica: garantías procesales”, en R. Castillejo Manzanares (dr.) y C. Alonso Salgado (coord.), *El nuevo proceso penal sin Código Procesal Penal*, Atelier, Madrid, 2019, pp. 761-785, esp. p. 780.

471 Obligación similar a la comprendida en el art. 283 bis a) LEC “Exhibición de las pruebas en procesos para el ejercicio de acciones por daños derivados de infracciones del Derecho de la competencia”.

puedan ser utilizadas en un proceso penal seguido contra esa misma persona[472].

También desde el punto de vista jurisprudencial español resulta especialmente ilustrativa la STC 18/2005, de 1 de febrero[473]. En el asunto por ella abordado, se debate acerca de la posible vulneración del derecho a no autoincriminarse de un Consejero Delegado cuya condena por delito contra la Hacienda Pública se fundamentó en información contable y demás documentación aportada por la persona jurídica de la cual era directivo, habiendo sido la entidad requerida a estos efectos a mostrar tales informaciones bajo amenaza de sanción en el curso de un previo procedimiento administrativo tributario. Siendo tal el escenario, se concluye por el Tribunal la inexistencia de conculcación del derecho a no autoinculparse del Consejero Delegado, toda vez que el procedimiento administrativo de investigación tributaria no se siguió contra él, sino contra la persona jurídica. De esta forma, en ningún momento le fueron reclamados al directivo documentos que contribuyeran a su propia incriminación, puesto que la solicitud de aportación coactiva de información se dirigió en todo momento contra la entidad mercantil. Así, señala el Tribunal que, pese a haberse fundamentado la condena en documentación aportada coactivamente, el hecho de que el requerimiento no fuera dirigido contra el recurrente en amparo sino contra la persona jurídica a la que representaba, determina que no se produjera una vulneración del derecho de aquel a no autoinculparse. Así, textualmente, señala el Tribunal Constitucional que "*No apreciándose la existencia del requisito subjetivo de que la coacción haya sido ejercida por el poder público sobre la persona que facilitó la información incriminatoria y que finalmente fue la destinataria de las medidas punitivas, debe desestimarse el recurso de amparo en este punto*"[474].

En suma, admite el Tribunal la validez en el proceso penal de la prueba derivada de un previo procedimiento administrativo por cuanto la actuación administrativa no afectó al derecho a no autoincriminarse del condenado, pues la información que le perjudicó no

---

472 STJUE de 2 de febrero de 2021, asunto C-481/19, *DB c. Consob*, ECLI: EU:C:2021:84 (*Tol 8289239*), paras. 42-47.

473 STC 18/2005, de 1 de febrero, ECLI: ES:TC:2005:18 (*Tol 570203*).

474 STC 18/2005, de 1 de febrero, op. cit. FJ 4º.

fue aportada por él sino por la persona jurídica de la que era directivo. A nuestro juicio, consecuencia lógica de esta conclusión es que, si el ulterior proceso penal se hubiese dirigido contra la propia persona jurídica, sí se hubiese producido una vulneración de las garantías procesales de esta en caso de dotarse de valor probatorio a documentación aportada por la propia entidad de forma coactiva en el procedimiento de investigación tributaria[475]. Hacemos nuestra la opinión de GASCÓN INCHAUSTI, para quien, por medio de esta resolución, "*habría que predecir un aval del Tribunal Constitucional a la negativa de la persona jurídica a colaborar en una posible persecución penal contra sí misma aportando, en el contexto de un procedimiento administrativo, documentos o información que fueran de naturaleza sancionatoria*"[476]. Tal parece ser igualmente el criterio del TJUE, habiéndose matizado ya en el asunto *Hoechst c. Comisión*, de 21 de septiembre de 1989, que debe evitarse que el derecho de defensa de las entidades "*quede irremediablemente dañado en los procedimientos de investigación previa, especialmente en las verificaciones, que pueden tener un carácter determinante para la constitución de pruebas del carácter ilegal de conductas de las empresas susceptibles de generar la responsabilidad de estas*"[477].

Como segunda premisa para el reconocimiento de valor probatorio a información derivada de un previo procedimiento administrativo, se requiere que la documentación en cuestión no haya sido confeccionada de forma expresa para su aportación (ni al proceso penal ni al administrativo previo), sino que su existencia debe deri-

---

475 A la misma conclusión llegamos a la luz de la STEDH de 19 de noviembre de 2020, asunto *Klaus Müller c. Alemania*, ECLI: CE:ECHR:2020:1119JUD002417318 (*Tol 8203967*); en este asunto, se plantea la obligada declaración del abogado, bajo amenaza de sanción, en el proceso penal por fraude seguido contra los antiguos directivos de una empresa, no considerándose vulnerado su derecho de defensa (ni tampoco el derecho del abogado al secreto profesional) toda vez que el letrado lo era de la entidad y no de ellos. Consecuentemente, si el proceso se hubiese dirigido contra la propia persona jurídica, sí habría de apreciarse una vulneración de las garantías procesales de la misma.

476 GASCÓN INCHAUSTI, F., *Proceso penal y persona jurídica*, op. cit. p. 133.

477 STJCE de 21 de septiembre de 1989, asunto C-46/87, *Hoechst c. Comisión*, op. cit. para. 15; también la STJCE de 18 de octubre de 1989, asunto C-374/87, *Orkem c. Comisión*, op. cit. para. 33.

varse de una obligación legal[478]. A este respecto, afirma NEIRA PENA que, ante el requerimiento de información a la entidad por la autoridad judicial, "*es necesario considerar la titularidad del derecho a la no autoincriminación por parte de las personas jurídicas, el cual facultará a la entidad investigada para negarse a entregar documentación directamente incriminatoria, al menos cuando la existencia de tal documentación y la obligación de exhibirla no derive de una norma legal preexistente*"[479]. De este modo, la entrega obligatoria de documentación bajo advertencia de sanción en el seno del procedimiento administrativo y su posterior utilización en el proceso penal, no siempre conlleva una vulneración del derecho a la no autoincriminación.

---

478 Como es el caso a modo de ejemplo de cierta documentación contable y tributaria. Vid. art. 29 Ley 58/2003, de 17 de diciembre, General Tributaria, BOE n. 302, de 18 de diciembre de 2003, pp. 44987-45065, sobre el deber de expedir y entregar facturas y demás documentación por parte del obligado tributario. A modo de ejemplo y por cuanto se refiere a documentos contables, la STC 76/1990, de 26 de abril, op. cit. FJ 10º, precisa que "*los documentos contables son elementos acreditativos de la situación económica y financiera del contribuyente; situación que es preciso exhibir para hacer posible el cumplimiento de la obligación tributaria y su posterior inspección, sin que pueda considerarse la aportación o exhibición de esos documentos contables como una colaboración equiparable a la «declaración» comprendida en el ámbito de los derechos proclamados en los arts. 17.3 y 24.2 de la Constitución. (...) Cuando el contribuyente aporta o exhibe los documentos contables pertinentes no está haciendo una manifestación de voluntad ni emite una declaración que exteriorice un contenido admitiendo su culpabilidad*"; en la línea, vid. SAP Las Palmas 109/2020, de 27 de abril, ECLI: ES:APGC:2020:308 (*Tol 7992742*), FJ 1º añade que: "*Otra cosa distinta sería aquel material cuya existencia depende del obligado tributario y que contenga una declaración en sí mismo. Es este el caso de las manifestaciones orales o escritas del propio obligado, por ejemplo, las respuestas autoincriminatorias que puede dar el individuo a determinadas preguntas formuladas por la Inspección tributaria, o una agenda personal en la cual el sujeto haya podido dejar constancia de determinada información autoincriminatoria. La aportación de esos materiales al órgano inspector constituiría declaración a los efectos del artículo 24.2 de nuestro texto constitucional y, por tanto, siendo coactiva dicha declaración, emitida bajo una compulsión directamente dirigida a procurar un contenido incriminatorio, nunca tales materiales podrían fundamentar legítimamente la imposición de una condena penal para el obligado tributario que los ha aportado*"; también SAP Valencia 350/2014, de 23 de mayo, ECLI: ES:APV:2014:2828 (*Tol 4469907*), FJ 3º; o la STSJ Castilla-La Mancha 191/2022, de 14 de julio, ECLI: ES:TSJCLM:2022:2430 (*Tol 9253434*) FJ 5º.

479 NEIRA PENA, A.M., *La defensa penal de la persona jurídica*, op. cit. p. 235.

BANACLOCHE PALAO da un paso más en esta consideración al estimar que la aportación de tales documentos existentes *ex lege* ni siquiera puede ser considerada como una declaración en el sentido estricto del término, de modo que su requerimiento coactivo en nada empece el respeto al artículo 24.2 CE[480].

Frente a la existencia de voces críticas a tal tesis[481], coincidimos con NEIRA PENA cuando afirma que carecería de sentido prever legislativamente la existencia y entrega obligatoria de determinada documentación y, al mismo tiempo, impedir que la misma pueda ser utilizada como fundamento de la imposición de pena si de aquella se desprende la comisión de ilícitos[482]. De esta suerte, como ya afirmara el TEDH en los asuntos *Saunders c. Reino Unido*, de 17 de diciembre de 1996, *Jalloh c. Alemania*, de 11 de julio de 2006, o *O'Halloran y Francis c. Reino Unido*, de 29 de junio de 2007[483], el derecho a no autoincriminarse resulta de plena efectividad en tanto en cuanto la existencia de la documentación requerida en el curso del procedimiento administrativo y a la que posteriormente se le dote de valor probatorio en sede jurisdiccional penal, dependa única y exclusivamente de la voluntad de la persona investigada y no de la ley.

---

480 BANACLOCHE PALAO, J., "Las diligencias de investigación relativas a la persona jurídica imputada", con J. Zarzalejos Nieto y C. Gómez-Jara Díez, en *Responsabilidad penal de las personas jurídicas. Aspectos sustantivos y procesales*, op. cit. pp. 195-223, esp. p. 203.

481 Es el caso de DEL MORAL GARCÍA, para quien la condición de sujeto pasivo de la persona jurídica en el proceso penal y el pleno reconocimiento a esta del derecho a no autoincriminarse conlleva que pueda desatender los requerimientos para aportar documentación, como manifestación de su voluntad de no colaboración, DEL MORAL GARCÍA, A., "Peculiaridades del juicio oral con personas jurídicas acusadas", en I. Serrano Butragueño, A. del Moral García y J. Moreno Verdejo (dres.), *El juicio oral en el proceso penal. Especial referencia al procedimiento abreviado*, Comares, Granada, 2010, pp. 721-762, esp. p. 742.

482 NEIRA PENA, A.M., *La instrucción de los procesos penales frente a las personas jurídicas*, op. cit. p. 289.

483 Respectivamente, STEDH de 17 de diciembre de 1996, asunto *Saunders c. Reino Unido*, ECLI: CE:ECHR:1996:1217JUD001918791, para. 69; STEDH 54810/00, de 11 de julio de 2006, asunto *Jalloh c. Alemania*, op. cit. paras. 102-113; y STEDH de 29 de junio de 2007, asunto *O'Halloran y Francis c. Reino Unido*, ECLI: CE:ECHR:2007:0629JUD001580902 (*Tol 9079100*), paras. 47-53.

Proponemos en este punto la traslación de tales argumentos al ámbito de las investigaciones corporativas. Tratamos así de dar respuesta a la pregunta formulada al inicio del presente apartado, referente a si es ponible introducir en el proceso penal seguido contra la persona jurídica las informaciones derivadas de las investigaciones internas.

Apriorísticamente, el informe final de conclusiones a la investigación interna es un documento cuya existencia no viene determinada *ex lege*. En efecto, hemos visto cómo la introducción de canales internos de denuncia y el consiguiente desarrollo de investigaciones reactivas defensivas en el seno de la entidad, se erigen en elementos esenciales del programa de *compliance* en atención al artículo 31.bis.5.4º CP, que en ningún caso tiene carácter obligatorio. Argumenta con acierto NEIRA PENA que la aportación de la información denunciada por los delatores y los resultados de las investigaciones como forma de exención o atenuación de responsabilidad penal de la entidad (artículo 31 bis.5.4º CP en relación con los artículos 31 bis.2.1º y 31 bis.4 CP; y artículo 31 quarter b) CP) es algo voluntario para esta. Consecuentemente, "*al no existir una obligación legal expresa de documentar y archivar esa información, no se trataría de documentos requeridos* ex lege, *mientras que su carácter incriminatorio resulta evidente, por lo que de ser requeridos bajo amenaza de sanción, constituirían una prueba ilícita*"[484]. La negativa de la persona jurídica a aportar al proceso penal los informes finales de las investigaciones corporativas quedaría amparada, en esta consideración, por su derecho a no autoincriminarse.

A la fecha, tal es también el parecer de los órganos jurisdiccionales españoles, pudiendo mencionarse el Auto de la Audiencia Nacional 391/2021, de 1 de julio, por el cual, el derecho a la no autoincriminación de las personas jurídicas despliega sus efectos sobre los documentos internos procedentes del canal de denuncias y subsiguientes investigaciones corporativas, en la medida en que estas han sido efectuadas voluntariamente por la entidad y puede desprenderse de ellas la existencia de posibles ilegalidades. Cuestión distinta, matiza el juzgador, es que "*la entidad en cuestión decida su aportación voluntaria*

---

484 NEIRA PENA, A.M., *La instrucción de los procesos penales frente a las personas jurídicas*, op. cit. p. 293.

*a efectos de alcanzar una exención o una atenuación de la responsabilidad penal que en su día pudiera alcanzarse*"[485].

Sin embargo, no podemos obviar que tanto la opinión doctrinal manifestada por NEIRA PENA como la resolución de la Audiencia Nacional a la que hemos hecho alusión, son anteriores en el tiempo a la Ley 2/2023, de 20 de febrero. Esta norma, aplicable ya con plena vigencia, supone que las personas jurídicas del sector privado con cincuenta o más trabajadores o que entren en el ámbito de aplicación de los actos de la Unión Europea en materia de servicios, productos y mercados financieros, prevención de blanqueo de capitales o de financiación del terrorismo, seguridad del transporte y protección del medio ambiente, así como todas aquellas que integran el sector público[486], vengan obligadas a disponer de un Sistema interno de in-

---

485 AAN 391/2021, de 1 de julio, ECLI: ES:AN:2021:5479A (*Tol 8541779*), FJ 4º. Según la AN, la introducción del material resultante de las investigaciones internas en el proceso penal habría de efectuarse por medio de la práctica de diligencia de entrada y registro en el domicilio de la entidad: "*Un medio lícito de obtener tal documentación hubiera sido a través de la diligencia de entrada y registro, ya practicada en las presentes actuaciones al amparo del artículo 554.4 LECrim., con la correspondiente autorización judicial, ya que uno de los documentos que por lógica deben ser recabados en la diligencia de entrada y registro de una entidad mercantil como la que nos ocupa, son los programas de cumplimiento normativo, con independencia de su incautación en ese momento, tras su exhibición voluntaria, o de manera coactiva amparada por la susodicha habilitación judicial*". En opinión de GASCÓN INCHAUSTI, sin embargo, la obtención de la documentación interna por esta vía podría considerarse un fraude legal, con la consecuente declaración de invalidez probatoria de las informaciones recabadas, GASCÓN INCHAUSTI, F., *Proceso penal y persona jurídica*, op. cit. p. 125. También sobre la no aportación obligatoria de documentos no confeccionados por voluntad de la entidad, el AAN 36/2023, de 30 de enero, op. cit. FJ 3º.

486 Arts. 11.1 y 13.1 Ley 2/2023, de 20 de febrero. Precisamente en relación con las entidades del sector público, se emitió en España la primera resolución de protección del denunciante; en concreto, una resolución emitida por la Oficina Antifraude de Cataluña ante las represalias sufridas por una funcionaria interina tras denunciar irregularidades en el procedimiento de consolidación de plazas en una entidad local. "La Oficina Antifraude de Cataluña emite una resolución para proteger a una interina que denunció corrupción en su trabajo", *Confilegal* 25 de mayo de 2023, disponible en https://confilegal.com/20230525-la-oficina-antifraude-de-cataluna-emite-la-primera-resolucion-en-espana-para-proteger-a-una-interina-que-denuncio-corrupcion-en-su-trabajo/#:~:text=otro%20lado%2C%20la-,Oficina%20Antifraude%20de%20Catalu%C3%B1a,-relat%C3%B3%20en%20la (última consulta: 27 de febrero de 2025).

formación. Nos planteamos con ello la cuestión de si, a la vista de tal exigencia, la documentación derivada de los canales de denuncia y subsiguientes investigaciones internas pasaría a tener la consideración de información existente *ex lege*, de forma tal que su requerimiento por la autoridad judicial sería plenamente conforme con la jurisprudencia referenciada[487].

Tal parece ser la intención del legislador, pues no en vano tras obligar el artículo 26.1 Ley 2/2023, de 20 de febrero, a que las personas jurídicas incluidas en su ámbito de aplicación cuenten con un libro-registro de las informaciones recibidas por el canal de denuncias y de las investigaciones internas a que hayan dado lugar, señala que "*a petición razonada de la Autoridad judicial competente, mediante auto, y en el marco de un procedimiento judicial y bajo la tutela de aquella, podrá accederse total o parcialmente al contenido del referido registro*". Más explícito es el ya mencionado artículo 9.2.j), en el que se concibe como principio básico del procedimiento de gestión de informaciones recabadas por el canal de denuncias, la remisión de la información al Ministerio Fiscal (o a la Fiscalía Europea en supuestos de su competencia), si los hechos son indiciariamente constitutivos de delito[488].

---

487 Esta cuestión preocupa especialmente a los profesionales encargados de velar por el cumplimiento penal en las empresas. Así, Fernando Lacasa se pregunta "¿Dónde queda el derecho de defensa? Si no se denuncia, no hay eximente; pero si se denuncia, hay que aportar la investigación, pudiendo dar lugar al conocimiento por parte del juez de cuestiones que de otra forma no conocería. No me están obligando a revelar información secundaria, sino información de la que yo sé que se desprende un riesgo penal. Otra cosa es que la medida tenga algún viso de realidad. Si Fiscalía ya es de por sí lenta, imaginemos el atasco que produciría que todos los *compliance officers* le remitan sus investigaciones", entrevista efectuada el 14 de febrero de 2023.

488 Critica LIÑÁN LAFUENTE que no se especifica si los indicios de criminalidad se refieren tan solo a los delitos de especial gravedad, en consonancia con el art. 2.1.b) de la propia Ley, el cual circunscribe el ámbito de aplicación de la norma a los denunciantes de delitos o infracciones administrativas graves o muy graves. Además y con respecto a este último precepto, existe una falta de correspondencia con las previsiones del Código Penal, el cual se refiere a delitos leves, menos graves y graves, pero no a muy graves. Plantea el autor dos posibles soluciones: "*i) aplicar la interpretación teleológica de la Ley y considerar que el artículo 2, en lo referente a las infracciones penales, se aplica a los delitos castigados con penas menos graves o graves; y ii) aplicar de manera estricta el principio de lega-*

A nuestro parecer, la opción por una postura tal desvirtúa por entero las intenciones del legislador penal de incentivar la colaboración de las personas jurídicas en la averiguación de conductas ilícitas, al tiempo que parece contradecir el respeto a los principios rectores del proceso penal proclamado por la propia Ley 2/2023, de 20 de febrero, en su artículo 2.2[489]. Tres argumentos ofrecemos en este sentido.

En primer lugar, ya hemos comentado que el desarrollo de investigaciones corporativas es alentado por las autoridades públicas como forma de contrarrestar las dificultades de probar la comisión delictiva en personas jurídicas con una estructura organizativa compleja y extensa. La aportación coactiva al proceso penal de los resultados de tales investigaciones y la concesión a estos de valor probatorio podría dar pie a una suerte de "dejación de funciones" de las autoridades de investigación en el proceso penal, cayendo fácilmente en la tentación de fundamentar la condena en la documentación aportada por la propia entidad sin recurrir a más elementos probatorios. Opinamos a este respecto que una condena con base exclusiva en informaciones brindadas por la propia investigada equivaldría a imponerle una especie de obligación de confesión, lo cual no puede ser desde luego compatible con el debido reconocimiento a las personas jurídicas, en

---

*lidad y taxatividad y considerar que, al no existir penas muy graves en el ordenamiento jurídico penal, el ámbito material de la Ley solo abarcará las sanciones graves*", LIÑÁN LAFUENTE, A., "La Ley 2/2023, de protección del informante, vs. el derecho a la no autoincriminación de la persona jurídica", op. cit. pp. 3-4; también sobre la cuestión MAGRO SERVET, V., "Los sistemas internos de información en la Ley 2/2023, de 20 de febrero, de alertadores de la corrupción", *La Ley compliance penal* 2023, n. 12, disponible en https://revistas.laley.es/. Para OUBIÑA BARBOLLA, sin embargo, la alusión a "graves o muy graves" por el art. 2.1.b) Ley 2/2023 se limita a las infracciones administrativas, no así a los delitos, OUBIÑA BARBOLLA, S., "Luces y sombras en la puesta en marcha de los canales de información de la Ley 2/2023: cuando el tiempo importa", *Diario la Ley* 24 de julio de 2023, n. 10334, disponible en https://diariolaley.laleynext.es. No compartimos esta opinión, puesto que una interpretación tal supondría dar por sentado que la redacción del precepto adolece de un error ortográfico, al no haber una coma que separe la referencia a infracciones penales y administrativas.

489 CARRASCO MONTORO, J., "La materialización positiva del whistleblowing en España: la Ley 2/2023, de 20 de febrero, reguladora de la protección de las personas que informen sobre infracciones normativas y de lucha contra la corrupción", *Diario la Ley* 29 de mayo de 2023, n. 10296, disponible en https://diariolaley.laleynext.es.

cuanto que sujetos pasivos del proceso penal, del derecho a la no autoincriminación. El reconocimiento legal y jurisprudencial del derecho de las entidades a no autoinculparse entra así en conflicto con la práctica procesal penal derivada del artículo 9.2.j) Ley 2/2023, de 20 de febrero. La obligación de poner en conocimiento de las autoridades la información resultante de las investigaciones corporativas se plantea ciertamente como conculcadora del artículo 24.2 CE en su aplicación a las personas jurídicas[490]. De esta suerte, la conjugación del deber de contar con un libro-registro de informaciones e investigaciones internas con el deber de comunicar al Ministerio Fiscal los indicios de criminalidad detectados, lleva a una situación en la que el expediente de las investigaciones corporativas se convierte en un documento obligatorio a aportar a las autoridades. En palabras de LIÑÁN LAFUENTE, "*ello supondría la derogación por una vía indirecta del derecho de la persona jurídica a la no auto incriminación, por lo que debe ser rechazada esta solución por llevar a una consecuencia de clara inconstitucionalidad*"[491]. Nos encontramos así ante una situación paradójica en la que tanto legal como jurisprudencialmente se reconoce el derecho de la persona jurídica a la no autoincriminación, pero en la que la aplicación práctica de la Ley 2/2023, de 20 de febrero, propiciará lo contrario[492].

---

490 La posible inconstitucionalidad del art. 9.2.j) Ley 2/2023, de 20 de febrero, se puso de manifiesto durante la tramitación parlamentaria de la norma. Así, en el trámite de enmiendas en el Congreso de los Diputados se propuso la supresión del precepto, justificándose para ello que "*esta previsión afecta gravemente al derecho de defensa*". Más aún, tratándose de una afectación a un derecho fundamental, una disposición como la comprendida en el art. 9.2.j) Ley 2/2023, de 20 de febrero, que implica una modificación del art. 259 LECrim, solo podría ser adoptada mediante Ley Orgánica. Vid. enmienda 141 al Proyecto de Ley reguladora de la protección de las personas que informen sobre infracciones normativas y de lucha contra la corrupción, BOCG Serie A n. 123-3, de 28 de noviembre de 2022.

491 LIÑÁN LAFUENTE, A., "La Ley 2/2023, de protección del informante, vs. el derecho a la no autoincriminación de la persona jurídica", op. cit. p. 5.

492 En palabras de Fernando Lacasa, "¿Cómo la empresa se entera de qué tiene para poder defenderse, si ni siquiera puede investigar porque se encuentra con que todo lo que haga le puede ser luego requerido por el Fiscal? Podría entender que legalmente se dijera que, como una persona jurídica no es una persona física, se puede limitar su derecho de defensa de alguna manera. Pero la ley no lo hace. La ley no reconoce menos derechos a las personas jurídicas. Pero la realidad es que

En segundo lugar, consideramos que, cuando en el Código Penal se contempla la existencia en la persona jurídica de un programa de *compliance* con un canal interno de denuncias eficaz como posible causa de exención o atenuación de su responsabilidad penal, es claro que de ello no puede sino desprenderse el carácter voluntario de tales modelos de prevención. Pues bien, si las personas jurídicas incluidas en el ámbito de aplicación de la Ley 2/2023, de 20 de febrero, resultan obligadas a hacerse valer de un sistema interno de información, carecería de sentido pretender que ello desemboque en una minoración de su responsabilidad penal. Entendemos que no puede sostenerse en un texto legislativo (Ley 2/2023, de 20 de febrero) el carácter preceptivo de una medida y, al mismo tiempo y en otro texto (Código Penal), dotar a dicha medida de un carácter voluntario con efectos eximentes o atenuadores de responsabilidad. Ello supondría vaciar de contenido el artículo 31.bis.5. 4º CP, pues todas las personas jurídicas obligadas por la Ley 2/2023, de 20 de febrero, estarían legalmente compelidas a cumplir con el mismo, encontrándonos en un contexto en el que se prevé una causa de exención o atenuación de responsabilidad que deja de ser voluntaria para pasar a ser obligatoria.

En tercer lugar, la obligación de aportar al proceso penal los resultados de las investigaciones internas podría producir el efecto contrario al deseado por el legislador, esto es, desincentivar la colaboración de las entidades con la autoridad judicial en la averiguación delictiva y, por ende, hacer ineficaz el canal de denuncias interno[493]. En efecto, a la persona jurídica se le obliga a dotarse de un canal de denuncias y a comunicar los resultados derivados del mismo si pretende acceder a una exención o mitigación de la pena; pero al mismo tiempo esas

---

no hay derecho de defensa para la persona jurídica". Entrevista efectuada el 14 de febrero de 2023.

493 Así lo advierte NIETO MARTÍN: "*De un lado, para demostrar que el sistema de denuncias funciona, lo que es un buen indicio de la eficacia de su programa de cumplimiento, conviene que guarden un registro de los hechos denunciados y del resultado de las investigaciones que han realizado conforme a esas denuncias. Mas, de otro lado y como contrapartida, las empresas más cumplidoras corren el peligro de que toda esta información pueda ser requerida por el fiscal o el juez o que se acceda a ella en el marco de un registro de los locales de la empresa*", en NIETO MARTÍN, A., ""Investigaciones internas", whistleblowing y cooperación: la lucha por la información en el proceso penal", op. cit.

aportaciones son las que pueden resultar determinantes para su condena. Los representantes de la entidad se encontrarán, de esta suerte, ante la posibilidad de efectuar un análisis coste-beneficio de su colaboración con la justicia, ¿qué resultará más favorable en cada caso concreto? Tal vez sea más conveniente para sus intereses no aportar los resultados de las investigaciones corporativas[494]. Y es que, al dejar en manos exclusivas de las autoridades judiciales la averiguación delictiva mediante la práctica de diligencias de investigación, la dificultad para estas a la hora de indagar sobre el comportamiento de organizaciones complejas y opacas conllevará, en la mayoría de las ocasiones, la absolución de la entidad al no haberse podido probar su criminalidad, aun cuando no se vea favorecida por una atenuación o exención de su responsabilidad por no haber colaborado con la administración de justicia. Como precisa GOENA VIVES, es insostenible que un sistema penal orientado a incentivar la colaboración de las personas jurídicas imputadas, avale una estrategia que haga impracticables sus propios incentivos[495].

---

494 Para Fernando Lacasa, aquí entra en juego la valoración de los intereses de la empresa frente al marco legal: "En el momento en el que la empresa tenga riesgo penal, tiene que decidir si denuncia o no. Incluso aun cuando no haya habido criminalidad. Imagina que la empresa ve claramente en su investigación que no se ha cometido un delito, pero que si la información le llega a un Fiscal, se va a abrir un proceso contra ella porque existen indicios. Hasta que el juez llegue a la misma conclusión que la empresa, es decir, que no ha habido delito, pueden pasar varios años, en los que se le ha sometido a pena de banquillo. Puede no ser conveniente realizar esa investigación interna". Entrevista efectuada el 14 de febrero de 2023. En sentido coincidente se pronuncia Ignacio Vegas Nieto, quien critica que la sanción mínima prevista por la Ley 2/2023, de 20 de febrero, por no implantar el canal de denuncias sea de un millón de euros, pues "es un problema para empresas que no pueden afrontarlo. Las entidades hacen un esfuerzo para implantar un canal de denuncias puramente ficticio, para no ser sancionadas pero sin correr riesgos de que sus investigaciones sean requeridas por la autoridad judicial". Entrevista realizada el 20 de julio de 2023.

495 GOENA VIVES, B., "Responsabilidad penal de las personas jurídicas y *nemo tenetur*: análisis desde el fundamento material de la sanción corporativa", op. cit. pp. 34-36, el interés público de la colaboración de las personas jurídicas en la averiguación de delitos corporativos redundará en que, en opinión de la autora, "*en la mayor parte de los procedimientos contra personas jurídicas se priorizará la colaboración y no el nemo tenetur, aunque este se encuentre —como en el caso español— jurídicamente reconocido*".

Abogamos, en definitiva, por la inclusión de una referencia legal expresa que, más allá de reconocer el derecho a no declarar por parte de los representantes de la entidad en fase sumarial o en el desarrollo del juicio oral (artículos 409 bis y 786 bis LECrim), concrete cómo debe materializarse la garantía procesal de la no autoincriminación con respecto a las personas jurídicas. De *lege ferenda*, el equilibrio entre el *nemo tenetur* de las personas jurídicas y la colaboración de estas con la autoridad judicial haría factible una obligación de aportar al proceso penal documentación estrictamente organizativa, como los elementos del canal de denuncias, su número, su tipología, si se ha efectuado una investigación interna y quién ha sido el responsable de ella, etc., pero no informaciones específicas sobre el comportamiento criminal cuyo descubrimiento haya tenido lugar en virtud de tales indagaciones corporativas[496]. Con ello, la entidad no se verá compelida a revelar datos autoinculpatorios, al tiempo que, de descubrirse su criminalidad por el órgano jurisdiccional, podrá beneficiarse de una minoración de su responsabilidad por haber colaborado en la aportación de informaciones en el sentido indicado. Sostenemos, en conclusión, que el artículo 9.2.j) Ley 2/2023, de 20 de febrero, debería ser revisado al objeto de incluir en su redacción que la información que debe remitirse al Ministerio Fiscal o a la Fiscalía Europea cuando se tengan indicios de criminalidad, no sean los resultados de las investigaciones internas llevadas a cabo por la propia entidad, sino simplemente la advertencia de que se ha cometido el delito en cuestión.

### *1.2. Ámbito subjetivo del* **nemo tenetur***: especial atención al secreto profesional del abogado defensor*

A la vista de lo expuesto, en nuestro sistema no sería constitucionalmente admisible un modelo como el estadounidense, en el que prima la cooperación total de la persona jurídica con la autoridad

---

[496] Lo cual entronca con el reconocido derecho a no desvelar informaciones que, de facto, constituyan una declaración de confesión culpable. Vid. STEDH, de 3 de mayo de 2001, asunto *J.B. c. Suiza*, op. cit. paras. 63-71, por la que se considera vulnerado el derecho a no autoincriminarse ante el requerimiento genérico de información relativa a un presunto fraude fiscal.

judicial[497]. La consideración de las entidades como sujetos pasivos del proceso penal ha de tener como consecuencia indiscutible el reconocimiento para ellas de todas las garantías procesales que predican respecto de toda persona investigada. Sin embargo, el ejercicio del derecho de defensa de las personas jurídicas va a depender siempre de los sujetos naturales que actúen en su nombre en el proceso, de forma tal que la atención al *nemo tenetur* de las entidades debe extenderse irremediablemente a los mismos. Es por ello que debe matizarse sobre qué persona física puede o no recaer la obligación de aportar el resultado de las investigaciones internas corporativas pues, ciertamente, la garantía de la no auto-inculpación de las entidades quedaría desprovista de contenido si se requiriera a cualesquiera de sus miembros la introducción en el proceso penal de informaciones incriminatorias[498].

Como ya hemos visto, al regular el derecho a la no autoincriminación de las personas jurídicas, el legislador español se limita a reconducirlo a la no preceptividad de la declaración por su representante procesal, ni en fase de instrucción ni de juicio oral. Nada se dice, sin embargo, sobre si tal representante es la única persona física sobre la que se materializa el derecho al *nemo tenetur* de la entidad, de lo que se desprende la siguiente cuestión: ¿podría ser considerado como una vulneración de tal garantía el requerimiento de información dirigido contra cualquier miembro de la organización?

El artículo 575 LECrim establece un deber positivo de colaboración con la autoridad judicial mediante la aportación de cuantos do-

---

497 La *U.S. Supreme Court* niega expresamente la posibilidad de que las personas jurídicas se acojan a un derecho a no autoinculparse, precedente asentado por los casos *Hale c. Henkel*, 201 U.S. 43 (1906) y *United States c. White*, 322 U.S. 694 (1944). En los mismos, la Corte Suprema estadounidense falla en el sentido de no reconocer a las entidades el derecho a la no autoincriminación previsto en la Quinta Enmienda, señalando a estos efectos que se trata de un derecho individual aplicable en exclusiva para las personas físicas y no para las corporaciones, tratándose estas de una mera ficción. Para un comentario al respecto, véase HERNÁNDEZ BASUALTO, H., "¿Derecho de las personas jurídicas a no auto-incriminarse?", *Revista de Derecho de la Pontificia Universidad Católica de Valparaíso* 2015, n. 44, pp. 217-236, esp. pp. 224-229.

498 DEL MORAL GARCÍA, A., "La comparecencia, declaración y representación de la persona jurídica", en A. Juanes Peces (coord.), *Responsabilidad penal y procesal de las personas jurídicas*, Francis Lefebvre, Madrid, 2015, pp. 289-299, esp. pp. 296-298.

cumentos sean requeridos por su relación con la causa, obligación que, claro está, puede quedar exceptuada en tanto en cuanto la documentación cuyo suministro se pretende implique *de facto* la autoinculpación del requerido. A resultas de ello, las personas físicas miembros de la organización solo podrán negarse a aportar información derivada de las investigaciones internas en la medida en que el proceso penal se interponga también contra ellas mismas, no así cuando la instrucción se dirija en exclusiva contra el ente corporativo[499]. Nos encontramos, como señala GOENA VIVES, frente a una colisión entre el respeto a la garantía de los intereses procesales de la persona jurídica y el deber de colaboración activa de sus integrantes ante un requerimiento de información[500]. Tal planteamiento es el seguido por los órganos jurisdiccionales, como refleja el AAN 169/2022, de 11 de marzo, en el que se reitera la idea de que el derecho a no autoincriminarse únicamente comprende a la entidad investigada y se ejerce a través del representante especialmente designado, no abarcando ni a los empleados ni a los mandos por cuanto que estos no ejercen la representación de la entidad en el proceso y, por lo tanto, podrán ser llamados a declarar en calidad de testigos[501].

No compartimos tal postura. El efectivo reconocimiento del derecho a no autoincriminarse requiere que quede amparada por el ordenamiento jurídico la negativa de ciertos sujetos vinculados a la persona jurídica a suministrar información de la que pueda desprenderse su responsabilidad penal, de manera que el deber de colaboración proclamado por el artículo 575 LECrim se limite a quienes tengan

---

499 Lo mismo acontecería si fuesen llamados a comparecer en el proceso como testigos, con la consiguiente obligación de decir la verdad. Sobre este punto, señala DOPICO GÓMEZ-ALLER que "*si los derechos "a guardar silencio, a no declarar contra sí mismo y a no confesarse culpable" recogidos en el art. 786 bis 1 tienen algún significado y no son un mero brindis legislativo al sol, no puede pretenderse que puedan ser desactivados mediante un mero llamamiento de un sujeto como testigo, alegando que si ese sujeto guarda silencio, el proceso se queda sin información relevante*", en DOPICO GÓMEZ-ALLER, J., "Proceso penal contra personas jurídicas: medidas cautelares, representantes y testigos", op. cit.

500 GOENA VIVES, B., "Responsabilidad penal de las personas jurídicas y *nemo tenetur*: análisis desde el fundamento material de la sanción corporativa", op. cit. p. 24.

501 AAN 169/2022, de 11 de marzo, ECLI: ES:AN:2022:2110A (*Tol 8893712*), FJ 2º.

la consideración en el proceso penal de terceros en sentido absoluto[502]. De este modo, entendemos, si el artículo 31.bis.1 CP vincula el comportamiento de los directivos y trabajadores de la entidad a la responsabilidad penal de esta, parece lógico que el respeto a su derecho al *nemo tenetur* ha de extenderse a tales individuos[503]. En efecto, estos miembros de la organización encarnan la voluntad de la persona jurídica en cuyo nombre actúan y tienen acceso a los documentos e informaciones de las investigaciones internas como "*servidores de una posesión ajena*", la de la corporación[504]. De igual forma que se regulan en la LECrim supuestos de no colaboración obligada por parte de terceros[505], consideramos que podría ser oportuna la inclusión de similares previsiones referidas a los directivos y trabajadores de la entidad[506], de cuyas actitudes depende la correcta defensa procesal de

---

502 Distinto sería el supuesto de que la aportación de información se llevase a cabo de forma espontánea y voluntaria por el miembro de la entidad. En este caso, la necesaria ponderación entre la eventual comisión de un delito de revelación de secretos y la conveniencia de la delación requerirá atender a la ya mencionada doctrina de la STS 778/2013, de 22 octubre, en el asunto de las prótesis mamarias.

503 Como señala GONZÁLEZ LÓPEZ, "*Para que sea efectivo y acorde con la peculiar naturaleza de la persona jurídica, el derecho a la no colaboración activa debe predicarse de las personas naturales que ostentan la condición de órganos de la persona jurídica, si bien en la medida en que la colaboración pretendida se proyecte sobre la persona jurídica y conlleve una actuación propia de dichos órganos*", en GONZÁLEZ LÓPEZ, J.J., "Imputación de personas jurídicas y derecho a la no colaboración activa", op. cit. p. 64.

504 GASCÓN INCHAUSTI, F., *Proceso penal y persona jurídica*, op. cit. pp. 123-124.

505 Como es el caso de las dispensas de la obligación de declarar como testigo, establecidas en los arts. 416-418 LECrim.

506 No pretendemos, ni mucho menos, defender una extensión absoluta del *nemo tenetur* de la entidad a todas las personas físicas que formen parte de ella. Lo contrario supondría sostener la introducción de evidentes trabas al correcto desarrollo del proceso penal, pues no habría individuo alguno con deber de colaborar. Señalamos además las siguientes palabras de DOPICO GÓMEZ-ALLER: "*no tendría sentido considerar que todo trabajador de la empresa puede guardar silencio en beneficio de aquella: no solo porque con ello se haría casi imposible cualquier investigación penal, sino porque la relación laboral o de servicios no integra al trabajador como parte de la persona jurídica: los trabajadores tienen ante un "empleador-persona jurídica" la misma consideración que respecto de un "empleador-persona física". Por ello los empleados, por el mero hecho de serlo, no se ven abarcados por el derecho a guardar silencio del empresario, ya sea*

esta y que, en virtud de los apartados a) y b) del antedicho artículo 31.bis.1 CP están indisociablemente vinculados con su responsabilidad penal[507]. Siguiendo las palabras de GONZÁLEZ LÓPEZ, "*la posición de la persona natural llamada a declarar que actuó no solo como tal persona natural sino también como integrante de la voluntad de la persona jurídica se asemeja a la del coimputado, aunque la persona natural no sea investigada*". De este modo, continúa el autor, "*la persona natural puede ser propuesta como testigo, pero, en la medida en que integrara la voluntad de la persona jurídica, es también investigado, bien que no como persona natural, sino como elemento de la persona jurídica*"[508]. Esto es, el artículo 31.bis.1 CP delimita qué miembros de la organización "son" la persona jurídica, sobre los cuales, por ende, debería garantizarse el derecho al *nemo tenetur*[509].

Sin embargo, de *lege data*, la única negativa a aportar información por personas físicas distintas al representante de la entidad, es la que

---

*individual o social*", en DOPICO GÓMEZ-ALLER, J., "Proceso penal contra personas jurídicas: medidas cautelares, representantes y testigos", op. cit.

507 Ya ha habido pronunciamientos sobre una suerte de dispensa *ex* art. 416 LECrim de la obligación de declarar por parte del oficial de cumplimiento (siempre y cuando este no haya sido designado como representante de la entidad en el proceso) en calidad de testigo. Así, si la propia defensa no propone su interrogatorio, ante la propuesta de la acusación podrá alegarse esta dispensa. Vid. AAN 643/2022, de 15 de noviembre, ECLI: ES:AN:2022:9970A (*Tol 9300228*), FJ 2º.

508 GONZÁLEZ LÓPEZ, J.J., "Imputación de personas jurídicas y derecho a la no colaboración activa", op. cit. pp. 64-65; en cuanto que elemento de la persona jurídica, sostiene el autor que a la persona natural llamada como testigo en el proceso contra la entidad le resultaría de aplicación la doctrina derivada de la STS 988/2012, de 2 de diciembre, ECLI: ES:TS:2012:8462 (*Tol 4940723*), FJ 2º, de modo que, para que la información revelada por el sujeto físico sea suficiente para desvirtuar la presunción de inocencia de la organización, se requerirá de confirmación mediante otras pruebas.

509 Para PRIETO GONZÁLEZ, en aras de lograr un equilibrio entre la eficacia del proceso penal y el derecho de defensa de la persona jurídica, estas personas podrán ser llamadas a declarar sobre los hechos en los que hayan participado como miembros de la entidad, pero no sobre las actuaciones que hubieren realizado para ayudar a los abogados en el diseño de la estrategia de defensa de la persona jurídica, esto es, sobre lo comentado con el letrado o la documentación que se le facilitó, en PRIETO GONZÁLEZ, M.H., "Las investigaciones internas: el *Attorney Privilege* y el *Work Product Privilege*", en M. Fortuny Cendra (dr.), *Las investigaciones internas en compliance penal. Factores clave para su eficacia*, op. cit. pp. 181-199, esp. p. 195.

puede provenir de su abogado por medio del ejercicio de su derecho/deber al secreto profesional[510]. Verdaderamente, bajo el paraguas del artículo 416.2 LECrim, el abogado de la persona jurídica procesada está dispensado de la obligación de declarar respecto a los hechos de los que tuviera conocimiento en su calidad de defensor, lo cual se traduce en un privilegio de tutela de las comunicaciones abogado-cliente[511]. No obstante, precisamente de la última referencia en el artículo a la actuación del abogado como "defensor", se infiere la diferencia entre el abogado "interno" (abogado *in-house*) y "externo" de la entidad por cuanto se refiere a la salvaguarda del secreto profesional. Planteemos para ello dos escenarios que pueden darse una vez producida la delación por un miembro de la organización, a través del canal

---

510 Vid. art. 542.3 LOPJ: "*Los abogados deberán guardar secreto de todos los hechos o noticias de que conozcan por razón de cualquiera de las modalidades de su actuación profesional, no pudiendo ser obligados a declarar sobre los mismos*". En idéntico sentido, el Código de Deontología de los Abogados Europeos, de 28 de octubre de 1998, precisa en su apartado 2.3.1 que "*Sin la garantía de confidencialidad, no puede existir confianza. Por lo tanto, el secreto profesional es un derecho y una obligación fundamental y primordial del Abogado*", disponible en https://www.abogacia.es/wp-content/uploads/2012/06/codigodeontologico.pdf (última consulta: 13 de febrero de 2025); también el Código Deontológico de la Abogacía Española, de 6 de marzo de 2019, señala que se "*impone a quien ejerce la Abogacía la obligación de guardar secreto, y, a la vez, le confiere este derecho, respecto de los hechos o noticias que conozca por razón de cualquiera de las modalidades de su actuación profesional*", disponible en https://www.abogacia.es/wp-content/uploads/2019/05/Codigo-Deontologico-2019.pdf (última consulta: 13 de febrero de 2025). Igualmente son dignas de mención las palabras de GONZÁLEZ-CUÉLLAR SERRANO, para quien "*la garantía de confidencialidad se proyecta sobre las informaciones reservadas comunicadas a un letrado por su cliente y las obtenidas por el mismo relativas a su cliente en el ejercicio de su actividad profesional. Para el cliente la garantía es un derecho. Para el Abogado el mantenimiento del secreto también constituye un derecho y simultáneamente es una obligación, cuyo incumplimiento genera responsabilidad civil, disciplinaria y penal*", en GONZÁLEZ-CUÉLLAR SERRANO, N., "El secreto profesional del Abogado", en N. González-Cuéllar Serrano (dr.), A.M. Sanz Hermida y J.C. Ortiz Pradillo (coords.), *Problemas actuales de la justicia penal. Secreto profesional, cooperación jurídica internacional, víctimas de delitos, criminalidad organizada, personas jurídicas, eficacia y licitud de la prueba y derechos fundamentales*, Colex, Madrid, 2013, pp. 9-32, esp. p. 9.

511 Denominado *Legal Profesional Privilege* en el ámbito europeo o *Attorney Cliente Privilege* en Estados Unidos, entendemos este privilegio como una manifestación del secreto profesional del abogado.

interno de denuncias, de presuntos hechos delictivos: en el primero, el *compliance officer* encargado del desarrollo de la investigación corporativa de los hechos denunciados es un abogado que forma parte de la plantilla del ente; en el segundo, la investigación interna se externaliza en un abogado ajeno a la persona jurídica[512].

En ambos supuestos, el abogado dispone de información referente al delito presuntamente atribuible a la persona jurídica, poseyendo datos e informes recibidos o generados en el desarrollo de la labor investigadora y que pueden tener un contenido inculpatorio para aquella. Sin embargo, el tratamiento jurisprudencial dista de ser semejante en cuanto se refiere a la obligación de aportar tales informaciones bajo requerimiento de la autoridad judicial.

La vinculación del abogado con la tutela judicial efectiva[513] deriva en una doble relación horizontal abogado-cliente y vertical abogado-Estado, de forma tal que, apunta GOENA VIVES, "*los compromisos derivados de la posición de garante organizativo que el abogado asu-*

---

512 Sobre la conveniencia de que el oficial de cumplimiento encargado de la investigación interna sea un abogado, ampliamente, GONZÁLEZ FRANCO, J.A., SCHEMMEL, A. y BLUMENBERG, A., "La función del penalista en la confección, implementación y evaluación de los programas de cumplimiento", en L. Arroyo Zapatero y A. Nieto Martín (dres.), *El Derecho Penal Económico en la era "compliance"*, op. cit. pp. 155-163, esp. pp. 158-162; MARTÍNEZ SANTOS, A., "La garantía de la confidencialidad del abogado en las investigaciones internas de compliance de las personas jurídicas", op. cit. pp. 248-249; también se ha pronunciado sobre el particular el Consejo General de la Abogacía Española en su Informe 4/2018 "de nuevo sobre el abogado como responsable de cumplimiento normativo ("compliance officer")", señalando que "*el abogado constituye una garantía de procedibilidad en la elaboración del programa de prevención puesto que solo él comprende con propiedad y suficiencia las razones últimas de la existencia del plan (lo cual requiere la capacidad de análisis y discernimiento jurídico, más allá de la capacidad organizativa para seguir un procedimiento), las consecuencias de índole penal que de él han de derivar y los remedios preventivos o procesales que cabrá poner ante la activación de los mecanismos de responsabilidad penal de las personas jurídicas*", disponible en https://www.icagi.net/archivos/archivoszonapublica/noticias/ficheros/Informe4-2018.pdf (última consulta: 13 de febrero de 2025).

513 En este sentido la STS 307/2013, de 4 de marzo, ECLI: ES:TS:2013:2428 (*Tol 3746547*), FJ 8º, por la que se reputa al abogado como "*colaborador de la Administración de Justicia, a tenor del bien jurídico protegido que ampara la sanción penal y la ubicación sistemática del precepto* (de deslealtad profesional) *en la sistemática del Código penal*".

*me al ser contratado encuentran su límite en su condición institucional de agente de la Administración de Justicia*"[514]. A resultas de ello, la confidencialidad de las informaciones conocidas por el abogado queda condicionada a que su actuación sea independiente al cliente, pues en caso contrario la relación contractual con este no será suficiente para acotar los deberes constitucionales del letrado como agente de la Justicia. Tal independencia se traduce, y así viene siendo sostenido por la jurisprudencia del TJUE desde el conocido asunto *AM&S Europe c. Comisión*, de 18 de mayo de 1982[515], en el doble requisito de que la actuación profesional del abogado sea una manifestación del derecho de defensa del cliente en el curso de un procedimiento contra este y de que entre ambos no exista vinculación laboral alguna[516]. A la misma conclusión se llega en el posterior asunto *Akzo Nobel Chemicals y Akcros Chemicals c. Comisión*, de 14 de septiembre de 2010[517], re-

---

514 GOENA VIVES, B., "El secreto profesional del abogado *in-house* en la encrucijada: tendencias y retos en la era del *compliance*", *Revista Electrónica de Ciencia Penal y Criminología* 2019, n. 21-19, pp. 1-32, esp. p. 5.

515 STJCE de 18 de mayo de 1982, asunto C-155/79, *AM&S Europe c. Comisión*, ECLI: EU:C:1982:157, para. 21.

516 Postura igualmente sostenida por el Tribunal Constitucional Federal de Alemania en la resolución en el "caso *Volkswagengate*", BvR 1405/17, 2 BvR 1405/17, 2 BvR 1780/17, de 27 de junio de 2018, ECLI: DE:BVerfG:2018:rk20180627.2 bvr140517, por la cual, solo las investigaciones internas que los abogados de la persona jurídica diseñen para la defensa procesal estarán cubiertas por el secreto profesional, quedando excluidas las llevadas a cabo con la finalidad exclusiva de efectuar un control de la eficacia y grado de cumplimiento de las políticas de cumplimiento en la entidad. Con todo, Tribunal vincula el secreto profesional a la existencia presente o futura de un proceso penal o contravencional en el caso de las personas jurídicas.

517 STJUE de 14 de septiembre de 2010, asunto C-550/07, *Akzo Nobel*, ECLI: EU:C:2010:512, paras. 44-47; introduce además el Tribunal una puntualización en torno a la diferencia entre abogados internos y externos a la hora de apreciarse su independencia: "*el concepto de independencia del abogado se determina de manera no solo positiva, tomando como referencia las obligaciones derivadas de la disciplina profesional, sino también negativa, haciendo hincapié en la inexistencia de una vinculación mediante una relación laboral. Un abogado interno, aunque esté colegiado como abogado en ejercicio y, consiguientemente, sometido a la disciplina profesional, no tiene el mismo grado de independencia respecto a su empresario que los abogados de un bufete externo respecto a sus clientes. En esas circunstancias, el abogado interno no puede hacer frente a eventuales conflictos de intereses entre sus obligaciones profesionales y los objetivos y deseos de sus clientes de forma tan eficaz como un abogado externo*" (para. 45).

iterándose en la misma que la condición de asalariado del abogado respecto de la persona jurídica no le permite actuar con autonomía de los intereses corporativos, poniéndose en entredicho su libertad profesional. Si bien ambas sentencias están referidas al ámbito de la defensa de la competencia, la posibilidad de extrapolar sus conclusiones a la esfera de los procesos penales es ciertamente factible. De esta suerte, solo los abogados internos pueden ser llamados a declarar como testigos y, en lo que a nosotros nos interesa, compelidos a aportar la información de que dispongan respecto a presuntas actuaciones delictivas de la entidad.

Sin embargo, al excluir a los abogados *in-house* del *Legal Profesional Privilege* por el mero hecho de serlo, creemos que se cae en el asunto *Akzo* en un excesivo rigorismo formal. Somos de la opinión de que la salvaguarda del secreto profesional no debe quedar condicionada únicamente por la estricta distinción entre abogados internos y externos a la persona jurídica. Como ya adelantara la mencionada sentencia en el asunto *AM&S Europe c. Comisión*, ha de tomarse igualmente en consideración que la actuación del profesional letrado se enmarque en el ejercicio del derecho de defensa del encausado[518]. Pues bien, esta intervención como abogado defensor puede predicarse tanto en los abogados internos como en los externos. En suma, entendemos que el derecho a la no autoincriminación de la persona jurí-

---

518 Así se ha previsto en materias tales como la prevención del blanqueo de capitales, siendo el caso de la Ley 10/2010, de 28 de abril de prevención del blanqueo de capitales y de la Directiva (UE) 2015/849 del Parlamento Europeo y del Consejo, de 20 de mayo de 2015, relativa a la prevención de la utilización del sistema financiero para el blanqueo de capitales o la financiación del terrorismo; en ambos textos, se incluye a los abogados entre los sujetos obligados a poner en conocimiento de las autoridades el posible blanqueo de capitales producido en la organización a la que asesoran, siempre y cuando sus actuaciones para con la misma se refieran a la concepción o realización de operaciones por parte de aquella (compraventas de bienes inmuebles, gestión de fondos, apertura y gestión de cuentas corrientes, constitución de sociedades, etc.); por el contrario, no estarán obligados a desvelar la información que conozcan de la entidad cuando su actuación profesional se refiera a la determinación de la posición jurídica de esta en el proceso jurisdiccional o a ejercer su defensa técnica (vid. arts. 2.1.ñ) y 22 LO 10/2010, y arts. 14.4 y 34.2 Directiva (UE) 2015/849). Igual conclusión se desprende del art. 22 Real Decreto 135/2021, de 2 de marzo, por el que se aprueba el Estatuto General de la Abogacía Española (EGAE), BOE n. 71, de 24 de marzo de 2021, pp. 33597-33649.

dica quedaría en entredicho no solo cuando el abogado es ajeno a su plantilla, sino también cuando, existiendo una relación laboral, opera como su defensor técnico en el seno de un proceso jurisdiccional[519] y no como un mero gestor o supervisor de operaciones mercantiles[520].

---

519 En tal lógica argumental se pronunció el TEDH en el asunto *Michaud c. Francia*, de 6 de diciembre de 2012, en el que se analiza la posible vulneración del art. 8 CEDH (en referencia al derecho al respeto de la correspondencia y del cual se desprende la debida confidencialidad de las relaciones abogado-cliente) a que puede dar lugar la obligación legalmente impuesta a los abogados de poner en conocimiento de las autoridades información relativa a otra persona de la que tengan constancia por razón de su actuación profesional. Se aclara que solo existe tal vulneración cuando la actuación del letrado haya tenido por finalidad la defensa procesal de la entidad investigada, pero no cuando "*tomen parte por cuenta y en nombre de sus clientes en transacciones financieras o inmobiliarias o actúen como administradores*", ni tampoco "*cuando asistan a sus clientes en la preparación o ejecución de transacciones relativas a ciertas operaciones definidas*". De este modo, concluye el Tribunal que "*La obligación de notificar las sospechas solo afecta a tareas desempeñadas por abogados que son similares a aquellas realizadas por las otras profesiones sometidas a la misma obligación, y no afecta a la función que llevan a cabo en tanto que defensores de sus clientes*"; STEDH de 6 de diciembre de 2012, asunto *Michaud c. Francia*, ECLI: CE:ECHR:2012:1206JUD001232311 (*Tol 9062340*), para. 127.

520 Y ello aun cuando parece que el TJUE comienza a atisbar la posibilidad de ampliar la salvaguarda del secreto profesional a las actuaciones no estrictamente relacionadas con la defensa técnica de la entidad en un proceso jurisdiccional. Destacable es a tal efecto la STJUE de 8 de diciembre de 2022, asunto C-694/2020, *Orde van Vlaamse Balies y otros*, ECLI: EU:C:2022:963 (*Tol 9306779*), para. 66. En ella se declara la vulneración del derecho al secreto de las relaciones abogado-cliente desprendido del art. 7 CFUE, por parte del art. 8 bis ter 5 de la Directiva 2011/16/UE del Consejo, de 15 de febrero de 2011, relativa a la cooperación administrativa en el ámbito de la fiscalidad y por la que se deroga la Directiva 77/799/CEE, en su versión modificada por la Directiva (UE) 2018/822 del Consejo, de 25 de mayo de 2018, DOUE n. L 139, de 5 de junio de 2018, pp. 1-13. Ello porque el referido precepto establece que los abogados que actúen como intermediarios en operaciones de planificación fiscal agresivas de personas jurídicas (esto es, como asesores tributarios en el diseño o implementación de estrategias en materia fiscal transfronteriza), y que no pueden comunicar a las autoridades tributarias la información constitutiva de fraude de que conozcan en atención a su deber de secreto profesional, deberán trasladar tal información a cualesquiera otros intermediarios fiscales para que sean ellos quienes pongan en conocimiento de las autoridades tributarias competentes las posibles irregularidades observadas. Señala el Tribunal que el secreto profesional implica no solo que el abogado no pueda denunciar las irregularidades de su cliente ante las autoridades sancionadoras correspondientes, sino también que no puede ser

En suma, reconduciendo el asunto a los abogados que, actuando como *compliace officers*, se encarguen del desarrollo de las investigaciones corporativas, distinguimos dos supuestos: en primer lugar, si sus funciones se limitan a actuar como oficial de cumplimiento, entendemos que sí podrá ser requerido por la autoridad judicial a aportar los resultados de sus indagaciones, con independencia de que se trate de un abogado interno o externo a la entidad, en atención a que su actuación no queda enmarcada en el ámbito de la tutela judicial efectiva, sino en el ejercicio de un cargo para el que ni siquiera se precisa tener la condición de abogado; ahora bien y en segundo lugar, si además de oficial de cumplimiento se ocupa de la defensa técnica en el proceso, podría tener cabida la negativa a atender tal requerimiento *ex* secreto profesional, siendo de nuevo irrelevante la existencia o no de relación laboral con la persona jurídica[521].

---

requerido para que desvele tales informaciones a terceras personas que procedan a tal denuncia. Para llegar a esta conclusión, el TJUE valora el equilibrio entre el derecho-deber al secreto profesional en las relaciones abogado-cliente y el interés general reconocido por la Unión de represión de conductas de fraude financiero, valorando a estos efectos tres criterios: primero, si la injerencia al antedicho derecho-deber es adecuada para la satisfacción de tal interés general; segundo, si el objetivo perseguido no podría ser alcanzado por otros medios no restrictivos del derecho en cuestión; tercero, si la injerencia es o no desproporcionada en relación al interés general. Tales criterios, señala el TJUE, no se cumplen, dado que el interés general perseguido con la denuncia ante las Administraciones tributarias de las políticas de planificación fiscal agresivas constitutivas de fraude, queda atendido suficientemente mediante la delación efectuada por cualesquiera otros intermediarios que tengan conocimiento de las operaciones por otras vías y sobre los que también recae obligación de denunciar, siendo así que la injerencia en la confidencialidad de las relaciones abogado-cliente resulta innecesaria y desproporcionada. Sobre dichos criterios de ponderación, en sentido similar, véase también la STJUE de 22 de noviembre de 2022, asuntos C-37/20 y C-601/20, *Luxembourg Business Registers y Sovim*, ECLI: EU:C:2022:912 (*Tol 9294283*), para. 66.

521 Para autores como MARTÍNEZ SANTOS, el secreto profesional del abogado debe extender sus efectos incluso para el supuesto de actuación exclusiva por este como *compliance officer*, argumentando que tal función también se encuadra en la noción de "ejercicio profesional" del abogado referida en el art. 22 EGAE, en MARTÍNEZ SANTOS, A., "La garantía de la confidencialidad del abogado en las investigaciones internas de compliance de las personas jurídicas", op. cit. p. 277. No compartimos sin embargo esta postura: primero, porque creemos que la alusión a "ejercicio profesional" del abogado se delimita a su actuación como defensor técnico, pues esta función no puede ser desempañada por quien

Lo contrario, esto es, considerar en sentido estricto que el secreto profesional opera exclusivamente para los abogados externos, además de suponer una socavación al derecho de las personas jurídicas a no autoinculparse, puede dar lugar a la aparición de obstáculos en nada desdeñables para la pretendida eficacia de los programas de cumplimiento[522]. Y es que, parecería del todo lógico que los entes corporativos se mostrasen reticentes a la implantación de canales de denuncia si el resultado de las investigaciones derivadas de ellos hubiese de ser preceptivamente incorporado al proceso penal, por el simple hecho de haber sido efectuadas por abogados internos[523]. Para evitar el acceso a esta información, las personas jurídicas se verán inducidas a la contratación de un abogado externo para la práctica de las investigaciones[524],

---

no tenga la condición de Letrado, a diferencia de lo que ocurre con otros cometidos; segundo, porque una asunción tal implicaría tener que extender el secreto profesional a los supuestos en los que las funciones de *compliance officer* son desempeñadas por personas sin la condición de abogado, extremo desde luego no previsto por la legislación española vigente.

522 Para NIETO MARTÍN, "*Si a través de la amenaza penal exigimos que las empresas se autoevalúen, detecten sus riesgos o que realicen investigaciones internas con el fin de cooperar, no resulta leal después utilizar los documentos que han producido para cumplir con las normas penales con el fin de debilitar su defensa. Esto contraviene a un principio básico de justicia como el que incorpora la idea de buena fe o el venire contra factum propium. Por no decir que, cuando la investigación interna se hace a los solos efectos de preparar la defensa de la entidad, ello puede entrar en colisión con su derecho de defensa*", en NIETO MARTÍN, A., "Reforma del proceso penal y regulación de las investigaciones internas", *El Almacén del Derecho* 30 de abril de 2020, disponible en https://almacendederecho.org/reforma-del-proceso-penal-y-regulacion-de-las-investigaciones-internas.

523 GALBE TRAVER, G., "El secreto profesional del abogado *in-house* y el derecho a no autoincriminarse de la persona jurídica", *La ley penal: revista de Derecho Penal, procesal y penitenciario* 2019, n. 139, disponible en https://revistas.laley.es/

524 Lo cual es señalado por el Consejo General de la Abogacía Española, en el Informe 4/2018 señalado *ut supra*, como la solución idónea. También entre los profesionales, como lo demuestran las palabras de Fernando Lacasa, para quien "Si se hace una investigación interna, hay que tomar todas las medidas para que no llegue al juez, es decir, hay que ver si hay riesgo penal. Porque si se investiga y hay riesgo penal, luego te pueden pedir el resultado. Para evitar este problema, se encarga a un abogado externo amparado por el secreto profesional, para poder investigar sin que luego pueda ser requerida la información por la autoridad judicial", entrevista a efectuada el 14 de febrero de 2023.

lo cual encarecerá sobremanera el coste de su acometimiento y, en adición, restará eficacia a las indagaciones[525].

## 2. VALOR PROBATORIO DE LOS RESULTADOS DE LAS INVESTIGACIONES INTERNAS

Formulada la denuncia interna y culminada la investigación corporativa abierta como resultado, la exención o atenuación de la responsabilidad penal de la persona jurídica pasa por que las informaciones obtenidas se incorporen al proceso penal. Ello comporta el necesario planteamiento de las cuestiones siguientes: ¿cómo se efectúa el traslado de las informaciones al proceso penal? Y sobre todo, ¿cuál es el valor que puede darse en el proceso a informaciones recabadas por la propia persona jurídica?

### *2.1. Fuentes y medios de prueba: la aportación del resultado de las investigaciones internas al proceso penal*

Sirviéndonos de la definición clásica de CARNELUTTI, se entiende por "fuente de prueba" el hecho del cual se sirve el órgano jurisdiccional para deducir la verdad acaecida[526] o, en otras palabras, el contenido de una operación sensorial por la cual el juez deduce la existencia o no del hecho controvertido[527]. La fuente de prueba es, en consecuencia, un elemento extraño y ajeno al proceso, que surge con anterioridad a este sin tener repercusión jurídica mientras el mismo no se haya incoado[528].

---

525 Precisa NIETO MARTÍN que es contraproducente que de una investigación interna se encargue quien es ajeno a la entidad y desconoce su estructura, NIETO MARTIN, A., "Investigaciones internas, *whistleblowing* y cooperación: la lucha por la información en el proceso penal", op. cit.

526 CARNELUTTI, F., *La prueba civil*, Depalma, Buenos Aires, 1982, p. 70.

527 DEVIS ECHANDÍA, H., *Compendio de Derecho Procesal. Pruebas Judiciales. Tomo II*, Editorial ABC, Bogotá, 1984, p. 88.

528 MORENO CATENA, V., "El desarrollo del juicio oral. La prueba", op. cit. p. 454, precisándose por lo demás que la fuente de prueba se corresponde con "*objetos o personas que, en cuanto pueden proporcionar conocimientos para apreciar o para acreditar los hechos afirmados por una parte procesal, pueden*

Ahora bien, ¿cómo se introduce esta fuente de prueba en el proceso penal? Es en este punto donde entra en juego el concepto de "medio de prueba", concebido por PÉREZ-CRUZ MARTÍN como "*un concepto jurídico y absolutamente procesal, que nace y se forma en el proceso; así pues, se buscan las fuentes, y una vez obtenidas, se incorporan al proceso a través de los medios*"[529]. En suma, para poder probar en el proceso se requiere, en primer lugar, de fuentes que permitan conocer la realidad de los hechos para, a continuación, incorporar la información que proporcionan a través de los instrumentos (medios) legalmente previstos[530].

Pues bien, como hemos analizado *ut supra* en el Capítulo IV, la investigación interna desarrollada en la entidad culminará con un informe valorativo de los hechos averiguados, erigiéndose ello en la fuente de prueba a partir de la cual el órgano jurisdiccional podrá valorar la comisión o no delictiva en el seno de la entidad y, en su caso, si la misma puede o no ser atribuible a la propia persona jurídica[531]. Para MARTÍNEZ SANTOS, sin embargo, la documentación de las investigaciones internas y la información contenida no constituye "fuente de prueba", sino "objeto de prueba", bajo la premisa de que no puede darse a tales indagaciones el valor de prueba preconstituida, como tampoco lo tienen en nuestro ordenamiento jurídico los atestados policiales ni los informes de detectives privados. No compartimos esta idea. El hecho de que la documentación en poder de la persona jurídica no pueda ser considerada como prueba preconstituida, lo cual no discutimos, no es, a nuestro juicio, argumento que justifique por qué

---

*tener trascendencia en el proceso y constituir el material de referencia para la decisión del juez*".

529 PÉREZ-CRUZ MARTÍN, A.J., "La prueba. Concepto; objeto; medios de prueba. Proposición, admisión o denegación; prueba anticipada; proposición en el acto del juicio; prueba acordada "ex oficio". Las pruebas obtenidas con violación de los derechos fundamentales (prueba prohibida). La prueba producida irregularmente", en J. A. Pérez-Cruz Marín (dir.), *Derecho procesal penal*, Tirant lo Blanch, Valencia, 2023, pp. 553-584, esp. p. 559.

530 MORENO CATENA, V. y CORTÉS DOMÍNGUEZ, V., *Derecho procesal penal*, op. cit. p. 454.

531 MARTÍNEZ SANTOS, A., "La garantía de la confidencialidad del abogado en las investigaciones internas de *compliance* de las personas jurídicas", op. cit. p. 260.

esas informaciones no son fuente de prueba sino, como defiende el autor, objeto de prueba.

Y es que, el objeto de la prueba son las afirmaciones vertidas por las partes sobre los hechos controvertidos que han de ser verificados[532], esto es, reconduciéndolo a nuestro objeto de examen, la existencia o no de un comportamiento delictivo en el seno de la entidad. Para la verificación de este objeto de prueba, la documentación dimanante de la investigación interna se presenta como fuente de prueba[533]. Lo contrario, esto es, considerar que las investigaciones internas nunca podrán ser fuente de prueba y que su eficacia probatoria se limitará en exclusiva a comprobar si la actuación de la entidad ante las prácticas delictivas de sus miembros fue acertada de cara a su posible exención o atenuación de responsabilidad, supondría ir en contra de la esencia misma de las investigaciones corporativas, cual es facilitar al órgano jurisdiccional el conocimiento de los hechos ocurridos en el ámbito de actuación de la persona jurídica.

Así, entendida la documentación desprendida de la investigación interna como fuente de prueba, señala GIMENO BEVIÁ que, en tanto que la misma no ha sido obtenida en el trascurso de un proceso penal, el primer paso para que las informaciones puedan ser consideradas como pruebas lícitas consistirá en su incorporación a este a través de un medio de prueba válido[534]. A tales efectos, el medio de prueba idóneo lo constituye el documento, el cual podrá ser aportado en momentos procesales distintos en función del tipo de investigación interna que se haya desarrollado: de una parte, en el caso de las investigaciones reactivas confirmatorias (pre-judiciales), su aportación

532 BARONA VILAR, S. "La prueba", en J. L. Gómez Colomer y S. Barona Vilar (coords.), *Proceso Penal. Derecho Procesal III*, Tirant lo Blanch, Valencia, 2023, pp. 413-434, esp. p. 414.

533 Siguiendo a NEIRA PENA, una parte fundamental de los programas de cumplimiento penal, y en concreto de las investigaciones internas como parte inherente de los mismos, consiste en la debida implementación de procesos de documentación, mediante el registro de las delaciones presentadas a través del canal de denuncias, de las actuaciones de investigación o del resultado de las mismas, en NEIRA PENA, A.M., *La defensa penal de la persona jurídica*, op. cit. p. 234.

534 GIMENO BEVIÁ, J., "Valor procesal de las fuentes de prueba obtenidas en el marco de investigaciones internas", op. cit. pp. 143-144.

acompañará a la denuncia de los hechos delictivos descubiertos en cumplimiento del deber del artículo 259 LECrim; de otra parte, y en lo que a nuestro objeto de estudio interesa, en el supuesto de investigaciones reactivas defensivas (para-judiciales) el informe final se aportará como prueba documental en el escrito de defensa presentado por la entidad (*ex* artículo 726 LECrim). Esta prueba documental no puede darse sin más por reproducida, sino que exige un verdadero examen de oficio por parte del órgano jurisdiccional, debiendo valorarse como cuestión fundamental que las informaciones hayan sido recabadas en la investigación corporativa de plena conformidad con los derechos procesales de los implicados[535], cuestión a la que destinamos el apartado que sigue.

## 2.2. *Requisitos de licitud de la prueba*

El resultado de las investigaciones internas podrá ser constitutivo de prueba de los delitos cometidos en el desarrollo de las actuaciones corporativas en la medida en que en su obtención se haya prestado especial atención a la salvaguarda de los derechos fundamentales y garantías procesales de todos los sujetos afectados[536]. Efectivamente, lo contrario supondría una conculcación de la regla de exclusión probatoria del artículo 11.1 LOPJ[537], por el cual, "*no surtirán efecto las*

---

535 Destacamos en relación con ello la STS 1817/2002, de 6 de noviembre, ECLI: ES:TS:2002:7364 (*Tol 4976617*), FJ 10º: "(...) *las actuaciones practicadas pueden llegar a ser utilizadas como fuente probatoria en el procedimiento penal, pero solo si se introducen adecuadamente en el proceso, conforme a las reglas propias de la prueba penal y si se han respetado las exigencias y garantías básicas del procedimiento* (...)".

536 GIMENO BEVIÁ, J., "Valor procesal de las fuentes de prueba obtenidas en el marco de investigaciones internas", op. cit. p. 141.

537 Como primera manifestación de esta regla, con anterioridad a la aprobación de la LOPJ, señalamos la STC 114/1984, de 29 de noviembre, ECLI: ES:TC:1984:114 (*Tol 79403*), FJ 5º: "*El concepto de «medios de prueba pertinentes» que aparece en el mismo art. 24.2 de la Constitución pasa, así, a incorporar, sobre su contenido esencialmente técnico-procesal, un alcance también sustantivo, en mérito del cual nunca podrá considerarse «pertinente» un instrumento probatorio así obtenido*". Tal pronunciamiento sentó las bases de la redacción del art. 11 LOPJ un año más tarde. En este sentido, DE LA OLIVA SANTOS, A., "Sobre la ineficacia de las pruebas ilícitamente obtenidas", en A.A.V.V., *Libro homenaje al Profesor Dr. D. Eduardo Font Serra*, Ministerio de Justicia-Centro de Estudios Jurídicos,

*pruebas obtenidas, directa o indirectamente, violentando los derechos o libertades fundamentales*"[538]. De este modo, la entidad debe velar por el respeto de tales derechos y garantías si pretende que las informaciones que aporte al proceso penal tengan valor probatorio[539] y, por ende, servirse de la circunstancia atenuante de su responsabilidad penal consistente en la aportación de pruebas nuevas y decisivas al

---

Madrid, 2004, pp. 91-108, esp. pp. 92-95; también ASENCIO MELLADO, J. M., "La prueba ilícita en España. Una involución permanente", en R. Castillejo Manzanares, A. Rodríguez Álvarez (dres.), C. Alonso Salgado y A. Valiño Ces (coords.), *Debates jurídicos de actualidad*, Aranzadi, Cizur Menor, 2021, pp. 61-90, esp. pp. 67-71.

538 Señala MIRANDA ESTRAMPES que los conceptos de "prueba prohibida" y "prueba ilícita" se emplean generalmente como equivalentes o sinónimos. Sin embargo, el autor señala un matiz diferenciador, indicado que mientras la prueba ilícita es aquella que infringe la ley (tanto la Constitución como la legislación ordinaria), la prueba prohibida es la surgida como consecuencia de la violación de derechos fundamentales y, por tanto, a la que se refiere el art. 11 LOPJ, en MIRANDA ESTRAMPES, M., "La prueba ilícita: la regla de exclusión probatoria y sus excepciones", *Revista Catalana de Seguretat Pública* 2010, n. 22 pp. 131-151, esp. p. 132. En esta monografía, utilizamos indistintamente la noción de "prueba ilícita" para referirnos a los supuestos incardinados en el art. 11 LOPJ, toda vez que es la terminología empleada por los órganos jurisdiccionales en las resoluciones que se analizan. Así y a modo de ejemplo, la STS 721/2014, de 15 de octubre, ECLI: ES:TS:2014:4622 (*Tol 4556720*), FJ 6º: "*La prohibición de la prueba constitucionalmente ilícita y de su efecto reflejo, o indirecto, pretende, en primer lugar, otorgar el máximo de protección a los derechos fundamentales constitucionalmente garantizados y, en segundo lugar, ejercer un efecto disuasorio de conductas anticonstitucionales en los responsables de la investigación criminal. Con carácter general la prohibición alcanza tanto a la prueba en cuya obtención se ha vulnerado un derecho fundamental como a aquellas otras que, habiéndose obtenido lícitamente, se basan, apoyan o deriven de la anterior, para asegurar que la prueba ilícita inicial no surte efecto alguno en el proceso*". También se trata del concepto más utilizado entre la doctrina, como se sostiene igualmente en MIRANDA ESTRAMPES, M., *El concepto de prueba ilícita y su tratamiento en el proceso penal*, J. M. Bosch, Barcelona, 2004, p. 19.

539 Ello en consonancia con la regla según la cual la ilicitud de la prueba comporta la carencia de efectos probatorios, tanto de la misma como de las pruebas obtenidas a partir de ella. Sobre el particular, PICÓ I JUNOY, J., *Las garantías constitucionales del proceso*, J. M. Bosch, Barcelona, 1997, p. 147; ASENCIO MELLADO, J. M., "Prueba ilícita: declaración y efectos", *Revista General de Derecho Procesal* 2012, n. 26, pp. 1-54, esp. pp. 37-44, disponible en https://www.iustel.com/.

proceso (artículo 31 quarter b) CP)[540]. En el mismo sentido, tampoco las autoridades podrán recurrir a informaciones obtenidas ilícitamente para fundamentar la posible condena de la organización[541]. Y es que, pese a los incentivos a la colaboración de la persona jurídica con el buen trascurso del proceso penal, esta no puede parapetarse sin más en su actuación como una suerte de "agente del Estado"[542] para conculcar los derechos propios de todo investigado. Como señala NEIRA PENA, "*si se niega la necesidad de respetar las garantías procesales en el marco de las investigaciones internas se corre el riesgo de que la fiscalía o el juez de instrucción use a la entidad como agente o brazo ejecutor de sus investigaciones, empleando las indagaciones internas para acceder a las fuentes de prueba sin necesidad de respetar tales derechos*"[543].

A este respecto, dos son las tipologías de sujetos que pueden haber visto damnificados sus derechos y garantías en el curso de la investigación corporativa, cuales son tanto la propia persona jurídica, como los miembros de la organización que puedan tener junto con la entidad la condición de investigados en el proceso penal incoado. En efecto, en ambos casos, la investigación interna que pretende aportarse como documental al proceso penal puede haber constituido en su desarrollo (mediante actuaciones tales como entrevistas a los miembros de la organización, comprobación de equipos informáticos, compilación de documentos, etc.) una afectación a su derecho a la

---

540 NEIRA PENA, A.M., "Sherlock Holmes en el centro del trabajo. Las investigaciones internas empresariales", *Revista de Derecho y Proceso Penal* 2015, n. 37, disponible en https://proview.thomsonreuters.com/, señala la autora que "*entender que la obtención de pruebas por la persona jurídica, en tanto que obtenidas por un particular, no está sujeta a límites, sería tanto como admitir que el legislador premia con efectos atenuantes, y por lo tanto incentiva jurídicamente, la vulneración de los derechos de los empleados por parte de sus empleadores*".

541 Se habla en este sentido de "ilicitud extraprocesal", MIRANDA ESTRAMPES, M., *El concepto de prueba ilícita y su tratamiento en el proceso penal*, op. cit. p. 28.

542 AGUILERA GORDILLO, R., *Manual de compliance penal en España*, op. cit. p. 600.

543 NEIRA PENA, A.M., "Sherlock Holmes en el centro del trabajo. Las investigaciones internas empresariales", op. cit.

no autoincriminación[544], así como a su derecho al honor e intimidad proclamado por el artículo 18 CE[545].

Empero, el estudio del valor probatorio de los resultados de investigaciones internas requiere, nuevamente, prestar especial atención a

---

544 En el caso de la propia persona jurídica, mediante la revelación de informaciones incriminatorias por parte de los miembros de la organización; en el caso de los trabajadores, mediante la amenaza de sanción disciplinaria en caso de no declarar sobre hechos presuntamente delictivos de los que conozcan y/o pudieran estar implicados; sobre esto último, matiza NEIRA PENA que "*el derecho a la no autoincrimación no protege a los individuos de un despido injusto, sino que los protege del uso de sus declaraciones, prestadas bajo amenaza de sanción, en el seno de un proceso penal*", en NEIRA PENA, A.M., "Sherlock Holmes en el centro del trabajo. Las investigaciones internas empresariales", op. cit.

545 Sobre la vulneración del derecho a la intimidad de los trabajadores se pronunció el Tribunal Supremo en la STS 528/2014, de 16 de junio, ECLI: ES:TS:2014:2844 (*Tol 4438005*), en la cual se incide sobre la imposibilidad de que las informaciones recabadas por los empleadores en el ejercicio de su facultad de dirección empresarial (art. 20.3 ET), puedan ser utilizadas como prueba válida en el proceso penal en el que aquellos tienen la condición de investigados, toda vez que su obtención se llevó a cabo vulnerando el art. 18 CE al analizarse el equipo informático del trabajador sin autorización judicial. Textualmente, señala el Alto Tribunal que "*bien claro ha de quedar que en el ámbito del procedimiento penal, el que a nosotros compete, para que pueda otorgarse valor y eficacia probatoria al resultado de la prueba consistente en la intervención de las comunicaciones protegidas por el derecho consagrado en el artículo 18.3 de la Constitución, resultará siempre necesaria la autorización e intervención judicial (...), cualquiera que fueren las circunstancias o personas, funcionarios policiales, empresarios, etc., que tales injerencias lleven a cabo*" (FJ 1º). Dos años más tarde, en la STC 39/2016, de 3 marzo, ECLI: ES:TC:2016:39 (*Tol 5690325*), se estableció que la no conculcación de los derechos de los trabajadores pasa por el cumplimiento de dos requisitos: el juicio de proporcionalidad (consistente en la existencia de sospechas fundadas por el empleador de comisión de delito por el trabajador) y la información previa (consistente en que los trabajadores investigados puedan tener conocimiento del desarrollo de la investigación). Tales criterios fueron ampliados por medio de la STEDH en el asunto *Barbulescu II*, de 5 de septiembre de 2017, referenciada *ut supra*. Por la misma, ha de atenderse a otros parámetros como el grado de intromisión en la vida privada del trabajador; la imposibilidad de descubrir los hechos delictivos mediante actuaciones menos invasivas de la intimidad; que los resultados de la investigación se usen exclusivamente para la averiguación delictiva; o la existencia de garantías para el trabajador. Criterios que deben interpretarse de forma flexible, de modo que el deficiente incumplimiento de uno de ellos no conlleve automáticamente que se haya vulnerado el derecho a la intimidad del trabajador (STEDH en el asunto *López Ribalda II*, de 17 de octubre de 2019, referenciada *ut supra*).

la tipología de investigación que se haya efectuado por el ente corporativo[546]. Dirigimos la mirada en este punto a la Sentencia del Tribunal Supremo en el conocido como *asunto Falciani*, de 23 de febrero de 2017[547], por la que se asienta el criterio de que las fuentes de prueba obtenidas por particulares (en nuestro caso, por el *compliance officer* de la persona jurídica encargado de la investigación interna) quedarán excluidas de las previsiones del artículo 11.1 LOPJ en la medida en que hayan sido recabadas sin ánimo de ser posteriormente aportadas a un proceso penal[548], no dándose así su invalidez en caso de que finalmente sí se efectúe una aportación tal. Así, se señala que "*la posibilidad de valoración de una fuente de prueba obtenida por un particular con absoluta desconexión de toda actividad estatal y ajena en su origen a la voluntad de prefabricar pruebas, no necesita ser objeto de un enunciado legal que así lo proclame. Su valoración es perfectamente posible a la vista de la propia literalidad del vigente enunciado del artículo 11 de la LOPJ y, sobre todo, en atención a la idea de que, en su origen histórico y en su sistematización jurisprudencial, la regla de exclusión solo adquiere sentido como elemento de prevención frente a los excesos del Estado en la investigación del delito*"[549]. En la misma

546 Recordemos, las investigaciones internas pueden ser preventivas o reactivas, subdividiéndose a su vez estas últimas en confirmatorias (pre-judiciales) y defensivas (para-judiciales).

547 STS 116/2017, de 23 de febrero, ECLI: ES:TS:2017:471 (*Tol 5969881*); sentencia confirmada por la STC 97/2019, de 16 de julio, ECLI: ES:TC:2019:97 (*Tol 7446118*). Con posterioridad, la doctrina introducida por el asunto *Falciani* ha sido de nuevo validada por la STS 597/2022, de 15 de junio, ECLI: ES:TS:2022:2348 (*Tol 9051272*), FJ 1º: "*Está fuera de discusión la necesidad de excluir el valor probatorio de aquellas diligencias que vulneren el mandato prohibitivo del art. 11 de la LOPJ*".

548 PÉREZ-CRUZ MARTÍN, A.J., "A propósito de la entrega por particulares de elementos de prueba decisivos", en J.M. Roca Martínez (dr.), *Procesos y prueba prohibida*, op. cit. pp. 125-142, esp. pp. 138-140; TEJADA PLANA, D., *Investigaciones internas, cooperación y nemo tenetur: consideraciones prácticas nacionales e internacionales*, Aranzadi, Cizur Menor, 2020, p. 205.

549 STS 116/2017, de 23 de febrero, op. cit. FJ 6º. Sobre la traslación de sus argumentos al ámbito del *compliance,* AGUILAR FERNÁNDEZ, C. y LIÑÁN LAFUENTE, A., "El secreto profesional del abogado y su aplicación al asesoramiento penal preventivo del "compliance officer"", en C. Gómez-Jara Díez (coord.), *Persuadir y razonar. Estudios jurídicos en homenaje a José Manuel Maza Martín. Tomo II*, Aranzadi, Cizur Menor, 2018, pp. 787-811, esp. pp. 796-800.

lógica argumental se pronunció el Alto Tribunal en el asunto *Trimarine*, de 23 de octubre de 2018, precisando que "*en las relaciones entre particulares, las exigencias de la doctrina de la prueba ilícita son más débiles porque las necesidades de protección y la potencialidad de agresión son en principio menores.* (...) *Desde esa óptica, por ejemplo, cuando no se constata en la actuación del particular la finalidad de obtener pruebas para hacerlas valer en un proceso judicial puede eludirse la tajante sanción del artículo 11.1 LOPJ en cuanto no está presente la finalidad a que obedece la norma*"[550].

Se trata por tanto de valorar si, existiendo una vulneración de derechos y/o garantías procesales en la materialización de la investigación interna, se aprecia o no una "conexión de antijuricidad" que determine la invalidez del material como prueba en el proceso penal[551]. Con carácter genérico, la doctrina de la "conexión de antijuricidad" se desprende de la STC 81/1998, de 2 de abril, según la cual, "*las pruebas reflejas son, desde un punto de vista intrínseco, constitucionalmente legítimas. Por ello, para concluir que la prohibición de valoración se extiende también a ellas, habrá de precisarse que se hallan vinculadas a las que vulneraron el derecho fundamental sustantivo de modo directo, esto es, habrá que establecer un nexo entre unas y otras que permita afirmar que la ilegitimidad constitucional de las primeras se extiende también a las segundas (conexión de antijuridicidad). En la presencia o ausencia de esa conexión reside, pues, la ratio de la interdicción de valoración de las pruebas obtenidas a partir del conocimiento derivado de otras que vulneran el derecho al secreto de las comunicaciones*"[552].

---

550 STS 489/2018, de 23 de octubre, ECLI: ES:TS:2018:3754 (*Tol 6917487*), FJ 14º.

551 En cuanto al momento procesal para proceder a tal valoración, señala GIMENO SENDRA que la misma habrá de tener lugar por el tribunal de enjuiciamiento, en GIMENO SENDRA, V., "La improcedencia de la exclusión de la prueba ilícita en la instrucción (contestación al artículo del Prof. Asencio)", *Diario la Ley* 12 de febrero de 2013, n. 8021, disponible en https://diariolaley.laleynext.es. ASENCIO MELLADO, en opinión que compartimos, sostiene sin embargo que la exclusión deberá darse tan pronto como se tenga conocimiento de la ilicitud, esto es, en fase de instrucción, en ASENCIO MELLADO, J.M., "La exclusión de la prueba ilícita en la fase de instrucción como expresión de la garantía de los derechos fundamentales", *Diario la Ley* 25 de enero de 2013, n. 8009, disponible en https://diariolaley.laleynext.es.

552 STC 81/1998, de 2 de abril, ECLI: ES:TC:1998:81 (*Tol 80937*), FJ 4º.

Pues bien, trasladando tales precisiones a la relación investigación interna-proceso penal, concluimos que las pruebas obtenidas ilícitamente en aquella determinarán la inconstitucionalidad de las pruebas aportadas a este último, en tanto en cuanto exista un nexo que las vincule. Tal nexo existirá precisamente, siguiendo a AGUILERA GORDILLO, si la investigación se realizó con el firme propósito de hacer valer la información como fuente de prueba en un proceso penal[553]. Esto es, la conexión de antijuricidad vendrá determinada por la pretensión de uso de forma tal que, citando de nuevo la STS en el "asunto Falciani", no se recurra a la investigación interna "*como una pieza camuflada del Estado al servicio de la investigación penal*"[554].

De esta suerte, podrían llegar a tener valor probatorio en el proceso penal informaciones recabadas ilícitamente (por ejemplo, por violentar el derecho al secreto de las comunicaciones) en el caso de las investigaciones preventivas, pues su desarrollo no tenía por objeto la utilización de las averiguaciones en un posterior proceso penal sino, como se ha analizado en este trabajo, verificar periódicamente el correcto funcionamiento del *compliance program ex* artículo 31 bis.5.6° CP. Lo mismo puede deducirse de las investigaciones reactivas preventivas, esto es, de aquellas que derivan del conocimiento por el órgano de *compliance* de hechos presuntamente delictivos pero que todavía no han dado lugar a la apertura de proceso penal alguno, de forma tal que el objetivo es que la persona jurídica llegue o no al convencimiento de si ha acontecido un delito en su seno y, en su caso, proceder a su denuncia en virtud del artículo 259 LECrim[555].

---

553 AGUILERA GORDILLO, R., *Manual de compliance penal en España*, op. cit. p. 601, añade el autor que también habrá de ser considerada como ilícita la prueba directa o indirectamente derivada de las informaciones averiguadas en la investigación interna vulneradora de derechos, en aplicación de la "doctrina de los frutos del árbol envenenado".

554 STS 116/2017, de 23 de febrero, op. cit. FJ 7°.

555 Para SOTO PATIÑO, el valor de esta tipología de investigaciones es de denuncia en el proceso, guardando ciertas similitudes con las connotaciones propias del valor del atestado policial como investigación preprocesal. Así, las manifestaciones que se recogen habrán de ratificarse en juicio oral con carácter de prueba testifical por las personas que hayan dirigido o participado en la investigación, en SOTO PATIÑO, F., "La investigación en la empresa, ilicitud de la prueba y uso de datos en el proceso penal", op. cit. p. 359; también NIEVA FENOLL, J.,

Por el contrario, las investigaciones reactivas defensivas, es decir, las desarrolladas paralelamente al proceso penal incoado como manifestación de la estrategia defensiva de la persona jurídica, sí tienen por finalidad la constatación de informaciones para su posterior incorporación a tal proceso jurisdiccional. Es en ellas, consecuentemente, donde la atención a los derechos y garantías de los sujetos investigados cobra especial relevancia por ser determinantes del valor probatorio de sus resultados. Coincidimos con VILLEGAS GARCÍA y ENCINAR DEL POZO en la opinión de que, si pretende hacerse valer el resultado de la investigación en el proceso ante los órganos jurisdiccionales, en su realización han de haberse garantizado los derechos y garantías propias del proceso penal, como el derecho a ser informado de los hechos objeto de indagación, a la no autoincriminación, a la presunción de inocencia, a ser asistido de abogado e incluso a que se le explique que el encargado de la investigación actúa en interés exclusivo de la entidad y no de sus miembros[556].

De igual forma reproducimos las palabras del Tribunal Supremo, para quien "*ha de quedar fuera de toda duda que en aquellas ocasiones en las que el Estado se vale de un particular para sortear las limitaciones constitucionales al ejercicio del 'ius puniendi', la nulidad probatoria resultará obligada. De lo contrario, se corre el riesgo de tolerar con indiferencia el menoscabo de derechos del máximo rango axiológico y que confieren legitimidad al ejercicio de la función jurisdiccional. El principio de contradicción y los derechos de defensa y a no declararse culpable van más allá de un enunciado constitucional puramente formal. No son ajenos a una genuina dimensión ética, que pone límites a la capacidad de los poderes públicos para restringir derechos fundamentales y que, precisamente por su vigencia, han de operar un efecto disuasorio y excluyente frente a la tentación del Estado de eludir las garantías constitucionales, y de hacerlo al amparo*

---

"Investigaciones internas de la persona jurídica: derechos fundamentales y valor probatorio", *Jueces para la democracia* 2016, n. 86, pp. 80-91, esp. p. 84.

556 VILLEGAS GARCÍA, M.A. y ENCINAR DEL POZO, M.A., *La lucha contra la corrupción, compliance e investigaciones internas. La influencia del Derecho estadounidense*, op. cit. p. 284.

*de la actuación de cualquier persona que se sienta particularmente concernida en la investigación del delito*" [557].

A modo de conclusión, consideramos deseable la introducción en el ordenamiento jurídico español de una Ley que, poniendo fin al vacío legislativo en torno a la cooperación público-privada que suponen las investigaciones internas, establezca una clara distinción entre aquellas que se incardinan estrictamente en la esfera de los *compliance programs* de la persona jurídica y aquellas otras que constituyen una manifestación del derecho de defensa de la entidad. Tal vez pudiera tomarse como referente a estos efectos el Proyecto alemán de Ley sobre la lucha contra la delincuencia empresarial, de 15 de agosto de 2019 (*Entwurf eines Gesetzes zur Bekämpfung der Unternehmenskriminalität*)[558], en el que se da buena muestra de la posible distinción por el legislador entre ambos tipos de investigaciones. Para el pre-legislador germano, existe una clara distinción entre: a) las investigaciones corporativas de *compliance* que pretenden aportar información al proceso tramitado contra la entidad en aras de una eventual atenuación de su responsabilidad por colaboración; y b) las realizadas con estricto ánimo de defensa procesal de la entidad, esto es, las que pretenden demostrar la existencia de los modelos y mecanismos de control suficientes ante la comisión de un ilícito por alguno de sus miembros y, por ende, argumentar la necesaria exoneración de su responsabilidad. Fiel reflejo de ello es el artículo 18.2 del Proyecto, por el que se condiciona la atenuación de la sanción con motivo del desarrollo de investigaciones internas de *compliance* a que "*el tercero encargado o las personas que actúen en nombre del tercero encargado en las investigaciones internas de la asociación no sean abogados defensores de la asociación o de un acusado cuyo acto de asociación constituya la base del procedimiento sancionador*" (traducción propia). Con ello, se pretende que la investigación que pueda servir como

---

557 STS 875/2021, de 15 de noviembre, ECLI: ES:TS:2021:4168 (*Tol 8649975*), FJ 2º.

558 Disponible en https://www.steuerberater-center.de/media/VerSanG_RefE.pdf (última consulta: 25 de febrero de 2025).

circunstancia modificativa de la responsabilidad no se vea enturbiada por los intereses de defensa de la entidad[559].

[559] Un comentario sobre el referido Proyecto de Ley puede encontrarse en NIETO MARTÍN, A., “Reforma del proceso penal y regulación de las investigaciones internas”, op. cit.

# BIBLIOGRAFÍA


ABASCAL JUNQUERA, A., "Problemas y soluciones a la imputación de las personas jurídicas en el proceso penal. Perspectiva legal y constitucional" *Revista jurídica de Asturias* 2013, n. 36, pp. 115-134.

ABIA GONZÁLEZ, R. y DORADO HERRANZ, G., *Implantación práctica de un sistema de gestión de cumplimiento-Compliance management system*, Aranzadi, Cizur Menor, 2017, pp. 37-47.

AGUILAR FERNÁNDEZ, C. y LIÑÁN LAFUENTE, A., "El secreto profesional del abogado y su aplicación al asesoramiento penal preventivo del "compliance officer"", en C. Gómez-Jara Díez (coord.), *Persuadir y razonar. Estudios jurídicos en homenaje a José Manuel Maza Martín. Tomo II*, Aranzadi, Cizur Menor, 2018, pp. 787-811.

AGUILERA GORDILLO, R., *Compliance penal en España*, Aranzadi, Cizur Menor, 2018.

AMÉRIGO, F. y SUÁREZ PERTIERRA, G., "Artículo 14. Igualdad ante la Ley" en O. Alzaga Villaamil (coord.), *Comentarios a la Constitución Española de 1978. Tomo II*, Cortes Generales EDERSA, Madrid, 1996, pp. 251-266.

ARANGÜENA FANEGO, C., "El derecho al silencio, a no declarar contra uno mismo y a no confesarse culpable de la persona jurídica y el régimen de *compliance*", en J.L. Gómez Colomer (dr.) y C.M. Madrid Boquín (coord.), *Tratado sobre compliance Penal. Responsabilidad penal de las personas jurídicas y modelos de organización y gestión*, Tirant lo Blanch, Valencia, 2019, pp. 439-472.

ARANGÜENA FANEGO, C., "Proceso penal frente a persona jurídica: garantías procesales", en R. Castillejo Manzanares (dr.) y C. Alonso Salgado (coord.), *El nuevo proceso penal sin Código Procesal Penal*, Atelier, Madrid, 2019, pp. 761-785.

ASENCIO MELLADO, J. M., "La prueba ilícita en España. Una involución permanente", en R. Castillejo Manzanares, A. Rodríguez Álvarez (dres.), C. Alonso Salgado y A. Valiño Ces (coords.), *Debates jurídicos de actualidad*, Aranzadi, Cizur Menor, 2021, pp. 61-90.

ASENCIO MELLADO, J. M., "Prueba ilícita: declaración y efectos", *Revista General de Derecho Procesal* 2012, n. 26, pp. 1-54, esp. pp. 37-44, disponible en https://www.iustel.com/.

ASENCIO MELLADO, J.M., "La exclusión de la prueba ilícita en la fase de instrucción como expresión de la garantía de los derechos fundamentales", *Diario la Ley* 25 de enero de 2013, n. 8009, disponible en https://diariolaley.laleynext.es.

AYALA GONZÁLEZ, A., "Investigaciones internas: ¿zanahorias legislativas y palos jurisprudenciales?", *InDret* 2020, n. 2, pp. 270-303.

BACHMAIER WINTER, L. y MARTÍNEZ SANTOS, A., "El régimen jurídico-procesal del *whistleblower*. La influencia del Derecho europeo", en J.L. Gómez Colomer (dr.) y C.M. Madrid Boquín (coord.), *Tratado sobre compliance penal*, Tirant lo Blanch, Valencia, 2019, pp. 503-549.

BACIGALUPO SAGGESE, S., "Los derechos fundamentales de las personas jurídicas", *Revista del Poder Judicial* 1999, n. 53, pp. 49-106.

BACIGALUPO SAGGESE, S., *La responsabilidad penal de las personas jurídicas*, Bosch, Barcelona, 1998.

BAJO FERNÁNDEZ, M., "Vigencia de la RPPJ en el Derecho sancionador español", con B.J. Feijoo Sánchez y C. Gómez-Jara Díez, en *Tratado de responsabilidad penal de las personas* jurídicas, Aranzadi, Cizur Menor, 2012, pp. 25-54.

BANACLOCHE PALAO, J., "Dilemas de la defensa, principio de oportunidad y responsabilidad penal de las personas jurídicas", en AA.VV., *La responsabilidad penal de las personas jurídicas. Homenaje al Excmo. Sr. D. José Manuel Maza Martín*, Fiscalía General del Estado, Madrid, 2018, pp. 13-40.

BANACLOCHE PALAO, J., "La imputación de la persona jurídica en la fase de instrucción", con J. Zarzalejos Nieto y C. Gómez-Jara Díez, en *Responsabilidad penal de las personas jurídicas. Aspectos sustantivos y procesales,* La Ley, Madrid, 2011, pp. 153-193.

BANACLOCHE PALAO, J., "Las diligencias de investigación relativas a la persona jurídica imputada", con J. Zarzalejos Nieto y C. Gómez-Jara Díez, en *Responsabilidad penal de las personas jurídicas. Aspectos sustantivos y procesales*, La Ley, Madrid, 2011, pp. 195-223.

BARILE, P., *Il soggetto privato nella Costituzione italiana*, Cedam, Padua, 1953.

BARONA VILAR, S. "La prueba", en J. L. Gómez Colomer y S. Barona Vilar (coords.), *Proceso Penal. Derecho Procesal III*, Tirant lo Blanch, Valencia, 2023, pp. 413-434.

BENÍTEZ ORTÚZAR, I.F., *El colaborador con la justicia*, Dykinson, Madrid, 2004.

CALLAHAN, E.S. y DWORKIN, T.M., "Go Good and Get Rich: Financial Incentives for Whistleblowing and the False Claims Act", *Villanova Law Review* 1992, n. 37, pp. 273-336.

CALVO CABEZAS, P., "Whistleblowing ante la miseria moral de instituciones y organizaciones", en V. Meseguer Sánchez, M. Avilés Hernández (dres.), J.J. Nicolás Guardiola y C.A. Giner Alegría (coords.), *Empresas, Derechos Humanos y RSC. Una mirada holística desde las Ciencias Sociales y Jurídicas*, Aranzadi, Cizur Menor, 2016, pp. 135-153.

CARNELUTTI, F., *La prueba civil*, Depalma, Buenos Aires, 1982.

CARRASCO MONTORO, J., "La materialización positiva del whistleblowing en España: la Ley 2/2023, de 20 de febrero, reguladora de la protección de las personas que informen sobre infracciones normativas y de lucha contra la corrupción", *Diario la Ley* 29 de mayo de 2023, n. 10296, disponible en https://diariolaley.laleynext.es.

CASANOVAS YSLA, A., *Compliance penal normalizado. El estándar UNE 19601*, Aranzadi, Cizur Menor, 2017.

CASANOVAS YSLA, A., *Guía práctica de compliance según la Norma ISO 37301:2021*, AENOR - Asociación Española de Normalización y Certificación, Madrid, 2021, pp. 337-398.

CEREZO MIR, J. *Curso de Derecho Penal español. II. Teoría jurídica del delito*, Tecnos, Madrid, 1998.

COLOMER HERNÁNDEZ, I., "Derechos fundamentales y valor probatorio en el proceso penal de las evidencias obtenidas en investigaciones internas en un sistema de compliance", en J.L. Gómez Colomer (dr.) y C.M. Madrid Boquín (coord.), *Tratado sobre compliance penal*, Tirant lo Blanch, Valencia, 2019, pp. 610-652.

COLOMER HERNÁNDEZ, I., "Régimen de exclusión probatoria de las evidencias obtenidas en las investigaciones del compliance officer para su uso en un proceso penal", *Diario la Ley* 14 de noviembre de 2017, n. 9080, disponible en https://diariolaley.laleynext.es.

CORTÉS DOMÍNGUEZ, V., *La cosa juzgada penal*, Publicaciones del Real Colegio de España, Bolonia, 1975.

CRIADO ENGUIX, J., "Retos en la transposición de la Directiva *whistleblowing*", *Revista General de Derecho Europeo* 2022, n. 57, pp. 384-420, disponible en https://www.iustel.com/.

CRUZ VILLALÓN, P., "Dos cuestiones de titularidad de derechos: los extranjeros; las personas jurídicas", *Revista Española de Derecho Constitucional* 1992, n. 35, pp. 63-83.

DE LA MATA BARRANCO, N. J., "El órgano de cumplimiento en la exención de responsabilidad penal de las personas jurídicas: indefiniciones y precisiones", en A.A.V.V., *Liber amicorum. Estudios jurídicos en homenaje al profesor doctor Juan Ma. Terradillos Basoco*, Tirant lo Blanch, Valencia, 2018, pp. 457-469.

DE LA OLIVA SANTOS, A., "Sobre la ineficacia de las pruebas ilícitamente obtenidas", en A.A.V.V., *Libro homenaje al Profesor Dr. D. Eduardo Font Serra*, Ministerio de Justicia-Centro de Estudios Jurídicos, Madrid, 2004, pp. 91-108.

DEL MORAL GARCÍA, A., "El estatuto jurídico procesal", *Jornada de Derecho Penal. Los retos de la organización empresarial ante la nueva reforma del Código Penal*, Fundación Ramón Areces, 2011, pp. 78-101, disponible en https://www.fundacionareces.es/recursos/doc/portal/2018/06/06/los-retos-de-la-organizacion-empresarial-ante-la-nueva-reforma-del-codigo-penal-.pdf (última consulta: 15 de marzo de 2025).

DEL MORAL GARCÍA, A., "La comparecencia, declaración y representación de la persona jurídica", en A. Juanes Peces (coord.), *Responsabilidad penal y procesal de las personas jurídicas*, Francis Lefebvre, Madrid, 2015, pp. 289-299.

DEL MORAL GARCÍA, A., "Peculiaridades del juicio oral con personas jurídicas acusadas", en I. Serrano Butragueño, A. del Moral García y J. Moreno Verdejo (dres.), *El juicio oral en el proceso penal. Especial referencia al procedimiento abreviado*, Comares, Granada, 2010, pp. 721-762.

DEL MORAL GARCÍA, A., "Regulación de la responsabilidad penal de las personas jurídicas en el código penal español", en A.J. Pérez-Cruz Martín (dr.) y A.M. Neira Pena (coord.), *Proceso penal y responsabilidad penal de las personas jurídicas*, Aranzadi, Cizur Menor, 2017, pp. 47-75.

DEL MORAL GARCÍA, A., "Responsabilidad penal de personas jurídicas y presunción de inocencia", en N. Rodríguez García y F. Rodríguez López (eds.), *Compliance y responsabilidad de las personas jurídicas*, Tirant lo Blanch, Valencia, 2021, pp. 31-72.

DEL ROSAL BLASCO, B., "Las investigaciones internas en las empresas como estrategia preprocesal de defensa penal corporativa", *Diario la Ley* 18 de abril de 2018, n. 9180, disponible en https://diariolaley.laleynext.es.

DEVIS ECHANDÍA, H., *Compendio de Derecho Procesal. Pruebas Judiciales. Tomo II*, Editorial ABC, Bogotá, 1984.

DOPICO GÓMEZ-ALLER, J., "Proceso penal contra personas jurídicas: medidas cautelares, representantes y testigos", *Diario la Ley* 13 de febrero de 2012, n. 7796, disponible en https://diariolaley.laleynext.es

DUARTE, D., "A norma de universalidade de direitos e deveres fundamentais: esboço de uma anotação", *Boletim da Faculdade de Direito: Universidade de Coimbra* 2000, n. 76, pp. 413-431.

ECHARRI CASI, F.J., *Sanciones a Personas Jurídicas en el Proceso Judicial: Las Consecuencias Accesorias*, Aranzadi, Cizur Menor, 2003.

ECHEVERRIA BERECIARTUA, E., *Las modalidades de responsabilidad penal de las personas jurídicas en el marco del proceso penal*, Tirant lo Blanch, Valencia, 2021.

ENGELHART, M., "Corporate Criminal Liability from a Comparative Perspective", en D. Brodowski, M. Espinoza de los Monteros de la Parra, K. Tiedemann y J. Vogel (eds.), *Regulating Corporate Criminal Liability*, Springer, Cham-Heidelberg-Nueva York-Dordrecht-Londres, 2014, pp. 53-76.

ESCUDERO, M., "Diagnóstico y mapa de riesgos de compliance", en C.A. Sáiz Peña (coord.), *Compliance. Cómo gestionar los riesgos normativos en la empresa*, Aranzadi, Cizur Menor, 2015, pp. 533-564.

ESTEBAN ROS, I., "Derecho laboral e investigaciones internas", en M. Fortuny Cendra (dr.), *Las investigaciones internas en compliance penal. Factores clave para su eficacia*, Aranzadi, Cizur Menor, 2021, pp. 201-235.

ESTRADA CUADRAS, A., "Confesión o finiquito: el papel del derecho a no autoincriminarse en las investigaciones internas", *Indret Revista para el análisis del Derecho* 2022, n. 4, pp. 226-272.

FEIJOO SÁNCHEZ, B. J., "Las características básicas de la responsabilidad penal de las personas jurídicas en el Código Penal español", con M. Bajo Fernández y C. Gómez-Jara Díez, en *Tratado de responsabilidad penal de las personas jurídicas*, Aranzadi, Cizur Menor, 2012, pp. 67-73.

FEIJOO SÁNCHEZ, B., "Bases para un modelo de responsabilidad penal de las personas jurídicas a la española", en AA.VV., *La responsabilidad penal de las personas jurídicas. Homenaje al Excmo. Sr. D. José Manuel Maza Martín*,

Ministerio de Justicia (España), Fiscalía General del Estado, Madrid, 2018, pp. 149-180.

FEIJOO SÁNCHEZ, B.J., "Los requisitos del art. 31 bis 1", con M. Bajo Fernández y C. Gómez-Jara Díez, en *Tratado de responsabilidad penal de las personas jurídicas*, Aranzadi, Cizur Menor, 2012, pp. 75-88.

FELDMAN, Y. y LOBEL, O., "The Incentives Matrix: The Comparative Efectiveness of Rewards, Liabilities, Duties, and Protection for Reporting Illegality", *Texas Law Review* 2010, n. 87, pp. 1-49.

FERNÁNDEZ TERUELO, J. G., "Las consecuencias accesorias del artículo 129 CP", en J. Morales Prats y G. Quintero Olivares (coords.), *El nuevo Derecho Penal español: estudios penales en memoria del profesor José Manuel Valle Muñiz*, Aranzadi, Cizur Menor, 2001, pp. 273-294.

FERNÁNDEZ TERUELO, J.G., *Parámetros interpretativos del modelo español de responsabilidad penal de las personas jurídicas y su prevención a través de un modelo de organización o gestión (compliance)*, Arazandi, Cizur Menor, 2020.

FOFFANI, L., "Genesi e sviluppo (e prospettive future) di un modelo di responsabilità degli enti nell'Unione Europea", en D. Piva (dr.), *La responsabilità degli enti ex. d. legs. n. 231/2001 tra diritto e processo*, Giappichelli, Turín, 2021, pp. 26-36.

FORTUNY CENDRA, M., "¿Hacia la irresponsabilidad penal de las personas jurídicas de pequeñas dimensiones? A propósito de la sentencia del Tribunal Supremo de 11 de noviembre de 2022", *La Ley compliance penal* 2023, n. 13, disponible en https://revistas.laley.es.

FORTUNY CENDRA, M., "Las investigaciones internas en el marco de un modelo de prevención de delitos", en M. Fortuny Cendra (dr.), *Las investigaciones internas en compliance penal. Factores clave para su eficacia*, Aranzadi, Cizur Menor, 2021, pp. 21-60.

FRAGO AMADA, J.A., "El paper compliance, su detección y tratamiento procesal del mismo", en J. A. Frago Amada. (dr.), *Actualidad compliance 2018*, Aranzadi, Cizur Menor, 2018, pp. 317-329.

FRAGO AMADA, J.A., *La persona jurídica en el proceso penal: presente y futuro*, Aranzadi, Cizur Menor, 2023.

GALBE TRAVER, G., "El secreto profesional del abogado *in-house* y el derecho a no autoincriminarse de la persona jurídica", *La ley penal: revista de Derecho Penal, procesal y penitenciario* 2019, n. 139, disponible en https://revistas.laley.es/

GARCÍA ARÁN, M., "Algunas consideraciones sobre la responsabilidad penal de las personas jurídicas", en P. Faraldo Cabana y I. Valeije Álvarez (coords.), *I Congreso hispano-italiano de Derecho Penal económico*, Universidade da Coruña, A Coruña, 1998, pp. 45-56.

GARCÍA DE ENTERRÍA, A. y FERNÁNDEZ RODRÍGUEZ, T.R., *Curso de Derecho Administrativo*, Civitas, Madrid, 1993.

GARCÍA MORENO, B., "Whistleblowing y canales institucionales de denuncia", en A. Nieto Martín (dr.), *Manual de cumplimiento penal en la empresa*, Tirant lo Blanch, Valencia, 2015, pp. 205-230.

GARCÍA-MORENO, B., *Del whistleblower al alertador: la regulación europea de los canales de denuncia*, Tirant lo Blanch, Valencia, 2020.

GASCÓN INCHAUSTI, F., *Proceso penal y persona jurídica*, Marcial Pons, Madrid, 2012, pp. 21-22;

GEORGIADOU, G., "The European Commission's Proposal for Strengthening Whistleblower Protection", *Eucrim. The European Criminal Law Association´s Forum* 2018, n. 3, pp. 166-169.

GIMENO BEVIÁ, J., "Algunos problemas procesales en la recuperación de activos", en A. Nieto Martín y M. Maroto Calatayud (dres.), *Public compliance. Prevención de la corrupción en administraciones públicas y partidos políticos*, Ediciones de la Universidad de Castilla-La Mancha, Cuenca, 2014, pp. 279-302.

GIMENO BEVIÁ, J., "Valor procesal de las fuentes de prueba obtenidas en el marco de investigaciones internas", en M. Fortuny Cendra (dr.), *Las investigaciones internas en compliance penal. Factores clave para su eficacia*, Aranzadi, Cizur Menor, 2021, pp. 139-159.

GIMENO BEVIÁ, J., "Whistleblowing y proceso penal: una lectura desde las garantías procesales", en I. Olaizola Nogales, E. Sierra Hernaiz, H. López López (dres.), I. Molina Álvarez y L. Alemán Aróstegui (coords.), *Análisis de la Directiva UE 2019/1937 Whistleblower desde las perspectivas penal, procesal, laboral y administrativo-financiera*, Aranzadi, Cizur Menor, 2021, pp. 161-178.

GIMENO BEVIÁ, J., *Compliance y proceso penal. El proceso penal de las personas jurídicas*, Aranzadi, Cizur Menor, 2016.

GIMENO SENDRA, V., "La improcedencia de la exclusión de la prueba ilícita en la instrucción (contestación al artículo del Prof. Asencio)", *Diario la Ley* 12 de febrero de 2013, n. 8021, disponible en https://diariolaley.laleynext.es.

GOENA VIVES, B., "El secreto profesional del abogado *in-house* en la encrucijada: tendencias y retos en la era del *compliance*", *Revista Electrónica de Ciencia Penal y Criminología* 2019, n. 21 - 19, pp. 1-32.

GOENA VIVES, B., "Responsabilidad penal de las personas jurídicas y *nemo tenetur*: análisis desde el fundamento material de la sanción corporativa", *Revista Electrónica de Ciencia Penal y Criminología* 2021, n. 23-22, pp. 1-52.

GÓMEZ MARTÍN, V., "Falsa alarma. O sobre por qué la Ley Orgánica 5/2010 no deroga el principio societas delinquere non potest", en S. Mir Puig, M. Corcoy Bidasolo (dres.) y V. Gómez Martín (coord.), *Garantías constitucionales y Derecho Penal europeo*, Marcial Pons, Madrid, 2012, pp. 331-383.

GÓMEZ MONTORO, A.J. "La titularidad de derechos fundamentales por personas jurídicas. Un intento de fundamentación (I)", *Revista Española de Derecho Constitucional* 2002, n. 65, pp. 49-105.

GÓMEZ ORBANEJA, E. y HERCE QUEMADA, V., *Derecho procesal penal*, Madrid, 1972.

GÓMEZ TOMILLO, M., *Instrumentos jurídicos de tutela y ejecución de las potestades de inspección y supervisión administrativa de sociedades que operan en los mercados*, Aranzadi, Cizur Menor, 2019.
GÓMEZ TOMILLO, M., *Introducción a la Responsabilidad Penal de las Personas Jurídicas*, Aranzadi, Cizur Menor, 2015, pp. 129-130.
GÓMEZ-JARA DÍEZ, C., "El injusto típico de la persona jurídica (tipicidad)", con M. Bajo Fernández y B.J. Feijoo Sánchez, en *Tratado de responsabilidad penal de las personas jurídicas*, Aranzadi, Cizur Menor, 2012, pp. 121-141.
GÓMEZ-JARA DÍEZ, C., "El sistema de imputación de responsabilidad penal de las personas jurídicas", con J. Banacloche Palao y J. Zarzalejos Nieto, en *Responsabilidad penal de las personas jurídicas. Aspectos sustantivos y procesales*, La Ley, Madrid, 2011, pp. 65-86.
GÓMEZ-JARA DÍEZ, C., "Fundamentos de la responsabilidad penal de las personas jurídicas", con J. Banacloche Palao y J. Zarzalejos Nieto, en *Responsabilidad penal de las personas jurídicas. Aspectos sustantivos y procesales*, La Ley, Madrid, 2011, pp. 24-47.
GÓMEZ-JARA DÍEZ, C., "La culpabilidad de la persona jurídica", con M. Bajo Fernández y B.J. Feijoo Sánchez, en *Tratado de responsabilidad penal de las personas jurídicas*, Aranzadi, Cizur Menor, 2012, pp. 143-219.
GÓMEZ-JARA DÍEZ, C., "Sujetos sometidos a la responsabilidad penal de las personas jurídicas", con M. Bajo Fernández y B.J. Feijoo Sánchez, en *Tratado de responsabilidad penal de las personas jurídicas*, Aranzadi, Cizur Menor, 2012, pp. 51-61.
GÓMEZ-JARA DÍEZ, C., *El Tribunal Supremo ante la responsabilidad penal de las personas jurídicas. El inicio de una larga andadura*, Aranzadi, Cizur Menor, 2017.
GÓMEZ-JARA DÍEZ, C., *La culpabilidad penal de la empresa*, Marcial Pons, Madrid, 2005.
GONZÁLEZ CUSSAC, J. L., "La eficacia eximente de los programas de prevención de delitos", *Estudios penales y criminológicos* 2019, n. 39, pp. 593-654.
GONZÁLEZ CUSSAC, J. L., *Responsabilidad penal de las personas jurídicas y programas de cumplimiento*, Tirant lo Blanch, Valencia, 2020.
GONZÁLEZ FRANCO, J.A., SCHEMMEL, A. y BLUMENBERG, A., "La función del penalista en la confección, implementación y evaluación de los programas de cumplimiento", en L. Arroyo Zapatero y A. Nieto Martín (dres.), *El Derecho Penal Económico en la era "compliance"*, Tirant lo Blanch, Valencia, 2013, pp. 155-163.
GONZÁLEZ LÓPEZ, J.J., "Los deberes de colaboración de las empresas en la prevención e investigación de delitos: algunas consideraciones" en J. Pérez Gil y R. de Román Pérez (coords.), *Estudios jurídicos sobre la empresa y los negocios: una perspectiva multidisciplinar*, Servicio de Publicaciones de la Universidad de Burgos, Burgos, 2011, pp. 339-353.
GONZÁLEZ LÓPEZ, J.J., "Imputación de personas jurídicas y derecho a la no colaboración activa", *Revista Jurídica de Castilla y León* 2016, n. 40, pp. 35-66.

GONZÁLEZ-CUÉLLAR SERRANO, N., "El secreto profesional del Abogado", en N. González-Cuéllar Serrano (dr.), A.M. Sanz Hermida y J.C. Ortiz Pradillo (coords.), *Problemas actuales de la justicia penal. Secreto profesional, cooperación jurídica internacional, víctimas de delitos, criminalidad organizada, personas jurídicas, eficacia y licitud de la prueba y derechos fundamentales*, Colex, Madrid, 2013, pp. 9-32.

GOÑI SEIN, J.L. "Criminalidad de empresa, mecanismos de denuncia o "whistleblowing" y protección de datos", en J. Álvarez-Sala Walther (coord.), *Derecho de la empresa y protección de datos, Aranzadi, Cizur Menor, 2008, pp. 21-65.*

GRACIA MARTÍN, L., "Las consecuencias accesorias", en L. Gracia Martín (coord.), *Las consecuencias jurídicas del delito en el nuevo Código Penal español*, Tirant lo Blanch, Valencia, 1996, pp. 437-463.

GUARDIOLA LAGO, M.J., *Responsabilidad penal de las personas jurídicas y alcance del art. 129 del Código Penal*, Tirant lo Blanch, Valencia, 2004.

HENRÍQUEZ TILLERÍA, S., "Protección de datos, videovigilancia laboral y doctrina de la sentencia López Ribalda II: un peligroso camino hacia la degradación de la obligación de información", *IUSLabor* 2019, n. 3, pp. 55-80.

HERNÁNDEZ BASUALTO, H., "¿Derecho de las personas jurídicas a no autoincriminarse?", *Revista de Derecho de la Pontificia Universidad Católica de Valparaíso* 2015, n. 44, pp. 217-236.

HERNÁNDEZ GARCÍA, J., "Problemas alrededor del Estatuto Procesal de las personas jurídicas penalmente responsables", *Diario La Ley* 18 de junio de 2010, n. 7427, disponible en https://diariolaley.laleynext.es

HERSCH, M.A., "Whistleblowers - Heroes or Traitors? Individual and Collective Responsibility for Ethical Behaviour", *Annual Review in Control* 2002, n. 26, pp. 243-262.

JIMENO BULNES, M., "La responsabilidad penal de las personas jurídicas y los modelos de compliance: un supuesto de anticipación probatoria", *Revista General de Derecho Penal* 2019, n. 32, pp. 1-67, disponible en https://www.iustel.com/

LEIFER, S.C., "Protecting Whistleblower Protections in the Dodd-Frank Act", *Michigan Law Review* 2014, n. 113, pp. 121-150.

LEÓN ALAPONT, J., "Criminal Compliance: análisis de los arts. 31 bis 2 a 5 CP y 31 quater CP", *Revista General de Derecho Penal* 2019, n. 31, pp. 1-36, disponible en https://www.iustel.com/.

LEÓN ALAPONT, J., "Retos jurídicos en el marco de las investigaciones internas corporativas: a propósito de los *compliances*", *Revista Electrónica de Ciencia Penal y Criminología* 2020, n. 22-4, pp. 1-34.

LEÓN ALAPONT, J., *Canales de denuncia e investigaciones internas en el marco del compliance penal corporativo*, Tirant lo Blanch, Valencia, 2023.

LEÓN ALAPONT, J., *Compliance penal: especial referencia a los partidos políticos*, Tirant lo Blanch, Valencia, 2020.

LIÑÁN LAFUENTE, A., "La Ley 2/2023, de protección del informante, vs. el derecho a la no autoincriminación de la persona jurídica", *La Ley Penal* 2023, n. 162, pp. 1-11.

LIPMAN, F.D., *WhistleblowersIncentives, Disincentives, and Protection Strategies*, John Wiley & Sons, Inc., New Jersey, 2012.

LORENZO AGUILAR, J., JIMÉNEZ RODRÍGUEZ, F.A. y DE BLAS HERRERO, C., *Compliance. La responsabilidad penal de las personas jurídicas y la mediación organizacional*, Tébar Flores, Madrid, 2018.

LUPÁRIA, L., "L´accertamento dei reati societari tra diritto e proceso penale", en G. Canzio y L. Lupária (coords.), *Diritto e procedura penale delle societá*, Giuffré, Milán, 2022, pp. XI-XXXIV.

LUPÁRIA, L., "Processo penale e reati societari: fisionomía di un modelo "invisibile"", en L. D. Cerqua (ed.), *Diritto penale delle società. Profili sostanziali e processuali*, Cedam, Padova, 2009, pp. 1119-1130.

LUZÓN PEÑA, D.M., *Lecciones de Derecho Penal. Parte general*, Tirant lo Blanch, Valencia, 2012.

MAGRO SERVET, V., "¿Por qué es recomendable un canal de denuncias interno en la empresa?" *Diario La Ley* 18 de febrero de 2020, n. 9586, disponible en https://diariolaley.laleynext.es

MAGRO SERVET, V., "Los sistemas internos de información en la Ley 2/2023, de 20 de febrero, de alertadores de la corrupción", *La Ley compliance penal* 2023, n. 12, disponible en https://revistas.laley.es/

MAPELLI CAFFARENA, B., *Las consecuencias jurídicas del delito*, Aranzadi, Cizur Menor, 2011.

MARTÍNEZ DE LA FUENTE, J., "Investigaciones internas en el seno de los programas de *compliance*", en E. Ortega Burgos, R. Ochoa Marco (dres.), J. Andújar Urrutia y otros (coords.), *Derecho Penal 2021*, Tirant lo Blanch, Valencia, 2021, pp. 451-471.

MARTÍNEZ SANTOS, A., "La garantía de la confidencialidad del abogado en las investigaciones internas de compliance de las personas jurídicas", en L. Bachmaier Winter (coord.), *Investigación penal, secreto profesional del abogado, empresa y nuevas tecnologías. Retos y soluciones jurisprudenciales*, Aranzadi, 2022, pp. 243-287.

MICELO, M.P. y NEAR, J.P., "Organizational dissidence: the case of whistleblowing", *Journal of Business Ethics* 1985, n. 1, pp. 1-16.

MIGUEL BARRIO, R., "El juicio de proporcionalidad en la prueba de videograbación oculta a las personas trabajadoras. Análisis de la situación ante la reciente jurisprudencia", *Revista de Trabajo y Seguridad Social* 2021, n. 461-462, pp. 99-141.

MIGUEL BARRIO, R., *La prueba tecnológica en el proceso laboral: tendencias y desafíos*, Dykinson, Madrid, 2023.

MIR PUIG, S., *Derecho Penal. Parte general*, Aranzadi, Barcelona, 1996.

MIR PUIG, S., *Fundamentos de Derecho Penal y Teoría del delito*, Reppertor, Barcelona, 2019.

MIRANDA ESTRAMPES, M., "La prueba ilícita: la regla de exclusión probatoria y sus excepciones", *Revista Catalana de Seguretat Pública* 2010, n. 22 pp. 131-151.

MIRANDA ESTRAMPES, M., *El concepto de prueba ilícita y su tratamiento en el proceso penal*, J. M. Bosch, Barcelona, 2004.

MONTERO AROCA, J., *Ensayos de Derecho Procesal*, J. M. Bosch, Barcelona, 1996.

MONTIEL, J. P., "Sentido y alcance de las investigaciones internas en la empresa", *Revista de Derecho de la Pontificia Universidad Católica de Valparaíso* 2013, n. 40, pp. 251-277.

MONTIEL, J.P., "Autolimpieza empresarial: *compliance programs*, investigaciones internas y neutralización de riesgos penales", en L. Kuhlen, J.P. Montiel y I. Ortiz de Urbina Gimeno (eds.), *Compliace y teoría del Derecho Penal*, Marcial Pons, Madrid, 2013, pp. 221-244.

MOOSMAYER, K., "Investigaciones internas: una introducción a sus problemas esenciales", en L. Arroyo Zapatero y A. Nieto Martín (dres.), *El Derecho Penal económico en la era compliance*, Tirant lo Blanch, Valencia, 2013, pp. 137-144.

MORALES HERNÁNDEZ, M. A., "Los criterios jurisprudenciales para exigir responsabilidad penal a las personas jurídicas en el delito corporativo", *Revista de Derecho Penal y Criminología* 2018, n. 19, pp. 327-368.

MORENO CATENA, V., "El desarrollo del juicio oral. La prueba", con V. Cortés Domínguez, en *Derecho procesal penal*, Tirant lo Blanch, Valencia, 2023, pp. 447-478.

MUÑOZ DE MORALES ROMERO, M., "Programas de cumplimiento "efectivos" en la experiencia comparada", en L. Arroyo Zapatero y A. Nieto Martín (dres.), *El Derecho Penal económico en la era compliance*, Tirant lo Blanch, Valencia, 2013, pp. 211-230.

NEIRA PENA, A.M., "*La defensa penal de la persona jurídica. Representante defensivo, rebeldía, conformidad y compliance como objeto de prueba*", Aranzadi, Cizur Menor, 2018.

NEIRA PENA, A.M., "Los privilegios del delincuente de cuello blanco en el proceso penal", en N. Rodríguez García, A. Carrizo González Castell, F. Rodríguez López (eds.), J. Sánchez Bernal, A.E. Carrillo del Teso y S. Calaza López (coords.), *Corrupción, compliance, represión y recuperación de activos*, Tirant lo Blanch, Valencia, 2019, pp. 71-100.

NEIRA PENA, A.M., "Sherlock Holmes en el centro del trabajo. Las investigaciones internas empresariales", *Revista de Derecho y Proceso Penal* 2015, n. 37, disponible en https://proview.thomsonreuters.com/

NEIRA PENA, A.M., *La instrucción de los procesos penales frente a las personas jurídicas*, Tirant lo Blanch, Valencia, 2017.

NEIRA PENA, A. M., "Ejecución penal frente a la persona jurídica condenada", en J. Barja de Quiroga (coord.), *La imputación y la defensa de la persona jurídica*, Aranzadi, Cizur Menor, 2025, pp. 757-809.

NIETO MARTÍN, A., "La lucha contra el fraude a la Hacienda Pública Comunitaria: de la asimilación a la unificación", en P. Faraldo Cabana e I. Valeije Álvarez (coords.), *I Congreso hispano-italiano de Derecho Penal económico*, Universidade da Coruña, A Coruña, 1998, pp. 183-250.

NIETO MARTIN, A., "Investigaciones internas, *whistleblowing* y cooperación: la lucha por la información en el proceso penal", *Diario la Ley* 5 de julio de 2013, n. 8120, disponible en https://diariolaley.laleynext.es

NIETO MARTÍN, A., "Código ético, evaluación de riesgos y formación", en A. Nieto Martín (dr.), *Manual de cumplimiento penal en la empresa*, Tirant lo Blanch, Valencia, 2015, pp. 135-163.

NIETO MARTÍN, A., "Cumplimiento normativo, criminología y responsabilidad penal de personas jurídicas" en A. Nieto Martín (dr.), *Manual de cumplimiento penal en la empresa*, Tirant lo Blanch, Valencia, 2015, pp. 49-109.

NIETO MARTÍN, A., "Fundamento y estructura de los programas de cumplimiento normativo", en A. Nieto Martín (dr.), *Manual de cumplimiento penal en la empresa*, Tirant lo Blanch, Valencia, 2015, pp. 111-134.

NIETO MARTÍN, A., "Investigaciones internas", en A. Nieto Martín (dr.), *Manual de cumplimiento penal en la empresa*, Tirant lo Blanch, Valencia, 2015, pp. 231-270.

NIETO MARTÍN, A., "La institucionalización del sistema de cumplimiento", en A. Nieto Martín (dr.), *Manual de cumplimiento penal en la empresa*, Tirant lo Blanch, Valencia, 2015, pp. 187-204.

NIETO MARTÍN, A., "Reforma del proceso penal y regulación de las investigaciones internas", *El Almacén del Derecho* 30 de abril de 2020, disponible en https://almacendederecho.org/reforma-del-proceso-penal-y-regulacion-de-las-investigaciones-internas.

NIEVA FENOLL, J., "Investigaciones internas de la persona jurídica: derechos fundamentales y valor probatorio", *Jueces para la democracia* 2016, n. 86, pp. 80-91.

NYRERÖD, T. y SPAGNOLO, G., "A Fresh Look at Whistleblower Rewards", *Stockholm Institute of Transition Economics* 2021, n. 56, pp. 1-25.

OPORTO, P., "El artículo 9.2 CE, entre el valor igualdad y el estado social. Estudio histórico y sistemático", *Revista General de Derecho Constitucional* 2013, n. 16, pp. 1-43, disponible en https://www.iustel.com/

ORTIZ DE URBINA GIMENO, I., "La teoría de los elementos negativos del tipo: ¿una invención jurídico-penal?", en C. García Valdés, A. Cuerda Riezu, M. Martínez Escamilla, R. Alcácer Guirao y M. Valle Mariscal de Gante (coords.), *Estudios penales en homenaje a Enrique Gimbernat. Tomo II*, Edisofer, Madrid, 2008, pp. 1393-1418.

ORTIZ PRADILLO, J.C., "*Compliance* y clemencia en el proceso penal de la persona jurídica investigada", en N. Rodríguez García, A. Carrizo González Castell, F. Rodríguez López (eds.), J. Sánchez Bernal, A.E. Carrillo del Teso y S. Calaza López (coords.), *Corrupción, compliance, represión y recuperación de activos*, Tirant lo Blanch, Valencia, 2019, pp. 381-404.

ORTIZ PRADILLO, J. C., *Whistleblowing, colaboración eficaz con la justicia y proceso penal*, La Ley, Madrid, 2024.

OUBIÑA BARBOLLA, S., "Luces y sombras en la puesta en marcha de los canales de información de la Ley 2/2023: cuando el tiempo importa", *Diario la*

*Ley* 24 de julio de 2023, n. 10334, disponible en https://diariolaley.laleynext.es.

PEDRAZ PENALVA, E., PÉREZ GIL, J. y CABEZUDO RODRÍGUEZ, N., "Aspectos procesales de la reforma del Código Penal en materia de responsabilidad penal de las personas jurídicas", en F.J. Álvarez García, J.L. González Cussac (dres.), A. Manjón-Cabeza Olmeda y A. Ventura Püschel (coords.), *Consideraciones a propósito del proyecto de ley de 2009 de modificación del Código Penal*, Tirant lo Blanch, Valencia, 2010, pp. 19-30.

PÉREZ GIL, J., "Cauces para la declaración de responsabilidad penal de las personas jurídicas", en F.J. Álvarez García y J.L. González Cussac (dres.), *Comentarios a la reforma penal de 2010*, Tirant lo Blanch, Valencia, 2010, pp. 583-590.

PÉREZ GIL, J., "El proceso penal contra personas jurídicas: entre lo vigente, lo proyectado y lo imaginado" en J. Pérez Gil y R. del Román Pérez (coords.), *Estudios jurídicos sobre la empresa y los negocios. Una perspectiva multidisciplinar: libro conmemorativo del XXV aniversario de la Facultad de Derecho de Burgos*, Universidad de Burgos, 2011, pp. 383-406.

PÉREZ MACHÍO, A. I., *La responsabilidad penal de las personas jurídicas en el Código Penal español. A propósito de los programas de cumplimiento normativo como instrumentos idóneos para un sistema de justicia penal preventiva*, Comares, Granada, 2017.

PÉREZ TRIVIÑO, J.L, "Whistleblowing", *Eunomía. Revista en Cultura de la Legalidad* 2018, n. 14, pp. 285-298.

PÉREZ-CRUZ MARTÍN, A.J., "A propósito de la entrega por particulares de elementos de prueba decisivos", en J.M. Roca Martínez (dr.), *Procesos y prueba prohibida*, Dykinson, Madrid, 2022, pp. 125-142.

PÉREZ-CRUZ MARTÍN, A.J., "La prueba. Concepto; objeto; medios de prueba. Proposición, admisión o denegación; prueba anticipada; proposición en el acto del juicio; prueba acordada "ex oficio". Las pruebas obtenidas con violación de los derechos fundamentales (prueba prohibida). La prueba producida irregularmente", en J. A. Pérez-Cruz Marín (dir.), *Derecho procesal penal*, Tirant lo Blanch, Valencia, 2023, pp. 553-584.

PICÓ I JUNOY, J., *Las garantías constitucionales del proceso*, J. M. Bosch, Barcelona, 1997.

PRIETO GONZÁLEZ, M.H., "Las investigaciones internas: el *Attorney Privilege* y el *Work Product Privilege*", en M. Fortuny Cendra (dr.), *Las investigaciones internas en compliance penal. Factores clave para su eficacia*, Aranzadi, Cizur Menor, 2021, pp. 181-199.

PUYOL MONTERO, J., *El funcionamiento práctico del canal de compliance "whistleblowing"*, Tirant lo Blanch, Valencia, 2017.

QUINTERO OLIVARES, G., "*Comentario arts. 31 bis, ter, quater y quinquies*", en G. Quintero Olivares (dr.) y F. Morales Prats (coord.), *Comentarios al Código Penal español, Tomo I*, Aranzadi, Cizur Menor, 2016, pp. 375-411.

RAGUÉS I VALLÈS, R. y BELMONTE PARRA, M., "El incentivo de las denuncias como instrumento de prevención y persecución penal: presente y futuro del *whistleblowing* en Chile", *Política Criminal* 2021, n. 31, pp. 1-29.
RAGUÉS I VALLÈS, R., "¿Héroes o traidores? La protección de los informantes internos (whistleblowers) como estrategia político-criminal", *InDret Revista para el análisis del Derecho* 2006, n. 364, pp. 11-19.
RAGUÉS I VALLÈS, R., "La Ley 2/2023 de protección de informantes: una primera valoración crítica", *La Ley compliance penal* 2023, n. 13, disponible en https://revistas.laley.es/
RAMOS BARSELÓ, F., "Funciones del compliance officer empresarial", en I. Giménez Zuriaga (dr.), *Manual práctico de compliance*, Civitas, Navarra, 2017, pp. 147-167.
REID, S.L. y DAVID, S.B., "The evolution of the SEC Whistleblower: from Sarbanex-Oxley to Dodd-Frank", *Banking Law Journal* 2012, n. 129, pp. 907-915.
RENEDO ARENAL, M.A., "La imputación de la persona jurídica", en A. J. Pérez-Cruz Martín (dir.) y A. Neira Pena (coord.), *Proceso penal y responsabilidad penal de personas jurídicas*, Aranzadi, Cizur Menor, 2017, pp. 93-110.
RODRÍGUEZ CELADA, E., "La Directiva desde la perspectiva del Derecho Penal", en D. Martínez Saldaña (coord.), *La protección del whistleblower*, Tirant lo Blanch, Valencia, 2020, pp. 72-89.
RODRÍGUEZ COARASA, C., "Constitución española. Sinopsis artículo 9", disponible en la página del Congreso de los Diputados https://app.congreso.es/consti/constitucion/indice/sinopsis/sinopsis.jsp?art=9&tipo=2 (última consulta: 10 de febrero de 2025)
RODRÍGUEZ GARCÍA, N. y GABRIEL ORSI, O., "Las investigaciones defensivas en el compliance penal corporativo", en N. Rodríguez García y F. Rodríguez López (eds.), *"Compliance" y responsabilidad de las personas jurídicas*, Tirant lo Blanch, Valencia, 2021, pp. 293-389.
RODRÍGUEZ GARCÍA, N., "Hacia la definición en España del estatuto procesal de la persona jurídica como sujeto pasivo de un proceso penal por blanqueo de capitales y otros delitos", en C. Veríssimo De Carli, E. Fabián Caparrós y N. Rodríguez García (coords.), *Lavagem de capitais e sistema penal: contribuções hispano-brasileiras a questões controvertidas, Verbo Jurídico*, Brasil, 2014, pp. 95-149.
RODRÍGUEZ GARCÍA, N., "Las investigaciones internas como elemento esencial de los "criminal compliance programs": haciendo de la necesidad virtud", *Revista Penal* 2023, n. 52, pp. 201-223.
RODRÍGUEZ GARCÍA, N., "Las investigaciones internas corporativas", en J.M. Roca Martínez (dr.), *Procesos y prueba prohibida*, Dykinson, Madrid, 2022, pp. 191-226.
ROSADO IGLESIAS, *La titularidad de derechos fundamentales por la persona jurídica,* Tirant lo Blanch, Valencia, 2004.
SAMANES ARA, C., *Las partes en el proceso civil*, La Ley, Madrid, 2000.

SCHULTZ, D. y HARUTYUNYAN, K., "Combating corruption: The development of whistleblowing laws in the United States, Europe, and Armenia", *International Comparative Jurisprudence* 2015, n. 1, pp. 87-97.

SCHÜNEMANN, B., "La función de la delimitación de injusto y culpabilidad", en J.M. Silva Sánchez (dr.), B. Schünemann y J. de Figueiredo Dias (coords.), *Fundamentos de un sistema europeo del Derecho Penal*, Bosch, Barcelona, 1995, pp. 205-278.

SERRA DOMÍNGUEZ, M., "Precisiones en torno a los conceptos de parte, capacidad procesal, representación y legitimación", *Justicia: revista de derecho procesal* 1987, n. 2, pp. 289-314.

SERRANO ZARAGOZA, O., "Contenido y límites del derecho a la no autoincriminación de las personas jurídicas en tanto sujetos pasivos del proceso penal", *Diario la Ley* 6 de noviembre de 2014, n. 8415, disponible en https://diariolaley.laleynext.es/.

SIEBER, U., "*Programas de compliance en el Derecho Penal de la empresa. Una nueva concepción para controlar la criminalidad económica*" en L. Arroyo Zapatero y A. Nieto Martín (dres.), *El Derecho Penal económico en la era compliance*, Tirant lo Blanch, Valencia, 2013, pp. 63-109.

SILVA SÁNCHEZ, J.M., "La aplicación judicial de las consecuencias accesorias para las empresas", *Indret. Revista para el análisis del Derecho* 2006, n. 2, pp. 1-15.

SILVA SÁNCHEZ, J.M., *Aproximación al Derecho Penal contemporáneo*, Ed. B de F, Montevideo, 2012.

SILVELA, L., *El Derecho Penal*, Fé, Madrid, 1903.

SOLOZÁBAL ECHEVARRÍA, J.J., "Una revisión de la teoría de los derechos fundamentales", *Revista Jurídica Universidad Autónoma de Madrid* 2001, n. 4, pp. 105-121.

SOTO PATIÑO, F., "La investigación en la empresa, ilicitud de la prueba y uso de datos en el proceso penal", en I. Colomer Hernández (dr.), M.A. Catalina Benavente y S. Oubiña Barbolla (coords.), *Uso de la información y de los datos personales en los procesos: los cambios en la era digital*, Aranzadi, Cizur Menor, 2022, pp. 349-374.

TAMARIT SUMALLA, J.M., "Las consecuencias accesorias del artículo 129 CP. Un primer paso hacia un sistema de responsabilidad penal de las personas jurídicas", en J.L. Díez Ripollés (coord.), *La ciencia del Derecho Penal ante el nuevo siglo. Libro homenaje al profesor doctor don José Cerezo Mir*, Tecnos, Madrid, 2002, pp. 1153-1172.

TEJADA PLANA, D., *Investigaciones internas, cooperación y nemo tenetur: consideraciones prácticas nacionales e internacionales*, Aranzadi, Cizur Menor, 2020.

TIEDEMANN, K., "Die 'Bebußung' von Unternehmen nach dem 2. Gesetz zur Bekämpfung der Wirtschaftskriminalität", *Neue Juristische Wochenschrift (NJW)* 1988.

TIEDEMANN, K., "El derecho comparado en el desarrollo del Derecho Penal económico", en L. Arroyo Zapatero y A. Nieto Martín (dres.), *El Derecho*

*Penal económico en la era compliance*, Tirant lo Blanch, Valencia, 2013, pp. 31-42.

URRUELA MORA, A., "La introducción de la responsabilidad penal de las personas jurídicas en Derecho español en virtud de la LO 5/2010: perspectiva de *lege data*", *Estudios penales y criminológicos* 2012, n. 32, pp. 413-468.

VELASCO NÚÑEZ, E., "Investigaciones internas corporativas: denuncias de delitos ocurridos en la empresa", *Revista Foro Galego* 2019, n. 207, pp. 9-37.

VELASCO NÚÑEZ, E., *El canal de denuncias: sector privado y público*, La Ley, Madrid, 2023.

VERVAELE, J., "La Unión Europea y su espacio judicial europeo: los desafíos del modelo Corpus Juris 2000 y de la Fiscalía Europea", *Revista Penal* 2002, n. 9, pp. 134-148.

VICARIO PÉREZ, A.M., "*Compliance* penal en los partidos políticos. El valor probatorio de las investigaciones internas", *Revista Aranzadi de Derecho y Proceso Penal* 2022, n. 67, pp. 19-50.

VICARIO PÉREZ, A.M., "Reconocimiento del derecho de justicia gratuita a las personas jurídicas sujetas a responsabilidad penal: estado actual y propuestas de reforma", *Revista General de Derecho Procesal* 2022, nº 57, pp. 1-40, disponible en https://www.iustel.com/.

VICARIO PÉREZ, A.M., "La comparecencia obligatoria del representante de la persona jurídica en el juicio oral a la luz del Anteproyecto LECrim: ¿una vulneración de las garantías procesales?", en J. M. Asencio Mellado y O. Fuentes Soriano (dres.), *El proceso como garantía*, Atelier, Barcelona, 2023, pp. 781-789.

VICARIO PÉREZ, A.M., "La Directiva Whistleblowing. Un paso más en la privatización del proceso penal. Especial referencia a las entrevistas en las investigaciones internas", *Revista Brasileña de Derecho Procesal Penal* 2023, vol.9, n. 2, pp. 689-722.

VICARIO PÉREZ, A.M., *Cooperación judicial en la Unión Europea frente a la criminalidad de personas jurídicas*, Aranzadi, Cizur Menor, 2024.

VICENTE ANDRÉS, R., *La protección del informante en el marco del compliance*, Sepín, Madrid, 2023.

VIDAL MARTÍN, T., "Derecho al honor, personas jurídicas y Tribunal Constitucional", *InDret Revista para el análisis del Derecho* 2007, n. 1, pp. 1-18.

VILLEGAS GARCÍA, M.A. y ENCINAR DEL POZO, M.A., "Hacia una guía judicial de valoración de los programas de *compliance* para el proceso penal", *La Ley Penal: revista de Derecho Penal, procesal y penitenciario*, 2020, n. 142, disponible en https://revistas.laley.es/

VILLEGAS GARCÍA, M.A. y ENCINAR DEL POZO, M.A., *Lucha contra la corrupción, compliance e investigaciones internas. La influencia del Derecho estadounidense*, Aranzadi, Madrid, 2020.

VILLEGAS GARCÍA, M.A., "La figura del denunciante. El estatuto del denunciante en la nueva Directiva (UE) 2019/1937", en M. Fortuny Cendra (dr.), *Las investigaciones internas en compliance penal. Factores clave para su eficacia*, Aranzadi, Cizur Menor, 2021, pp. 61-94.

WHITE, S. "A Matter of Life and Death. Whistleblowing Legislation in the EU", *Eucrim. The European Criminal Law Association´s Forum* 2018, n. 3, pp. 170-177.

ZARZALEJOS NIETO, J., "La competencia judicial y el procedimiento adecuado en los procesos penales contra personas jurídicas", con J. Banacloche Palao y C. Gómez-Jara Díez, en *Responsabilidad penal de las personas jurídicas. Aspectos sustantivos y procesales*, La Ley, Madrid, 2011, pp. 141-152.

ZUGALDÍA ESPINAR, J.M., "Delitos contra el medio ambiente y responsabilidad criminal de las personas jurídicas", *Cuadernos de Derecho Judicial* 1997, n. 2, pp. 211-239.

ZUGALDÍA ESPINAR, J.M., "Teorías jurídicas del delito de las personas jurídicas (aportaciones doctrinales y jurisprudenciales). Especial consideración de la teoría del hecho de conexión", *Cuadernos de Política Criminal* 2017, n. 121, pp. 9-34.

ZUGALDÍA ESPINAR, J.M., *La responsabilidad criminal de las personas jurídicas, de los entes sin personalidad y de sus directivos. Análisis de los arts. 31 bis y 129 del Código Penal*, Tirant lo Blanch, Valencia, 2012.

ZUGALDÍA ESPINAR, J.M., *La responsabilidad penal de empresas, fundaciones y asociaciones*, Tirant lo Blanch, Valencia, 2008.